ساق البامبو

ساق البامبو

رواية

سعود السنعوسي

الدار العربية للعلوم ناشرون ش.م.ل
Arab Scientific Publishers, Inc. S.A.L

بسم الله الرحمن الرحيم

الطبعة الرابعة: 1434 هـ - 2013 م

ردمك 978-614-01-0523-2

الدار العربية للعلوم ناشرون ش.م.ل
Arab Scientific Publishers, Inc. S.A.L

عين التينة، شارع المفتي توفيق خالد، بناية الريم
هاتف: 786233 – 785108 – 785107 (1-961+)
ص.ب: 5574-13 شوران – بيروت 2050-1102 – لبنان
فاكس: 786230 (1-961+) – البريد الإلكتروني: asp@asp.com.lb
الموقع على شبكة الإنترنت: http://www.asp.com.lb

التنضيد وفرز الألوان: أبجد غرافيكس، بيروت - هاتف 785107 (1-961+)
الطباعة: مطابع الدار العربية للعلوم، بيروت - هاتف 786233 (1-961+)

كَلمَة

"علاقتك بالأشياء مرهونة بمدى فهمك لها"

إسماعيل فهد إسماعيل

هوزيه ميندوزا

JOSE MENDOZA

ساق البامبو
ANG TANGKAY NG KAWAYAN

ترجمة
إبراهيم سلام

مراجعة وتدقيق
خولة راشد

المترجم

إبراهيم سلام، يعمل في حقل الترجمة. يجيد، إلى جانب اللغة الفلبينية، كلاً من اللغتين العربية والإنكليزية. ولد في مندناو، لعائلة مسلمة، جنوب الفلبين. انتقل وأسرته إلى مانيلا بحثا عن فرصة أفضل للعيش. تلقى هناك دروسا في العربية لدى معهد الدراسات الإسلامية في مانيلا، وحصل على منحة دراسية من قبل اللجنة الوطنية الكويتية للتربية والعلوم والثقافة ليتلقى تعليمه في المعهد الديني في الكويت. التحق بجامعة الكويت، كلية الآداب، متخرجا فيها حاصلا على ليسانس لغة عربية. يعمل حاليا بوظيفة مترجم في سفارة جمهورية الفلبين لدى الكويت.

* قام بكتابة مواضيع ودراسات عدة تم نشر بعضها في الصحف والمجلات الفلبينية، أهمها:

- 10 أعوام في الكويت (2005).

- الدين ليس كما نفهم: نحو تصحيح الممارسات الدينية الخاطئة (2010).

- لنفهمهم أولا: دراسة في فهم أسباب مشاكل العمالة الفلبينية في الكويت. (نشرت في Manila Bulletin Newspaper وجريدة القبس الكويتية).

* أقام دورات وبرامج في اللغة العربية والثقافة الإسلامية للمهتدين الجدد في المركز الكويتي الفلبيني الثقافي.

* عمل، ولا يزال، على ترجمة الأخبار التي تخص الجالية الفلبينية، المنشورة في الصحف الكويتية، وإعادة نشرها في الصحف الفلبينية كـ: Manila Bulletin Newspaper، Philippine Star، و Philippine daily inquirer.

كلمة المترجم

ترجمتي لهـذه الأوراق لا تعني بالضرورة موافقتي علـى كل ما جاء فيها. مهمتي هنا، وإن كنت أشـغل حيّزا، بشـخصيتي الحقيقية، في هذا العمل، لا تتعدى تحويل كلمات النص من اللغة الفلبينية إلى اللغة العربية بناء على طلب الكاتب.

لـكل لغـة خصوصيتها، ولأن اللغـة جـزء مـن ثقافة الشـعوب، والثقافات وإن تشـابهت فيما بينها فلابد أن يتفرّد بعضها بما يميّزه عن بعضها الآخر. لهذا وجدتني أمام الكثير من المفردات الفلبينية التي ليس لهـا مـرادف دقيق في العربية. خصوصا تلك المفردات الغارقة بالمحلية أو الشـعبية التي لا توجد في الثقافات الأخرى. ورغم اتقاني وعشـقي للعربية لغة القرآن الكريم، فقد وجدتني في مأزق أمام تلك المفردات، ما جعلني أتصرف في كثير من العبارات الواردة في هذا النص بشكل يكاد يطابق المعنى الحرفي لها، وأسأل اللّه أن أكون قد وُفِّقت في ذلك.

بعض الكلمات والأسماء في هذا العمل تشرح نفسها بنفسها من خـلال النص، أمـا فـي ما يخص الكلمات التي لم أجد ما يوضحها في السياق فقد خصصت لها مساحة في حاشية الصفحة لتوضيحها. قد تبدو الملاحظات في حواشي النص كثيرة، إلا أنني والمؤلف ارتأينا ضرورة اللجوء إليها في بعض الحالات.

أمـر آخـر لابـد من الإشـارة إليـه، لا يحتاج المترجمـون عادة إلى تبريرات أو شرح أو اعتذارات حول ما تتضمنه ترجماتهم، ولكن، نظرا لطيب العلاقة التي تربطني بهذا البلد وأهله، وما قدموه لي منذ وصولي وحتـى اليـوم، ونظـرا إلى أن جزءا مـن هذا العمل يدور في بلادي التي ليس بالضـرورة أن تطابـق صورتها تلـك الصورة التي تبـدو عليها في

هـذه الأوراق، لهـذه الأسبـاب مجتمعـة، كان لا بد من الإشـارة إلى ان هذا النص، والذي قمت بترجمته، يمثل حالة بعينها، قد تتكرر، بل من المؤكد أنهـا تتكـرر، ولكـن، من المؤكد أيضا انه ليـس بالضرورة، وان تكررت تلـك الحـالات، أن تعكس صورة عامـة، انما هي حالات كان لا بد من الإشارة إليها.

أشكر للكاتب ثقته بي وتكليفي بترجمة نصّه، كما أشكر له احترام الأمر الذي اشترطته قبل الموافقة على الشروع بالترجمة، بأن تكون لي كلمة توضيحية في هذا الكتاب.

وأخيـرا، يسـتوجب أن أنـوّه هنا، بـأن هذا النص مترجم حرفيا عن الأصل المعنون بـ: "Ang tangkay ng kawayan"

وبصفتي المترجم، أخلي مسؤوليتي عن كل ما جاء في هذا النص من آراء وأسماء وتفاصيل وأسرار تمس الحياة الشخصية لأصحابها.

تنويه: كل ما سيأتي في حواشي هذا النص من دون الإشـارة إلى المترجـم أو المؤلـف هـو مـن شـرح الأخت خولة راشـد التي تفضلت مشكورة بتدقيق ومراجعة هذا العمل.

والله ولي التوفيق، ،

إبراهيم سلام

إهْـدَاء

إلى مجانين لا يشبهون المجانين..

مجانين.. لا يشبهون إلا أنفسهم..

مشعل.. تركي.. جابر.. عبدالله ومهدي

إليهم.. وحدهم

لا يوجد مستبدون حيث لا يوجد عبيد

خوسيه ريزال

الجزء الأول

عيسى.. قبل الميلاد

(1)

اسمي Jose ،،

هكـذا يُكتـب. ننطقه في الفلبيـن، كما في الإنكليزية، هوزيه. وفي العربية يصبح، كما في الإسبانية، خوسيه. وفي البرتغالية بالحروف ذاتها يُكتـب، ولكنـه يُنطـق جوزيـه. أما هنا، في الكويت، فلا شـأن لكل تلك الأسماء باسمي حيث هو.. عيسى!

كيف ولماذا؟ أنا لم أختر اسمي لأعرف السبب. كل ما أعرفه أن العالم كله قد اتفق على أن يختلف عليه!

لم تشأ أمي أن تناديني، عندما كنت هناك، باسمى الذي اختاره لي والدي حين وُلِدتُ هنا. رغم أنه اسم الرب الذي تؤمن به، فإن عيسى اسم عربي، يُنطق هناك Isa، وهو ما يعني "واحد" بالفلبينية، ومن دون شك أن الأمر سيبدو مضحكا حين يناديني الناس برقم بدلا من اسم!

اختـارت والدتي هذا الاسـم تيمنا بـ خوسـيه ريـزال، بطل الفلبين القومـي، الطبيـب والروائي الذي ما كان للشـعب أن يثور لطرد المحتل الإسباني لولاه، وإن جاءت تلك الثورة بعد إعدامه.

هوزيه، خوسيه، جوزيه أو عيسى.. ليست مشكلتي مع الأسماء أمرا ملحّا للحديث حوله، ولا أسباب التسمية، فمشكلتي ليست في الأسماء، بل بما يختفي وراءها.

عندما كنت هناك، كان الجيران وأبناء الحي، ممن يعرفون حكايتي، لا ينادونني بأسمائي التي أعرف، ولأنهم لم يسمعوا ببلد اسمه الكويت، فقـد كانـوا ينادونـي Arabo، أي العربـي، رغم انني لا أشـبه العرب في شيء إلا في نمو شاربي وشعر ذقني بشكل سريع. فما يتسم به العربي، إلى جانب قسـوته، كما في الصورة السـائدة هناك، ان الشعر ينمو في

جسده بكثرة، وغالبا ما ترافق صورته المتخيلة.. لحية، مهما اختلف شكلها أو طولها.

أما هنا، فإن أول ما افتقدته هو ذلك اللقب Arabo إلى جانب ألقابي وأسمائي الأخرى، لأكتسب لاحقا لقبا جديدا ضمّته الظروف إلى جملة ألقابي، وكان ذلك اللقب هو.. الفلبيني!

لو كنت فلبينيا هناك.. أو.. Arabo هنا!.. لو تنفع كلمة لو.. أو.. ليس هذا ضروريا الآن.

لم أكن الوحيد في الفلبين الذي وُلِدَ من أب كويتي، فأبناء الفلبينيات من آباء كويتيين خليجيين وعرب وغيرهم كثر. أولئك الذين عملت أمهاتهم خادمات في بيوتكم، أو من عبثت أمهاتهم مع سيّاح جاؤوا من بلدانكم بحثا عن لذّة بثمن بخس لا يقدمها سوى جسدٍ أنهكه الجوع. هناك من يمارس الرذيلة لإشباع غريزته، وهناك، مع الفقر، من يمارسها لإشباع.. معدته! والثمن، في حالات كثيرة، أبناء بلا آباء.

تتحول الفتيات هناك إلى مناديل ورقية، يتمخط بها الرجال الغرباء.. يرمونها أرضا.. يرحلون.. ثم تنبت في تلك المناديل كائنات مجهولة الآباء. نعرف بعضهم بالشكل أحيانا، والبعض الآخر لا يجد حرجا في الاعتراف بذلك. ولكنني الوحيد الذي كان يملك ما يميّزه عن أولئك مجهولي الآباء.. وعدا كان قد قطعه والدي لوالدتي بأن يعيدني إلى حيث يجب أن أكون، إلى الوطن الذي أنجبه وينتمي إليه، لأنتمي إليه أنا أيضا، أعيش كما يعيش كل من يحمل جنسيته، ولأنعم برغد العيش، وأحيا بسلام طيلة العمر.

* * *

18

(2)

جاءت والدتي للعمل هنا، في منزل مَن أصبحت بعد زمن جدتي، في منتصف ثمانينيات القرن الماضي، تاركة وراءها دراستها، وعائلتها.. والدها، وأختها التي أصبحت أمّا لتوّها آنذاك، وأخاها وزوجته وأبناءهما الثلاثة، يعقدون آمالهم على جوزافين، والدتي، لتضمن لهم حياة ليس بالضرورة أن تكون كريمة.. بل حياة وحسب، بعد أن ضاقت بهم السبل.

تقول والدتي: "لم أتخيل قط بأنني سأعمل خادمة في يوم ما". كانت فتاة حالمة. تطمح لأن تنهي دراستها لتعمل في وظيفة محترمة. لم تكن تشبه أفراد عائلتها في شيء. في حين كانت أختها تحلم بشراء حذاء أو فستان جديد، كانت أمي لا تحلم بأكثر من أن تقتني كتابا بين وقت وآخر، تشتريه أو تستعيره من إحدى زميلاتها في الفصل. تقول: "قرأتُ الكثير من الروايات، الخيالية منها والواقعية. أحببتُ سندريللا وكوزيت بطلة البؤساء، حتى أصبحت مثلهما، خادمة، إلا أنني لم أحظ بنهاية سعيدة كما حدث معهما".

ساقت الظروف والدتي لترك بلادها وأهلها وأصدقائها للعمل في الخارج، وعلى صعوبة هذا، بالنسبة لفتاة في العشرين من عمرها، فإن مصيرها كان أفضل بكثير من ذلك الذي سيقت إليه أختها، آيدا، التي تكبرها بثلاثة أعوام. فحين تحالف الجوع مع مرض والدتها والديون التي أثقلت كاهل والدها المقامر الذي أفنى ماله في تربية ديوك المصارعة، لم يجد الأبوان بدا من تقديم ابنتهما البكر، ذات السابعة عشرة آنذاك، مجبرة، إلى سمسار يوفر لها فرصة عمل في مراقص وحانات المنطقة، والنزول عند شرطه بأن يأخذ حصته، جسدا ونقدا، من الفتاة في نهاية كل يوم عمل.

"كل شيء يحدث بسبب.. ولسبب"، هذا ما تردده أمي دائما، وإذا ما بحثت عن سبب لكل ما يحدث لا أجد سوى الفقر منتصبا أمامي.

تدرجت آيدا صعودا في عملها إلى القمة، نزولا في ذاتها إلى القاع. بدأت نادلة في حانة تفترسها أعين السكارى وألسنتهم القذرة، ثم نادلة في ملهى ليلي تزاحمها الأجساد المتعرقة وتلامسها الكفوف الوقحة، ثم راقصة في ناد للعراة تلتهمها الأعين الجائعة، وهكذا، إلى أن نالت أعلى المراتب وأدناها في عالم الليل.

"هل يذهبن إلى الجحيم؟" سألتُ والدتي ذات يوم عن مصير فتيات الليل اللاتي يتسللن إلى أرصفة الشوارع ما إن تغيب الشمس، كسرطانات البحر التي تعربد في رمال الشاطئ ما إن تغيب المياه في الجزر. تعود الشمس من غيابها تغسل بأشعتها خطايا الليل، ويعود المد مبتلعا سرطانات البحر، رادما جحورا حفرتها في الرمال أثناء غيابه. "لست أدري، ولكنهن، حتما، يقدن الرجال إليه" تجيب والدتي من دون يقين.

قدمت آيدا الصغيرة، آنذاك، جسدها لكل من يسألها ذلك مقابل أن يدفع مبلغا يحدده سمسارها. هناك ثمن خاص للرجل الأجنبي يفوق الثمن المخفض الذي يتمتع به الرجل المحلي الفقير. كما ان الثمن يتفاوت نظرا للوقت والمكان. للساعة الواحدة ثمنها.. ولليلة الكاملة ثمنها.. وللخدمة في غرف النادي الخلفية ثمن، ولخدمة الفنادق ثمن آخر.

أصبحت آيدا شيئا، مثل أي شيء يباع ويشترى بثمن.. ثمن بخس في الغالب وباهظ في ما ندر، يتفاوت ثمنها نظرا لنوع الخدمة التي تقدمها. عملت صامتة حزينة، كارهة للمال والرجال. ليس المؤلم أن يكون للإنسان ثمن بخس، بل الألم، كل الألم، أن يكون للإنسان ثمن.

صارت آيدا مصدر دخل للعائلة، تعود مع ساعات الفجر الأولى حاملة حقيبتها الصغيرة في يدها، تحتوي على ما تنتظره أمها المريضة وأبوها المقامر بفارغ الصبر. تتأخر أحيانا عن موعد وصولها، تقلق والدتي على أختها الكبرى، في حين يتفاءل الأبوان لهذا التأخير، لأنه يشي بقضائها ليلة كاملة مع أحدهم في فندق ما، وهذا له ثمن مجز، ومن البديهي ان ساكن الفندق رجل أجنبي، وهذا له ثمن أيضا، يضاعف من محتوى حقيبتها الصغيرة. لا ينظر الأبوان إلى وجه ابنتهما، فنظرهما لا يتجاوز خاصرتها حيث حقيبتها. تعود أحيانا بشفة متورمة أو أنف دامٍ أو بكدمة زرقاء داكنة في فكّها، كان كل ذلك غير مرئي بالنسبة لهما، لا يعنيهما من أمر الشاذ الذي ألحق تلك الأضرار بابنتهما سوى أمواله التي أغدقها عليها بعد إشباع شهوته.

انغمست آيدا في هذا العالم. أدمنت الشرب وتدخين الماريجوانا. أصبح كل شيء بالنسبة لها مقبولا، وليس ثمة شيء في حياتها له قيمة. حملت أكثر من مرة، ولكن حملها لا يستمر، فقد كانت تسقطه فور علمها به، كرها في الجنين وضغطا من والديها حفاظا على عملها التعس، إلى أن جاء اليوم الذي حملت فيه بابنتها ميرلا، وكانت في الثالثة والعشرين من عمرها، أخفت أمر حملها عن الجميع إلا أختها الصغرى، أمي، بعد أن أدركت بأنه خلاصها الوحيد من عملها الذي وافقت عليه مجبرة.

أشاعت آيدا خبر حملها لوالديها في وقت متأخر، بعد أن طُردت من عملها وبعدما أصبح اسقاط الجنين أمرا مستحيلا، وأخبرتهما بأنها لن تعود للعمل. انقطع العلاج عن جدتي.. ساءت حالتها.. تدهورت.. وبقي جدّي منصرفا إلى مصارعة ديوكه.

فقدت العائلة أحد أعضائها، في الوقت الذي انضم لها عضو جديد. ففي الوقت الذي تنفست فيه ميرلا أول أنفاسها، لفظت جدتي

نفسها الأخير.

جـاءت ميـرلا بشـكل جديـد. كانـت فلبينية الملامح لولا بشـرتها البيضاء المائلة للحمرة، وشعرها البني، وعيناها الزرقاوان، وأنفها البارز.

كانت والدتي في ذلك الوقت قد بلغت عامها العشرين. وبلا شك، في نظر جدّي، كانت الاسـتثمار الأمثل للعائلة، وضمان اسـتمرارها في الوقت الذي أصبحت فيه آيدا عاطلة عن العمل، منصرفة إلى تربية ابنتها. وفي ظل انصراف الابن الوحيد، بيدرو، عن شؤون أبيه وأختيه وانشغاله الدائم في البحث عن عمل، كان الوقت قد حان لاستثمار جوزافين.

* * *

(3)

في الوقت الـذي كانت فيه والدتي على وشـك أن تكون نسـخة عـن خالتي آيدا بمصيرها البائس، جاء إلى منزلهم أحد جيرانهم يحمل قصاصة من جريدة فيها إعلان من وكيل في مانيلا يعلن عن استعداده لاستقبال طلبـات الراغبـات في العمل في الخـارج، ليتم توزيعهن على مكاتـب العمالـة المنزليـة في دول الخليـج. التقطت والدتي القصاصة من يده وكأنها تحمل صك الإفراج من سـجن محتمل قضبانه أجسـاد الرجـال الجائعـة. كان جـدّي وخالتي آيدا ينظران إلى والدتي والجار بصمـت. في ذلـك الوقت كانت والدتي تفكر في شـراء حقيبة السـفر واحتياجات الغربة، شطّت بخيالاتها بعيدا قبل أن يتم قبولها، ولكن، لم يترك لها حامل الخبر متسعا من الوقت تبني فيه مزيدا من الآمال حين قال: "لكن...!". التزم الجميع الصمت، ليتم جملته: "يسـتوجب عليكم دفع مبلغ من المال للوكيل كشرط لقبول الطلب!"، وأخذ يتحدث عن التفاصيل والمبلغ المطلوب. صُعق الجميع حين سمعوا الرقم من الجار، فـلم يكـن بمقـدور العائلة توفير مثل هذا المبلغ. اختفت خالتي آيدا في غرفتهـا، وبكـت والدتي حظها في حين تعالى صوت جدّي: "كفّي عن البكاء واستعدي للعمل كما خططت لكِ".

خـرج الجار مـن المنزل، واسـتلقى جدّي على ظهـره فوق أريكة مهترئة، وجلست والدتي على الأرض تندب حظها.

بعد مرور وقت، خرجت خالتي آيدا من غرفتها، تسند ميرلا منفرجة الساقين على خاصرتها، وتحمل في يدها مظروفا تقدمت به إلى أختها الصغرى. تقول والدتي:

"كان والدي قد بدأ بالشخير. تقدمت آيدا نحوي هامسة:

23

- هـذا المبلـغ كنـت قد ادخرته لـ ميـرلا.. يمكنك التصرف به يا جوزافين.

توقـف شـخير أبـي، تقول والدتي. فتح إحـدى عينيه رافعا حاجبه للأعلى، ثم انتصب في جلسته كجثة دبّت فيها الحياة، قال:

- حيـن يعلـو شـخير الآبـاء.. تنخفـض أصـوات الأبنـاء هامسـة بالأسرار!

تقدم نحو آيدا بسرعة والشرر يتطاير من عينيه، في حين كنت على الأرض لا أزال. لوى ذراعها محاولا أن ينتزع المظروف منها.

- جوزافين! خذي ميرلا!

صاحت آيدا في حين كانت ميرلا على وشـك السـقوط. التقطتها ثم وقفت في زاوية المكان أشاهد آيدا تدفع والدي، تشتمه وهي تتلقى منه اللكمات والركلات. مجنونة آيدا. من كان يجرؤ؟!

كنت أتوسـلهما أن يتوقفا، وكانت ميرلا تصرخ مذعورة في حين كان حوارهما، رغم الدفع واللكمات، مستمرا:

- ألم تكتف ببيعي للرجال و..

قاطعها والدي شادّا شعرها صافعا إياها على فمها:

- اخرسي!

دفعها نحو الحائط.. ارتطمت به.. شدّ شعرها إلى الوراء في حين كان صدرها لصق الحائط:

- ميييرلاااا..

همس باسم حفيدته عند أذن آيدا. تصورتُ أن شفتيه ستكشفان عن نابين يطل من بينهما لسان متشعّب:

- ابنة العاهرة مجهولة الأب..

فتحت آيدا عينيها على اتساعهما وكأنها تصرخ بواسطتهما بعد أن

أخرسها والدي. واصل فحيحه:

- سوف أقتلها ان استمرت بجلب البلاء إلى هذا البيت..

- البلاء؟

سـألته آيدا، ثم انفجرت مقهقهة. كالمجنونة كانت تبدو مع ثيابها الممزقة وشعرها الأشعث".

تطرق والدتي.. تلتزم الصمت قليلا قبل أن تدير وجهها ناحيتي:

- هل من الضروري أن أخبرك بكل هذه الأشياء هوزيه؟

هززت رأسي أحثها على المواصلة: أكملي ماما!

تواصل:

"أقسم أن أبي كاد أن يتبوّل في ثيابه أمام منظر آيدا. أفلت أصابعه من بين شعرها. تقدمتْ نحو الباب المفضي إلى الساحة الخارجية ببطء. تبعهـا والـدي وأنـا من خلفه أحمل ميرلا. وبالقرب من السـور القصير، المصنوع من سيقان البامبو، والذي يحيط بحظيرة الديوك تحت شجرة المـوز الكبيـرة، توقفـت آيدا، في حين بقيـت أنا خلف والدي عند باب المنزل الخارجي. قالت آيدا بصوت بالكاد يُسمع:

- مراهناتك على مصارعة هذه الديوك هي البلاء الحقيقي!

لم ينطق والدي بكلمة، في حين واصلت آيدا:

- كلكم ديوك.

همس والدي إليّ:

- يبدو ان أختك قد جُنّت!

لم أتفوه بكلمة، فهذا ما كانت تبدو عليه حقا.

- أنت ديك..

أشارت آيدا بسبابتها نحو أبي.. أردفت:

- كل الرجال الذين قدمت لهم جسدي.. ديوك..

شـيء مـن النـدم، أو ربمـا الخـوف، بـدا على وجه أبـي الذي لم يتزحزح من مكانه:

- آآ.. آ.. آيدا!

كان هـذا الفعـل الوحيـد الـذي قـام به أبي.. أن نطق باسـمها. لم تسمعه آيدا. واصلت:

- وأنا!.. أنا سئمت من القيام بدور الدجاجة!

رفعـت ثوبهـا كاشـفة عن ركبتيها. تجاوزت بسـاقيها سـور البامبو القصيـر الـذي يحيط الحظيرة. انتصبت فـي منتصفه، ثم نفخت صدرها ناظرة للأعلى:

- كوكو كوكووووووو!

انقضـت علـى الديـوك الأربعة تنزع رؤوسـها عن أجسـادها بيديها وتلقي بها باتجاه أبي الذي كاد يسـقط مغشـيا عليه. انتصبت آيدا واقفة في مواجهتنا. كفّاها ملطختان بالدماء، توجّه سبّابتها إلى أبي:

- في المرة القادمة.. سوف يكون رأسك!

في صباح اليوم التالي، خرج والدي باكرا حاملا معه مظروف آيدا، ليعود بعد ساعات حاملا قفصا من القش في داخله أربعة ديوك جديدة!"

* * *

(4)

تواصل والدتي سرد الحكاية: "التقينا أبي حاملا قفصه، أنا وآيدا وميرلا، في الممر الصغير الذي يفضي إلى الزقاق في آخر الساحة الأمامية للمنزل. لم يلتفت نحونا، فقد أصبح أبي يتحاشى النظر إلى آيدا منذ استحالت ديكا، يشيح بنظره إلى أي اتجاه بعيدا عنها ما إن تظهر أمامه، وكأنها رمداء[1]، تحررت آيدا من عبوديتها ووضعت حدا لاستبداد أبي. ليتني كنت أستطيع التخلص من عبوديتي أنا الأخرى، ولكنني لست آيدا. اصطحبتني في ذلك الصباح إلى متجر للبقالة في آخر الزقاق. كان صاحب المتجر يعرفنا جيدا، فلطالما أقرضنا مبالغ صغيرة من المال حينما كانت والدتي على قيد الحياة. أخبرته آيدا بالحكاية كاملة، وبأنني بحاجة إلى مبلغ من المال لأتمكن من العمل خادمة في الخارج. تعاطف الرجل، كعادته معنا، ولكنه اعتذر لعدم مقدرته على توفير المبلغ. وقبل أن نقفل عائدين قال: "يمكنني أن أضمنكم عند البومباي[2]، فهم يثقون بي، ولي سنوات طويلة في التعامل معهم".

التعامل مع البومباي يعني أن تفتح بابا لا يُغلق من الديون، وأن تقبل صاغرا بأن تدفع لأناس يعملون على استثمار حاجتك لصالحهم، وأن تشاهد بعينيك كيف تنمو أموالك وتتكاثر.. لتدخل جيوب غيرك!

تواصل والدتي: "رتَّب لنا صاحب المتجر لقاء مع أحد البومباي.

---

(1) يعتقد البسطاء في الفلبين ان عدوى الرمد تنتقل من عين إلى أخرى إذا ما نظر الإنسان إلى عين المصاب مباشرة (المترجم).

(2) من المعروف ان بومباي هو الاسم القديم لمدينة مومباي الهندية، ولكن، في الفلبين، يطلق الناس اسم بومباي على جماعة من الهنود يعملون على تمويل الفقراء مبالغ صغيرة مقابل فوائد. كما انهم يطوفون على البيوت يعرضون الأجهزة الإلكترونية والكهربائية للبيع بالأقساط (المترجم).

كنا نعرفهم، فقد سبق لنا التعامل معهم قبل سنوات، عندما اشترينا منهم، بالأقساط، موقد طبخ وتلفازا ومراوح سقف وأخرى أرضية. وقد قضينا وقتا طويلا حتى تم تسديد كافة المبالغ المستحقة. وعلى جشعهم، إلا ان كل تلك الأشياء التي اشتريناها سابقا كانت تكلفتها أبسط من تلك التي اشترطوها للموافقة على إقراضي للسفر. ما كان لصاحب المتجر أن يشرح لهم ظروفي، فقد بالغوا كثيرا بمضاعفة فوائد المبلغ مستغلين بذلك حاجتي الماسة للمال".

تهز والدتي رأسها بأسف، ثم تواصل:

"لم يكن أمامنا سوى القبول بما يخرجنا من مأزقنا الحالي، وإن كانت النتيجة هي القبول بمأزق مؤجل.

في مكتب العمالة المنزلية وسط مانيلا، في اليوم التالي، كنت أقف في طابور طويل يبدأ عند باب المكتب الصغير، ويمتد على الرصيف بمحاذاة الشارع، وينتهي في نقطة بعيدة.

بعد ساعات، تمكنت من مقابلة الموظف. دفعت نصف المبلغ وبدأت في عمل الإجراءات. وفي الموعد التالي دفعت المتبقي من المبلغ المستحق بعد أن تمت الموافقة على الطلب. أخبرني الموظف بأنني سأعمل في الكويت، وكانت تلك المرة الأولى التي أسمع بها عن هذا البلد. وهكذا، هيأت نفسي للسفر وأنا سعيدة، رغم إدراكي بأنني سأسدد نصف ما أجنيه من العمل في الخارج إلى جماعة البومباي وسأدفع بالنصف الآخر إلى أسرتي. قبلت بالأمر عن طيب خاطر طالما انهم سيتقاسمون أموالي ويتركون لي حرية التصرف بجسدي.. أهبه لمن أشاء".

* * *

28

(5)

جاءت والدتي للعمل هنا، تجهل كل شيء عن ثقافة هذا المكان. الناس هنا لا يشبهون الناس هناك، الوجوه والملامح واللغة، حتى النظرات لها معان أخرى تجهلها. والطبيعة هنا، لا تشبه الطبيعة هناك في شيء إلا شروق الشمس في النهار، وطلوع القمر في الليل. حتى الشمس، تقول والدتي: "شككت في بادئ الأمر أنها الشمس ذاتها التي أعرف!".

عملت والدتي في بيت كبير، تسكنه أرملة في منتصف الخمسينات مع ولدها البكر وبناتها الثلاث. هذه الأرملة أصبحت جدتي في ما بعد. كانت جدّتي، غنيمة، أو السيّدة الكبيرة كما تناديها والدتي، حازمة، عصبية المزاج في غالب الأحيان، ورغم جدّيتها وقوة شخصيتها فإنها كانت متطيّرة، تؤمن بما تراه في نومها من أحلام إيمانا مطلقا، وترى في كل حلم رسالة لا يمكن إهمالها مهما كان حلمها تافها أو غير مفهوم، وقد كانت تقضي معظم الوقت في البحث عن تفسير لما رأته في منامها، وعادة ما تلجأ إلى مفسّري الأحلام إذا ما عجزت عن تفسير حلمها ذاتيا، وعلى اختلاف التفسيرات التي تحصل عليها من مفسّري الأحلام تصل إلى حد التناقض أحيانا، فإنها كانت تؤمن بكل ما يقوله أولئك المفسّرون وتترقب حدوث ما يحيل رؤاها في المنام واقعا. وإلى جانب إيمانها بذلك كانت تنظر إلى أي شيء يحدث، مهما بدا بسيطا، على انه إشارة لا يجب الاستهانة بها. تقول والدتي، في حين كنت وإياها وخالتي آيدا في غرفة الجلوس الصغيرة في منزلنا هناك: "لست أدري كيف تعيش هـذه المرأة وهي ترصد كل حـدث وصدفة تمر بها. قلت لها ذات يوم حين كانت مدعوة مع بناتها إلى حفل زفاف، وبعد أن عدن

29

إلى المنزل خلال نصف ساعة من خروجهن:

- انتهى الحفل سريعا.. سيّدتي!

مضت السيّدة الكبيرة في طريقها إلى الدور العلوي من دون أن تلتفتّ إليّ، تلقفت هند، البنت الصغرى، سؤالي لتجيب:

- تعطّلت السيّارة في منتصف الطريق.

تذكرت السيّارات المصفوفة أمام المنزل. سألتها:

- وماذا عن السيّارات الأخرى؟

أجابت وهي تمسح الأحمر من فوق شفتيها بمنديل:

- أمـي تـرى انـه لـو لـم تتعطّل السيّارة فـي منتصف الطريق.. لحُصِدت أرواحنا.. في آخره!

- كيف؟!

سألتها والدهشة ملء وجهي. أجابت وهي تنحني تنزع حذاءها:

- أمّي رأت أن حادثا مأساويا كان بانتظارنا!"

كان بيتا ضخما ذلك الـذي عملت فيه أمـي، مقارنة مع البيوت هنـاك، بـل إن البيت الواحد هنا يتّسـع لعشرة بيوت أو أكثر من تلك البيـوت التي جـاءت منهـا والدتي. وصلت أمي إلى الكويت في وقت حرج. وقد تشاءمت جدتي كثيرا من قدومها، وقد بدا ذلك على وجهها كلما ظهرت والدتي أمامها. يبرر والدي ذلك بقوله: "وصلتِ إلى بيتنا، يـا جوزافيـن، في الوقـت الذي تعرَّض فيه الموكب الأميري لتفجير كاد أن يـودي بحيـاة أميـر البلاد لولا عناية اللـه.. وأمي ترى بقدومك طالع نحس!".

كان والدي يكبرها بأربعة أعوام. أساءت جدتي معاملتها، وعمّاتي بالمثل، باستثناء الصغرى متقلبة المزاج. أبي وحده كان حنونا ليّنا معها على الـدوام، ولطالمـا اختلـف مع جدتي وعمّاتي في شـأن معاملتهن

لجوزافين.. أمي.. الخادمة.

ما كدت أبلغ العاشرة من عمري حتى بدأت والدتي تخبرني بتلك الحكايات التي مضت قبل مولدي، كانت تمهد لي درب الرحيل. قرأت لي بعضا من رسائل والدي إليها، عندما كنت هناك، في صالون بيتنا الصغير، إلى جانبها. وأخبرتني بكل تفاصيل علاقتها بأبي قبل أن أعود إلى حيث وعدها. كانت تحرص بين الحين والحين أن تذكّرني بانتمائي إلى مكان آخر أفضل. وعندما بدأت النطق في سنواتي الأولى، كانت تلقنني كلمات عربية: "السلام عليكم.. واحد اثنان ثلاثة.. مع السلامة.. أنا.. أنت.. حبيبي.. شاي قهوة". وعندما كبرتُ كانت حريصة كل الحرص على أن تحببني بأبي، ذلك الذي لم أره.

أجلس أمام والدتي، في بيتنا هناك، منصتا إليها وهي تحكي لي عن والدي، في حين تتأفف خالتي آيدا، كعادتها، من تلك الأحاديث. تقول أمي: "أحببته، ولا أزال، ولست أدري كيف ولماذا. ألأنه كان لطيفا معي في حين كان الجميع يسيء معاملتي؟ أم لأنه كان الوحيد، في منزل السيّدة الكبيرة، الذي يتحدث إليّ في أمور غير إعطاء الأوامر؟ ألأنه كان وسيما؟ أو لأنه كان شابا كاتبا مثقفا يحلم بكتابة روايته الأولى وأنا التي أدمنت قراءة الروايات؟"

كانت تبتسم وهي تحدثني، يا للغرابة، في حين كانت الدموع توشك أن تسقط من عينيها، وكأن الحكاية قد حدثت لتوها!

"كان سعيدا بي، كما يقول، لأنني مثله أحب القراءة. أخبرني عن روايته التي كلما شرع في التحضير لكتابتها عارضه ما يأخذه منها، ليزّج به في معمعة الأحداث السياسية في المنطقة وقتئذ. كان يكتب مقالا أسبوعيا في إحدى الصحف، وقلما يُنشر ذلك المقال بسبب الرقابة المفروضة على الصحف في بلادهم آنذاك. كان من الكتاب القلائل المعارضين لسياسة بلاده في دعم أحد الطرفين المتنازعين في حرب

الخليج الأولى. تصوّر مدى جنون والدك! كان يتحدّث إلى الخادمة في الأدب والفن وشؤون بلاده السياسية، في حين لا أحد هناك يتحدث مع الخادمات بغير لغة الأوامر: "هاتي.. اغسلي.. اكنسي.. امسحي.. جهّزي.. أحضري!".

ورغم تأفف خالتي آيدا وتململها في جلستها. تواصل والدتي:

"كنت أغسل وأكنس وأمسح طوال اليوم، لأتفرغ في نهايته لأحاديث الليل، بعد نوم سيدات المنزل، مع أبيك في غرفة المكتب. كنت أحاول أن أجاريه في أحاديثه السياسية، وأن أشدّ اهتمامه، وأستعرض معلوماتي الفقيرة في السياسة. أخبرته ذات يوم بحجم سعادتي لفوز كورازون آكينو[3] في الانتخابات الرئاسية، لتصبح أول امرأة تصل إلى سدّة الحكم في الفلبين، ولتعيد بذلك الحياة الديموقراطية من جديد بعد أن قادت المعارضة التي أسقطت الديكتاتور فرديناند ماركوس[4].

أبدى والدك اهتماما غير عادي لحديثي، "أوصلتم المرأة إلى سدّة الحكم إذن!" قال، ثم أجبته بزهو: "منذ خمسة شهور، في الخامس والعشرين من فبراير الماضي". انفجر والدك ضاحكا، ثم تمالك نفسه كي لا يوقظ والدته وأخواته من نومهن، قال: "كنا في اليوم ذاته نحتفل بالعيد الوطني الخامس والعشرين لبلادي!". أطرق، ثم قال، كمن يحدث نفسه، وهو يضرب بأطراف أصابعه على سطح مكتبه: "من فينا سيّد الآخر؟!". لم أفهم ما كان يرمي إليه. حدثني عن حقوق المرأة المسلوبة، على حد قوله، فالمرأة في بلاد أبيك ليس لها حق المشاركة في الحياة السياسية. بدا عليه حزن شديد، ثم ورّطني بالحديث عن حياتهم البرلمانية المعطّلة آنذاك. ورغم عدم اكتراثي بما كان يقول، كنت أتابع بحرص شديد صوته وانفعالاته".

---

(3) كورازون آكينو: الرئيسة الحادية عشرة لجمهورية الفلبين (المترجم).

(4) فرديناند ماركوس: الرئيس العاشر لجمهورية الفلبين. أسقطته المعارضة (المترجم).

قاطعتها:

- ولماذا كان يحدثك بتلك الأمور.. ماما؟

أجابت متشككة على الفور:

- لأن محيطه.. يرفض أفكاره؟.. ربما!

تصف والدي قائلة:

"كان رجلا مثاليا كما كنت أرى، وأجزم أن الجميع كان يراه كذلك. وكانت والدته تعامله معاملة خاصة، فهو، كما تقول، رجل البيت الوحيد. كان هادئا، قلما يعلو صوته. يقضي معظم وقته بين القراءة والكتابة في غرفة المكتب. كانت هذه اهتماماته إلى جانب صيد السمك والسفر بصحبة غسان ووليد، وحدهما، من أصدقاء والدك، كانا يزورانه إما في غرفة المكتب لمناقشة كتاب ما، أو الحديث في الأدب والفن والسياسة، أو في الديوانية الصغيرة في ملحق المنزل إذا ما حضر غسان حاملا معه آلة العود.. كان فنانا.. شاعرا.. مرهف الحس.. رغم انه كان عسكريا في الجيش.

كانت بلاد شرق آسيا، تايلاند تحديدا، في أوج شهرتها في ذلك الزمن بالنسبة للشباب في الكويت. حدثني والدك كثيرا عن سفره إلى هناك، بصحبة صديقيه. نظر إلى عينيّ مباشرة أثناء حديثه عن تايلاند ذات يوم. قال: "تشبهين الفتيات التايلانديات!"، أحقا كنت أشبههن أم انه كان يلمح إلى شيء ما.. لم أكن متأكدة.

كئيب كان منزل السيّدة الكبيرة إذا ما سافر معهما. أحصي الأيام في انتظار عودتهم ليعيدوا إلى البيت، أو الديوانية، ذلك الصخب الذي كانوا يثيرونه إذا ما اجتمعوا.

تتوقف والدتي عن الحديث فجأة، تنظر إلى الأرض: "كنت أشاهدهم من نافذة المطبخ، تتعالى ضحكاتهم في حوش المنزل في حين يقومون بتحضير أدوات الصيد قبل ذهابهم إلى البحر. يغيبون

33

لساعات، في حين كنت أنتظر عودة أبيك، لأصُفَّ أسماكه في الفريزر وأغسل ثيابه من زفرها".

تلتفت والدتي إليّ:

- أتمنى أن يكون لك أصدقاء مثل غسان ووليد إذا ما عدت إلى الكويت يا هوزيه.

- أخبريني بالمزيد ماما.. ماذا عن جدّتي؟

"كانت السيدة الكبيرة تخشى على والدك من اهتماماته، ولطالما كررت على مسامعه: "أخشى أن تُغيِّب الكتب عقلك، أو أن يُغيِّب البحر جسدك". كثيرا ما كانت تدخل عليه في غرفة المكتب ترجوه أن يكف عن القراءة والكتابة ليلتفت لأمور أخرى تعود عليه بالنفع، ولكنه كان يصر على أنه لا يصلح لشيء سوى الكتابة. كان، إلى جانب عشقه لمكتبته، عاشقا للبحر، ينتشي برائحة الأسماك كما تنتشي والدته، السيّدة الكبيرة، بالعطور العربية ورائحة البخور".

تغمض والدتي عينيها، وتسحب الهواء إلى رئتيها في نفس عميق. كأنها تشُمّ رائحة أحبتها.

"تخشى جدّتك على ولدها كثيرا، فهو ليس ابنها الوحيد وحسب، بل إنه آخر الرجال في العائلة. اختفى الذكور من أسلافه مع سفنهم الشراعية في البحر منذ زمن طويل، وبعضهم في ظروف أخرى، أما البقية، فقد حصرت ذريتهم في الإناث. تعزو السيّدة الكبيرة هذا الأمر إلى سحرٍ صنعته امرأة حاسدة من عائلة وضيعة منذ زمن طويل يجلب اللعنة على العائلة ببقاء الإناث من دون الذكور. والدك لا يؤمن بمثل هذه الأشياء، ولكن لدى جدّتك يقين بذلك. جدّك عيسى وشقيقه شاهين آخر من تبقى من الذكور في العائلة في تلك الأيام البعيدة، شاهين توفي في سن صغيرة قبل أن يتزوج، أما عيسى فقد تزوج في سن متقدمة من جدّتك غنيمة لينجب والدك راشد، ليصبح بعد وفاة أبيه

الرجل الوحيد في العائلة".

صور خيالية تراءت أمامي أثناء حديثها.. أناس يموتون في البحر.. سُفن شراعية تصارع أمواجا عاتية.. امرأة تصنع السحر في غرفة مظلمة.. انقراض الذكور واحدا تلو الآخر تأثرا بالسحر. أخذت عائلتي من خلال أحاديث أمي صورة أسطورية أدهشتني. تستطرد أمي حديثها عن أبي:

"كان وجوده السبب الوحيد الذي منحني الصبر على منزل السيّدة الكبيرة وسوء معاملتها لي. لم يكن باستطاعته تقديم شيء سوى كلمات التعاطف ليلا، حين ينام الجميع، ليدس يده في جيبه يستل منه أوراقا نقدية يقدمها لي.. دينارًا.. اثنين أو ثلاثة. يرحل بعدها، وأنا لا أشعر بقيمة النقود بيدي". قاطعتها خالتي آيدا:

- كل الرجال أوغاد!

التفتنا إليها أنا وأمي. زادت:

- مهما بدوا عكس ذلك.

ردّت أمي بكلمتين:

- إلا راشد!

تواصل حديثها لي:

"حين لامست كفّه كتفي ذات مساء في المطبخ، هامسا في أذني: "لا تغضبي من والدتي، فهي امرأة كبيرة، لا تعني ما تقول، عصبية ولكنها طيّبة"، تمنيت ألا يبعد كفّه. نسيت كل الإهانات التي تكيلها لي السيّدة الكبيرة. تعمدت بعد ذلك أن أغضبها بين الحين والآخر، بأن أسقط كأسا على بلاط المطبخ تاركة شظايا الزجاج متناثرة هنا وهناك حتى صباح اليوم التالي، أو أترك صنبور المياه يهدر طوال الليل، أو أترك إحدى نوافذ البيت مفتوحة في يوم مغبر كي تتسلل حبات الغبار لتستقر فوق الأرض وقطع الأثاث. تقوم السيّدة في الصباح، تستشيط غضبا. يصحو كل من في البيت على صراخها تنادي بالاسم الذي اختارته لي

35

بدلا من جوزافين، صعب النطق، على حد تبريرها: "جوزااااا!". تشتم .. تصرخ .. تلعن. أما أنا فأقوم بكنس الزجاج من بلاط المطبخ، وأقضي نهارا كاملا في نفض الغبار وتنظيف المكان في انتظار أن يأتي الليل حاملا معه كفّ والدك الحانية لتمسح على كتفي".

تتناول منديلا تقربه من رموشها التي أثقلتها الدموع.. تتابع:

"ذات يوم، في غرفة المكتب، كان يكتب مقاله الأسبوعي، مسندا مرفقه الأيسر على ملف ضخم يحوي مشروع روايته الأولى. قلت له بعد أن وضعت فنجان القهوة أمامه: سيدي! أحب أن أراك تكتب..

- ألا تستطيعين مناداتي بغير سيّدي؟

ما انفرجت شفتاي عن كلمة. لم أتخيل في يوم أن أناديه باسمه، راشد، هكذا، كما تناديه أمه وأخواته.

- ثم ألا تحبين شيئا آخر غير رؤيتي وأنا أكتب؟

تجمدت في مكاني. تساءلت مرتبكة:

- شيء آخر؟

ترك قلمه على المكتب، شبك أصابع كفيه مسندا ذقنه عليها. قال:

- شيء.. أو.. شخص.. ربما..

تأكد لي بعد ذلك بأنني أحببته أو.. أوشكت، رغم أنني لم أشكل له شيئا أكثر من مستمعة يستعرض أمامها أفكاره وقناعاته من دون أن تبدي اعتراضا. ولأنني كنت على يقين بأنه لم ولن يقع في حبي، فقد اكتفيت بمحبتي له مقابل اهتمامه وعطفه.

كان والدك، قبل مجيئي للعمل في منزلهم، قد خرج للتو من تجربة حب مريرة. كان على علاقة بفتاة منذ أيام دراسته في الجامعة. أراد الزواج بها ولكن، لأسباب وتصنيفات أجهلها، وقفت السيّدة الكبيرة في وجه هذا الزواج، فالحب وحده لا يكفي لأن تقترن بفتاة أحلامك.

قبـل أن تقـع فـي الحـب، كما فهمت من راشـد، يجـب أن تختار الفتاة التي سوف تقع في حبها. لا مكان للصدفة والظروف في ذلك. يبدو ان بعض الأسماء تجلب العار للبعض الآخر، هذا ما جعل السيّدة الكبيرة ترفض فكـرة هـذا الزواج لمجرد معرفتها بالاسـم الأخيـر للفتاة. بعدما حالت السيدة الكبيرة دون تحقيق رغبة أبيك تزوجت الفتاة، بعد فترة، برجل آخر.

استمرت علاقتنا، أنا ووالدك، على هذا النحو. اقتنص فرصة نوم السـيّدة الكبيرة في فترة الظهيرة أو الليل، وانشـغال الفتيات في الجامعة أو بمشـاهدة التلفـاز فـي الـدور العلوي من المنزل، كـي أعد القهوة أو الشاي لراشد. أقضي معه ما يسمح به الوقت في الاستماع إلى أحاديث لم تكن مهمّة بالنسبة إليّ بقدر الأهمية التي يشكلها وجودي، بصحبته، في مكتبه.

* * *

(6)

لم يخطئ حدس أمي إزاء تشبيهه إياها بفتيات تايلاند. كان والدي يلمح إلى شيء ما. لم يحاول صراحة ولكنه تلميحا فعل. لم تخبرني أمي بتفاصيل مجنونة كتلك، ولكن لا بد أنه كان واضحا في رغبته عندما أجابته قاطعة: "سيّدي.. تركتُ بلادي هربا من أمور كهذه!". مع مرور الوقت، تلميحاته استحالت أفعالا. صرامة أمي في هذا الأمر تلاشت حين سألها: "نتزوج؟". لا بد أنها سعدت بذلك لتوافق على هذا الزواج الذي لا يشبه الزواج.

كان يوما من أيام صيف 1987، أي بعد مرور عامين على وجود والدتي هنا، والصيف، كما قالت، وكما عايشته لاحقا، لا يرحم. وكان أفراد البيت، الذي كانت تعمل فيه كخادمة، يقضون عطلات نهاية الأسبوع في شاليههم الخاص في إحدى المناطق الساحلية جنوب الكويت، والذي لا يزال قائما حتى الآن، تجتمع فيه العائلة بين حين وآخر.

ذهبت جدّتي وعماتي بصحبة السائق الهندي على أن يلحق بهم والدي بسيارته مصطحبا الطباخ والخادمة. لحق بهم في وقت لاحق من اليوم ذاته، ولكنه لم يذهب إلى الشاليه مباشرة. توقف بسيارته أمام أحد البيوت القديمة في إحدى المناطق التي لا تبعد كثيرا عن منطقة الشاليه. ترجل هو وأمي في حين بقيّ الطباخ داخل السيارة.

"كان قديما متهالكا..". تقول أمي واصفة البيت. ".. يبدو انه سكن خاص بعمال أجانب. الثياب منشورة على الحبال في الفناء الداخلي للبيت وفي النوافذ بشكل يشي بأن امرأة لم تمر على هذا المكان منذ سنوات. إطارات سيارات بأحجام مختلفة مركونة في زوايا الفناء، ألواح

خشبية مهملة وخزائن قديمة يغطيها الغبار ملقاة كيفما اتفق وأسلاك معدنية ومرتبات أسرّة مزقت الشمس قماشها. بدلا من أن ندخل البيت من بابه الأمامي سلك والدك الممر الصغير يسارا باتجاه غرفة خارجية. كان الرجل بانتظارنا. يبدو عربيا، له لحية كثة طويلة، بقعة داكنة تتوسط جبينه، يرتدي الثوب العربي مع غطاء رأس من دون حلقة التثبيت السوداء التي تعلو رؤوس الكويتيين عادة. نادى الرجل على رجلين آخرين من سكان البيت على ما يبدو. لم نمكث طويلا. جلسنا أمام الرجل الذي شرع بالحديث مع والدك بالعربية. التفت إليّ يسأل: "هل سبق لك الزواج؟". أجبته بالنفي. سأل والدك بالعربية. أجاب والدك بالموافقة. التفت إليّ ثانية يسأل: "هل تقبلين براشد زوجا؟".

حرر ورقة بعد موافقتنا. قمنا بالتوقيع عليها أنا وراشد، ثم قام الرجلان بالتوقيع أيضا.. ثم: "مبروك!".

أثناء عودتنا إلى السيارة سألته بريبة: "أبهذا فقط نصبح زوجين؟". أومأ مؤكدا: "الأمر بسيط". كنت مترددة، لم أشعر بشيء مختلف تجاه والدك، قبل أن نترجل من السيارة كان سيّدي، وأثناء عودتنا إليها كان لا يزال كذلك. سألته ثانية: "هل أنت متأكد؟". أخرج الورقة من جيبه: "هذه تؤكد...". مدّ كفّه إليّ بالورقة: "يمكنكِ الاحتفاظ بها". سألته عن السيّدة الكبيرة والفتيات. أجاب دونما اهتمام: "كل شيء في أوانه". لذتُ بصمتي. لم أكن مقتنعة بأننا قد أصبحنا زوجين بالفعل، ولكنني، وبسبب الشعور الذي أحمله تجاه أبيك، سلّمت بالأمر.

ركبنا السيارة. انطلقنا إلى الشاليه في حين كان الطباخ صامتا ينظر إليّ في ريبة".

* * *

أشك في أن ما قام به والدي كان رغبة صادقة في الزواج من أمي، لعله أراد أن ينال ما اشتهاه وحسب. وعلى ذلك، فقد فعل حسنا

بزواجه الغريب.

في اليوم ذاته كان لقاؤهما بموعد حدده والدي. بعد أن جاوز الوقت منتصف الليل، ذهبت جدّتي وعماتي إلى النوم. وبعدما أُطفئت أنوار غرف الشاليه واحدا تلو الآخر. تسللت أمي إلى الخارج. تمشي على رمال الشاطئ الباردة.

- جوزافين!

جاءها صوت والدي هامسا. كان يشرع في إنزال المركب إلى الماء. التفتت إليه:

- سيّدي..

- لم يعد هذا اللقب يناسبنا!

أشار لها بيده:

- اقتربي. كي لا أرفع صوتي ويتنبه الجميع.

اقتربت والدتي. وقفت على مقربة منه إلى أن فرغ من إنزال المركب. قفز والدي إلى سطحه.

- هل نام الجميع؟

- منذ قليل، ذهبت السيّدة الكبيرة والفتيات إلى غرفهن.

مدّ لها كفه:

- تعالي.

ارتبكت. سألته:

- إلى أين؟

لا تزال يده ممدودة إليها. أشار بيده الأخرى إلى نقطة في وسط البحر.. تصدر وميضا أحمر.

- قريبا من هناك. لن نتأخر. ساعة.. ساعتان كأقصى حد.

التفتت وراءها حيث الشاليه.

40

- ولكن يا سيّدي.. قد..

- مـا دمـت تصريـن على مناداتي سـيّدي.. فأنا، بصفتي سـيّدك،
آمرك بمرافقتي!

تقدمت والدتي بخطوات مترددة إلى حيث المركب. تركت نعليها
على رمـال الشـاطئ. خاضـت قدميها في المـاء الذي أخـذ يرتفع كلما
خطت إلى الأمام. جاوز الماء منتصف جسدها. أمسكت بكفّ والدي.
أحاط خاصرتها بذراعه. حملها إلى سطح المركب.

شرع بإبعاد المركب عن الشاطئ بواسطة قصبة خشبية طويلة، ثم
أدار المحـرّك مـا إن وصـل إلى منطقـة يصعـب فيها سـماع هديره، في
حين جلست أمي إلى جواره ضامّة ركبتيها إلى صدرها، مخفية تفاصيل
جسدها الذي شفّت عنه ثيابها المبتلة.

ثم ..

هنـاك، بعيـدا عن الشـاطئ، قريبا من الوميـض الأحمر، اضطرب
المركـب رغم هـدوء البحـر، في حين كنت أنا في الرحيل الأول، تاركا
جسد والدي، مستقرا في أعماق والدتي.

*** *** ***

41

(7)

ما كان للمكان أن يتسع لي، مع مرور الأشهر، لولا اتساع المساحة في بطن والدتي التي بدأت تبرز وتستدير، والتي لم تستطع أن تخفيها طويلا تحت ملابسها الفضفاضة. أخفت الأمر عن والدي في البدء. "كان زواجنا غريبا، لا يبدو حقيقيا، خصوصا بعدما نال مراده، كان سيدي لا يزال، رغم كل ما حدث بيننا. لهذا السبب احتفظت بك سرّا في أحشائي خشية أن يدفعني لإسقاطك إذا ما علم بالأمر"، تقول أمي. وكما فعلت خالتي آيدا، أخبرت والدي بأمر حملها ما إن أصبح اسقاطي من أحشائها أمرا مستحيلا.

لم يصدّق والدي في بادئ الأمر. ارتبك حين أصبح الأمر جديا. عنّفها لصمتها طيلة هذه المدة. تقول: "في ذلك الوقت فقط اكتشفت انه لم يكن زواجا حقيقيا". لمّح إلى فكرة الإجهاض. ولما كان الوقت متأخرا وعدها بأنه سيتصرف في الوقت المناسب. باتت التغيرات واضحة في ملامحها وحركاتها مع مرور الوقت. بشرتها.. أنفها.. شفتيها.. أصابعها المتورمة ومشيتها. لم يكن من الصعوبة اكتشاف الأمر، خصوصا إذا كانت سيّدة البيت هي جدّتي. "من الفاعل؟" باغتتها بالسؤال عندما كانت في المطبخ، بحضور الطبّاخ الهندي، بانتظار أن تعترف الخادمة بفعلتها معه. انفجرت والدتي باكية، وسقط الطبّاخ على ركبتيه يقبل كفيّ جدتي مؤكدا لها أنه لم يقترب من جوزافين قط. سمع والدي صراخ جدّتي في المطبخ. ترك غرفة المكتب متجها إلى حيث صراخها وبكاء والدتي وتوسلات الطبّاخ. صرف والدي الطبّاخ بإشارة من يده. التفت إلى جدّتي يجيبها بطيش أو تمرد: "أنا".

صمت ثقيل أطبق على المكان. قطعته جدّتي بسؤالها لوالدي:

- أنت.. نعم. رجل البيت. أنت من سيتصرف مع ذلك الوغد. أليس كذلك؟

كانت على يقين أن الطبّاخ هو الفاعل. أوضح لها:

- أنا من فعلها.. أمي..

ضربت صدرها بكفّها كأنها تعيد قلبها، الذي أوشك على السقوط، إلى مكانه. ثم وضعت كفّيها على أذنيها، فأزاحتهما لتخفي بهما وجهها. قالت بصوت بالكاد يُسمع:

- تُسافر!

ببرود أجابها أبي:

- ما اعتدت أن أسحب كلمة أو أتراجع عن فعل، ثم ان بعض الأفعال لا رجعة فيها.

كادت تنهار. ووالدي، رغم تظاهره بعكس ذلك، كاد ينهار هو الآخر أمامها. أزاحت كفيها عن وجهها. جلست إلى كرسي تضرب طاولة الطعام بقبضتها:

- كلامك هذا أكتبه لقرائك المجانين.. ليس لي!

تقول والدتي إنها المرة الأولى التي تسمع فيها صوت والدي بهذا الارتفاع، وأمام من؟ جدّتي! قال لها:

- ارتكبتُ خطأً بصنع هذا الجنين، ولا أريد أن أرتكب خطأً أكبر في التخلي عنه.

تجمعت عمّاتي الثلاث عند باب المطبخ المشرع بعد أن تعالت الأصوات. لم يجرؤن على الاقتراب أكثر. قالت جدّتي:

- جوزافين.. السافلة.. تسافر في الغد.

ضمت والدتي كفيها أمام وجهها باكية:

- نعم نعم.. سيّدتي.. أسافر في الغد.

أسكتها والدي بإشارة من يده. وجّه حديثه لجدّتي:

- لن تسافر وهي تحمل قطعة مني في أحشائها.

انتصبت جدتي واقفة تسند كفيها إلى الطاولة أمامها:

- فتاة الجامعة.. تلك التي.. أخطبها لك.. يوم غد لو أحببت.

هزّ والدي رأسه:

- فات أوان ذلك يا أمي.

صرخت جدّتي به باكية:

- هذه مصيبة.. هذه فضيحة..

أشارت بسبّابتها نحو عمّاتي عند الباب:

- أخواتك يا أناني! يا حقير! من سيتزوجهن بعد فعلتك؟!

- ....

- أخرج من بيتي.. خذ هذه السافلة.. وكُتب المجانين التي أفسدت عقلك!

على مدى أسبوع، لم توقف والدتي أسئلتها لأبي عما دار في المطبخ في ذلك اليوم: "لماذا كانت تشير نحو أخواتك الثلاث؟".. "كانت تتكلم عن الكتب.. ماذا كانت تقول؟".. "ماذا كنت تقول عندما ارتفع صوتك في وجه السيّدة الكبيرة؟"

تقول والدتي: "كان يعيد تمثيل المشهد أمامي مترجما ما دار به من حوار كي أفهم. بكيت.. بكيت على والدك كثيرا يا هوزيه".

وبكت والدتي لأن والدي لم يواجه جدتي بزواجه منها، وبكت أكثر لأنها تعلم أن والدي لم يتمرد على جدّتي حفاظا عليها ورغبة في الاستمرار معها، بل حفاظا عليّ.. ورغم انه تمكن من الحفاظ عليّ في أحشاء أمي، فإنه لم يتمكن من ذلك بعد خروجي من هذه الأحشاء.

لو أنه أرضى جدّتي!

لو أنه ركل بطن أمي لينتهي بي المطاف قطعة لحم صغيرة تسبح
في دمائها على أرضية المطبخ!

* * *

(8)

في شقّة صغيرة سكن الاثنان. شقة بمستوى راتب والدي المتواضع آنذاك. لا يتردد عليهما في سكنهما سوى غسـان ووليد، اللذين شهدا على زواجهما الرسمي بعد انتقالهما إلى سكنهما الجديد.

ذات يـوم، في إحدى جلسـاتنا، أمـي وآيدا وأنا، من حقيبة أوراقها الخاصة -التي هي بحوزتي الآن- ومن بين رسائل والدي، سحبت والدتي صورة عن عقد زواجهما الرسمي، والذي حصلا عليه بعد الانتقال إلى الشقة. أشارت بسبّابتها أسفل الورقة التي لم تكن، ولا أنا، نفهم كلماتها:

- هذا إمضاء غسان..

نقلت اصبعها إلى الإمضاء الثاني. صمتت قليلا، ثم بحزن.. قالت:
- امضاؤه مجنون.. كم يشبهه..

حدّقتُ في الإمضاء الثاني.. المجنون كصاحبه. سألتها:
- إمضاء من.. ماما؟

ابتسمت وهي تطوي الورقة:
- وليد..

ثـم أخرجـت مـن الحقيبة صورتين، الأولى لوالدي، يبدو مضحكا فيهـا، نحيفـا جـدا، شـاربه كث، تطـل عيناه الصغيرتان مـن خلف نظارة طبيـة، يلبـس ثوبـا أبيض فضفاضا، وعلى رأسـه طاقية بيضاء كتلك التي يعتمرهـا المسـلمون في كويابو[5] والحيّ الصينـي. لا أدري كيف كان

---

(5) Quiapo: وسط المدينة القديمة. إحدى مناطق مانيلا التي تشـتهر بمحال السـلع زهيدة الثمن. غالبية سكانها من المسلمين، حيث يوجد المسجد الذهبي والمسجد الأخضر (المترجم).

أبي وسيما في عينيّ أمي! أما الصورة الثانية فكانت لشابين على ظهر مركب، أشارت والدتي إلى أحدهما، لم يكن ينظر إلى الكاميرا، فقد كان منهمكا في عمل شيء ما. "هذا غسان، يقوم بتثبيت الطُعم في خطّاف صيد السمك"، تقول والدتي. ثم تشير إلى الآخر، كان ينظر إلى الكاميرا مباشرة: "هذا هو وليد". لفتتني صورته، وجهه طفولي، يبدو صغيرا بالنسبة إلى والدي وغسّان، تبدو شخصيته مرحة.

- كان مجنونا.. بعكس راشد وغسان.. مغرما بسباقات السيارات والدراجات النارية..

قالت أمي.. ثم واصلت:

- جريء.. مندفع.. مشاكس.. يعشق السفر بالرغم من فوبيا الطيران التي يعانيها.

تضحك أمي:

- ينام كالقتيل، إثر حبوب منومة يتعاطاها قبل إقلاع الطائرة، ولا يصحو إلا بعد أن تلامس عجلات الطائرة أرض المطار.

أحببت شخصيته، من خلال حديث أمي وصورته. حدقت في الصورة. كان يمسك بكيس بلاستيكي في إحدى يديه، تقول والدتي انه يحتوي على أمعاء الدجاج التي يفضلها والدي كطعم للسمك. تحجب عينيه نظارة شمسية، وبإصبعيه كان يضغط على أنفه دلالة على الرائحة الكريهة المنبعثة من الكيس.

- تبدو الرائحة كريهة.. ماما..

قلت لها وعلامات الشعور بالقرف تعلو وجهي. أجابت:

- نعم.. رائحة الأمعاء كريهة جدا.. ولكن رائحة زفر السمك في ثياب راشد..

أبقت جملتها مفتوحة. أغمضت عينيها وسحبت نفسا عميقا حتى ارتفع صدرها:

- كم أشتاقها..

أشارت خالتي آيدا نحو باب المطبخ تقول:

- في الجزء العلوي من الثلاجة، هوزيه، عشرة أسماك غالونغونغ. أحضر اثنتين..

دسَّت آيدا إصبعيها في منخريها، ثم واصلت بصوت مكبوت:

- لنحشرهما في أنف والدتك!

لم تعرها والدتي اهتماما، واصلت حديثها عنها ووالدي حينما كانا معا.

انقطع والدي عن منزل جدّتي طوال فترة حمل والدتي بي، كان عنيدا، تقول والدتي، أو يبدي عدم الاكتراث، في حين كان يشتعل من الداخل شوقا للسيّدة الكبيرة. كنت على يقين بأنه يشعر بالندم وإن أبدى عكس ذلك. لم يزُرها في تلك الأثناء قط، ربما خجلا، ولكنه حاول الاتصال بها، إلا ان أخواته كنّ يخبرنه بأنها لا تريد سماع صوته، وفي المقابل، لم تحاول واحدة منهن أن تتواصل معه بأي شكل من الأشكال.

كان والدي على يقين أن مجيئي إلى هذا العالم كفيل بتغيير جدّتي. وأنها ستأخذني إلى حضنها ما إن تراني محمولا بين يديه معلنا تتويجها جدّة. كان قد اتخذ قراره بتسميتي عيسى، كاسم أبيه، إذا ما جئت ذكرا، أو غنيمة، كإسم أمه، إذا ما جئت أنثى.

لم تندم أمي على شيء في حياتها، بما في ذلك زواجها من والدي وحملها بي. كانت ولا تزال تؤمن بفلسفتها الخاصة: "كل شيء يحدث بسبب ولسبب". قضى الاثنان عزلتهما إلى أن حان الوقت الذي راهن عليه والدي. وفي مستشفى الولادة، يوم الأحد الثالث من أبريل

1988، زفت طبيبة أمي خبر مجيئي لأبي: "أنجبت زوجتك ولدا. وهما بصحة جيّدة".

حملنـي والـدي بين يديه، وأخذ يتفحص وجهي طويلا. "علّه كان يبحث عن شيء واحد فقط يشبهه"، تقول والدتي. ولكن الأكيد أنه كان يشـاهد وجهـا برُقَـعٍ مأخوذة من وجوه شـتّى، لم يكـن وجهه من بينها. كانت ملامحي خليطًا من أمي وخالتي آيدا وجدّي.

فور خروجنا من المستشفى، أبي وأمي وأنا، قاد أبي سيارته متجها إلـى بيـت جدّتـي. وعند وصولنـا إلى هناك، طلب أبي من أمي أن تبقى حيث هي في السيارة، فقد لا تتقبل جدّتي رؤيتها في ذلك الوقت، وقد يكون الحفيد، الذي هو أنا، سببا في قبول جدّتي لأمي مع مرور الزمن. انتظرت أمّي في السـيارة في حين ذهبت أنا محمولا بين يديّ أبي إلى جدّتي.

فشلت محاولات والدي بفتح الباب الخارجي، فقد قامت جدّتي بتغيير المفاتيح كيلا يتمكن أبي من الدخول إذا ما فكّر في العودة. وحين دق الجرس فتحت له الخادمة الهندية الجديدة. تحدّث معها قليلا قبل أن يدخـل، دفـع البـاب متقدما إلى الداخل. ثم اختفى عن نظر والدتي. بعد دقائق، شاهدت والدتي سيارة تقترب من بيت جدّتي. انكمشت في الكرسـي. توقفت السـيّارة عند الرصيف المحاذي للبيت. ترجلت منها أربع نسـاء.. دقّت إحداهن الجرس.. فتحت الخادمة. لم يسـتمر الأمر طويلا. ما إن اختفين خلف الباب الرئيسـي حتى فُتح باب المرآب في جانـب البيـت، ليظهـر مـن خلفه أبـي حاملا إياي بين يديـه متقدما نحو السيارة يلفه الصمت.

"تغيّـر مـزاج والـدك بعـد زيارتـه لمنزل السـيّدة الكبيـرة" تقول والدتـي والحـزن بـاد على ملامحها، "أصبح قليل الـكلام، دائم التفكير

في شيء مـا. يقضي وقتا أطول بين القراءة والكتابة. حاولت مرارا أن أقنعه بالذهاب إلى البحر، ولكنه كان يرفض متحججا بانشغال غسان ووليد في التحضير للسفر. رجوته أن يسافر معهما ولكنه رفض.

بعد يومين من مولدك، سافر الإثنان، غسان ووليد، وليتهما لم يفعلا!

انشغل الناس في الكويت، آنذاك، بأمر اختطاف طائرتهم المتجهة إلى تايلاند. غسان ووليد كانا من ضمن ركاب هذه الرحلة. جن جنون والـدك. التصـق أمـام شاشـة التلفاز، لا يتركها إلا لقراءة الصحف أو لمهاتفة بقية الأصدقاء باحثا عن أي خبر جديد، ولكن لا جديد أكثر من الذي يذاع في نشرات الأخبار. ساءت الأوضاع. فجع الناس بالإعلان عن مقتل اثنين من ركاب الطائرة.. انهار والدك أمام شاشة التلفاز أمام منظر إلقـاء جثـة أحـد القتيلين مـن باب الطائرة في مطـار لارنكا. بكى بحرقة أمام الشاشـة في حين كانت سيّارة الإسعاف تحمل الجثمان من أسفل الطائرة. لن أنسى كيف بدا راشد بعد معرفته بالخبر. ضمّ أصابعه إلى باطن كفّه، وأخذ يضرب صدره بقوة: "لم يقتلوه.. نحن من فعل.. نحن من فعل". لست أفهم، حتى اليوم، كيف يبكي إنسان بهذه الحرقة لقتل إنسان لم يجتمع به قط، وكيف يتهم إنسـان نفسـه بارتكاب القتل وهو لم يفعل؟!

تـداول النـاس، بعـد ذلـك، خبر وفـاة كويتي ثالث، قبل أن تشـير الأخبار الرسـمية إلى ذلك. تابع راشـد الأمـر. ومن خلال أحد أصدقائه العاملين في الصحافة والتلفزيون، تأكد من صحة الخبر. أحدهم توفي على متن الطائرة متأثرا بالصدمة، دخل في نوبة هيستيرية، ساءت حالته، ومع عدم توفر رعاية صحية، مات بالسكتة القلبية.

فوبيا الطيران، وجدت لها حليفا يساعدها على قتل وليد. دخل والدك في نوبة بكاء لم أجد أمامها إلا أن أسقط أرضا أبكي حال زوجي

50

وصديقه، من دون أن أملك فعل شيء آخر.

بعد حادثة وليد، استجابت السيّدة الكبيرة، لأول مرة، لاتصال والدك:

ـ لم أكن راغبة بالرد، ولكن، لتعلم وحسب.. أن النحس سيطاردك. انظر ماذا حلّ بصديقك بعد ولادة ذلك الشيء البغيض. انه، مثل أمه، لعنة.

عضّ والدك شفته السفلى في حين كانت الدموع تسيل على وجنتيه بسخاء. أتمت جدّتك، قبل أن تنهي المكالمة:

ـ اقذف بهما خارجا وانظر كيف ستحل البركة عليك.. ومن ثم عد إلى بيتك، وستجدني، بقلب الأم، أغفر لك ذنبك العظيم.

أقفلت جدّتك الخط. أطرق راشد، وبينما كانت السماعة في يده لا تزال، قال يغالب بكاءه: "تقول والدتي..".

ما إن استخرج أبي شهادة ميلاد لي باسم عيسى حتى اتصل بوكالة سفر، طالبا منهم حجز مقعد على أي طيران يقلّنا إلى مانيلا، شريطة ألا يكون ذلك عبر الخطوط الجوية الكويتية.

وبعد أيام، كان الرحيل الثاني، ولكن، هذه المرة.. كان رحيلا من بلد والدي إلى بلد والدتي.

* * *

ان الذي لا يستطيع النظر وراءه، إلى المكان الذي جاء

منه، سوف لن يصل إلى وجهته أبدا

خوسيه ريزال

الجزء الثاني

عيسى.. بعد الميلاد

(1)

من الكويت، سافرنا إلى الفلبين، لنعيش في أرض جدّي ميندوزا الذي نُسبتُ إليه اسميا، لأصبح هوزيه ميندوزا. وميندوزا هو الاسم الأخير لجدّي، ولكن الناس اعتادت مناداته بهذا الاسم رغم انه ليس متداولا كثيرا حيث يعيش.

نشأت في أرض لا تتجاوز مساحتها ألفيّ متر مربع في مدينة فالنسويللا، شمال مانيلا، يقوم عليها منزلان صغيران، أحدهما، الكبير مقارنة مع الآخر، يتكون من طابقين، كان سكنا لنا تكدسنا فيه.. والدتي وأنا، خالتي آيدا وميرلا، خالي بيدرو وزوجته وأبناؤه. أما المنزل الآخر، صغير جدا، يفصل بينه وبين الأول مجرى مائي بعرض متر واحد، كان سكنا لجدّي ميندوزا. لم يكن مجرى الماء، الفاصل بين المنزلين، جدولا صغيرا، أو فرعا من نهر، ولكنه كان مكبّا تصب فيه مياه المجاري حاملة معها مخلفاتنا، ما يجعل رائحة المكان، في الأيام الرطبة، لا تطاق.

تضم الأرض الصغيرة، بعيدا عن المنزلين، في أحد أركانها المطلة على الزقاق الخارجي، أسفل شجرة مانجو عملاقة، منزلا صغيرا جدا، مصنوعا من سيقان البامبو، شيّده جدّي قبل سنوات طويلة لامرأة وحيدة تدعى تشولينغ، فقيرة، ولم نكن نعرف من أين جاءت. لم تكن تعرف سكنا قبل ذلك سوى الرصيف. لا نعرف عنها شيئا سوى اسمها.. تشولينغ.. والذي نسبقه بـ إينانغ[6] احترامًا لسنّها. وكانت إقامتها، بلا مقابل، في أرض ميندوزا الجشع إحدى مفارقات جدّي. كانت عجوزا طاعنة في السن. ترعب أطفال الحيّ بمنظرها. حدباء، لها شاربان أشيبان على طرفيّ فمها، ولا يغطي الشعر الأبيض في رأسها سوى

(6) Inang: إينانغ لقب يستخدمه البسطاء لمخاطبة كبيرات السن يعني الأم (المترجم).

أجـزاء متفرقـة، تـاركا أجزاءه الأخرى للتقرحات والبقع الحمراء. نسـج عنها أطفال الحيّ أساطير مرعبة، جعلت من المرور أمام منزلها، خاصة بعـد الغـروب، أمرا مسـتحيلا. فـ إينانغ تشـولينغ، مشـعوذة الحيّ، آكلة الأطفال، الساحرة التي لا تموت.

تغطـي المسـاحات الخاليـة، حول البيـوت الثلاثة، أشـجار كثيرة، كالمانجو والموز والجواڤة والپاپايا والجاكفروت، تحيطها من كل جانب أشجار البامبو مشكّلة بسيقانها الطويلة سورا لأرض ميندوزا.

كانت عائلتي، قبل عودة أمي بفترة قصيرة، قد تحسّن وضعها المالي قليلا. وكان من الممكن أن تعيش بحال أفضل لولا جنون جدّي ميندوزا وإدمانه المراهنات على مصارعة الديّكة، ولأن الإدمان ليس حكرا على المخـدرات، فقـد كانـت المقامـرة والمراهنات تجـري بدمه. كان جدّي وخالتـي آيـدا وميـرلا، بل وحتى خالي بيدرو وعائلته، يعتمدون بشـكل أساسـي على ما تبعثه والدتي من مال نهاية كل شـهرعندما كانت تعمل خادمـة، وقـد تحسّـن الوضـع كثيرا بعدما أصبحـت والدتي تبعث راتبها كاملا بعد سداد مستحقات جماعة البومباي، ما ساعد جدّي، برغبة من آيدا وخشـية منها، على شـراء ثلاجة، وإن خلت، في معظم الوقت، من الأطعمة.

تقول والدتي، كما أخبرها بيدرو: "ليتك كنتِ هنا! كانت مراسـم اسـتقبال الثلاجة في البيت مهيبة! وكأننا في ميناء نسـتقبل سـفينة حربية عادت من حربها للتوّ متوجة بالانتصار. اجتمع الجيران، الرجال والنساء وأطفالهـم، حـول البيـت يشـاهدون الثلاجة محمولة بيـن أيدي العمّال، يسـيرون بها من سـيّارة الشـركة إلى داخل البيت. كان شـعورا رائعا يا جوزافين!".

بعـد أسـابيع قليلـة من وصـول الثلاجة، توفر للعائلـة مصدر رزق جديد، ولحسن الحظ انه لم يكن بصورة نقدية، وإلا فسوف يقضي عليه

جدّي ميندوزا. اتفق الجيران مع خالتي آيدا على تخزين أطعمتهم، في ثلاجتنا، مقابل حصة صغيرة يتقاسـمها أفراد العائلة من الطعام. وهكذا دخلت أنواع مختلفة من الأطعمة إلى الثلاجة بعد أن كانت تستخدم في معظم الأوقات لتبريد الماء.

* * *

(2)

كنت معلقا بحمّالة أطفال مشـدودة إلى ظهر والدتي حين فَتَحَتْ باب المنزل. وكان جدّي ميندوزا، كما هي عادته، في فترة الظهيرة، نائما على الأريكة في صالون المنزل، فهو قلما يذهب إلى بيته المجاور في غير أوقات النوم ليلا.

دفعت والدتي الباب متجاوزة إياه للداخل. "تسمّرتُ أمامه"، تقول والدتي، في إشارة إلى جدّي. تستطرد: "بقيت واقفة. جدّك أمامي، وباب المنزل خلف ظهري.. لم أكن راغبة في الذهاب إلى غرفتي قبل أن آخذ نصيبي من الشتائم وربما.. الضرب! أردتُ أن أنحني أمسك بكفِّه أضع جبيني على ظهرها، ولكنني تذكرتُ صفعاته لآيدا قبل سنوات".

- أبي!

لم يستيقظ. رفعت صوتي مكررة:

- أبي!

فتح إحدى عينيه، ثم استقام بجلسته..

- جوزافين!

قال مبتسما..

- لو أتممتِ هذه السنة..

ترك جملته مفتوحة في حين الإبتسامة على وجهه لا تزال.

"لو كان يعلم بما أحمل على ظهري!" تساءلتُ في سرّي، ثم قلت:

- ثلاث سنوات.. أظنها كافية.. أبي..

ما إن أتممت جملتي حتى جاءنا صوت بيدرو من الخارج يسأل: "حقيبة من هذه؟"

دفع بيـدرو البـاب من خلفي ليدخـل حاملا حقيبتي التي كنت قد

58

تركتها عند الباب قبل دخولي. وقف عند الباب، وكنت أنت، في تلك الأثناء، محمولا على ظهري، أول ما وقع عليه نظر خالك بيدرو.

- من هذا؟!

جاءني صوته من الخلف متسائلا. انفجر والدي ضاحكا، في حين كان لا يزال يجلس على أريكته أمامي. قال لـ بيدرو:

- هذه جوزافين يا مغفل!

تقدّم بيدرو إلى أن أصبح أمامي، بيني وبين جدّك، نظر إليَّ بوجه باهت:

- أعني.. ذلك الذي تحمله على ظهرها!

ترك والدي أريكته المهترئة عابس الوجه ما إن قذف بيدرو كلماته في وجهي. تقـدم نحـوي فاتحا عينيه على اتساعهما. تجاوزني. بقيت كما أنا من دون حراك. متأهبة لضربة تأتيني من الخلف. انتصب ورائي واقفا. همس في أذني:

- مزيدا من مجهولي الآباء!

شدّ شعري إلى الوراء. ارتطم رأسي برأسك الصغير. انفجرت أنت باكيا، في حين كنت أنا على وشك..

- لو مارستِ عهرك هنا بدلا من..

قاطعته:

- ليس مجهولا.. والده هو.. زوجي..

أحكم على شعري بقبضته، ثم صرخ في بيدرو:

- أنت! اقفل الباب بسرعة!

أعـرف مـا كان يـدور في رأسـه في تلك الأثنـاء، ولكنني لـم أكن بشجاعة آيدا لأقطع أعناق ديوكه!"

* * *

(3)

تغيّـرت معاملـة جدّي لوالدتـي منذ ذلك اليوم. رغم غضبه، أبدى لهـا احترامـا لـم تألفه قط. وعلى الرغم من خذلانها إياه بعودتها تحمل طفلا فإنها كانت متزوجة. كانت أمي هي الأقرب بالنسبة إليه، وإن أبدى عكس ذلك أحيانا. فهي التي كانت تعتني به، وتعامله، مهما قسا عليها، كأب. كانت تحضّر له الطعام وتعتني بنظافة بيته الصغير. كما انها كانت تعطيه نصف ما يرسله لنا أبي من الكويت رغم حاجتنا، أنا وهي، لهذا المال.

تقـول أمـي: "حاولـتُ بقـدر الإمـكان أن أتعايـش مـع جـدّك، كما كانـت جدّتـك تفعـل. فهـو عصبّـي المزاج لأنـه كان عسـكريا، وقد مر بظـروف قاسـية في شـبابه كمـا تقول جدّتك. وما إدمانـه على مراهنات مصارعة الديوك هذه إلا شكل من أشكال التنفيس عن الغضب، وربما هـي محاولـة للانتقـام مـن خصـوم الأمـس مـن خـلال الفتـك بالديوك المنافسة!". تبتسم أمي. تستطرد: "علينا، نحن النساء، فهم مزاج الرجل وإيجـاد مبـررات لأفعالـه، وعلى ذلـك نتعامل مع أخطائـه ونحتمل، لا لشيء سوى المحافظة على ما هو أهم منه".

تضحك قليلا ثم تواصل: "لو حاولت مقاومته لانتهى بي المصير بما انتهت به آيدا .. أمشي، بملامح جامدة، وعينين خاليتين من التعبير، نحـو وجهتـي مباشـرة كالقطـار، ودخـان الماريجوانـا ينبعـث كثيفـا من منخريّ".

لـم يُجـد أحـد التعامل مع جدّي سـوى أمي، فالتعامل مع ميندوزا يعنـي أن تتعامـل مـع رجـال عدة، لكل منهم أسـلوبه وذوقـه بل وحتى تفكيره. لست أدري ما يميّز والدتي عن الجميع، أهو صبرها أم ذكاؤها؟

ميندوزا، شخصية عجزتُ عن فهمها طيلة سنوات بقائي هناك. أحتار في إدراك شخصيته الحقيقية بين تلك الشخصيات التي تتناوبه. هو رواية بحد ذاته. تقول والدتي: "إذا ما صادفت رجلا بأكثر من شخصية، فاعلم أنه يبحث عن نفسه في إحداها، لأنه بلا شخصية!". أظنها مخطئة، لأن ميندوزا، على كثرة شخصياته، كان يملك شخصية حقيقية لا يكشفها سوى الـ توبا[7] إذا ما تجرّعه ليلا، وهو لا يحاول، بتلك الشخصيات، سوى إخفاء شخصيته تلك. كان يبكي بكاء مكتوما، إذا ما بدأ الشراب بفعله، "أنا ضعيف.. أنا وحيد..". كنت أستمع إلى هذيانه ليلا.

في عام 1966 انضم جدّي إلى صفوف الجيش الفلبيني المتحالف، آنذاك، مع كوريا الجنوبية وتايلاند وأستراليا ونيوزيلاندا بقيادة الولايات المتحدة ضد فيتنام الشمالية، في حرب فيتنام. كان من ضمن الجنود المشاركين في دعم الخدمات الطبية والمدنية هناك. تقول والدتي: "في جبال فيتنام، سلب الثوّار الموالين للشمال إنسانية أبي. لم يخبرنا بما رأى قط، ولكن، لا بد انه مر بما لا يمكن وصفه، ليعود قبل انتهاء الحرب بهذه الصورة التي تراه عليها". كنت، عندما كبرت، أكره جدّي بشكل فظيع وأتمنى له الموت رغم تبريرات أمي. وكنت إذا ما شكوت لها قسوته، تقول: "كنا، أنا وآيدا وبيدرو، مثلك. نشكو قسوته عند جدتك إذا ما ثار في وجوهنا غاضبا، ولكنها كانت، دائما، تقول: انها الحرب، لا تزال تشتعل في داخله".

عاد جدّي إلى منزله في عام 1973 وهو لا يملك سوى ذكرى معاناة نجهلها، وراتبا شهريا يقدّر بـ أربعة آلاف وخمسمئة بيزو[8] خصصته له الحكومة الأميركية، يتقاضاه مدى الحياة. لا يُحسب هذا

---

(7) شراب كحولي محلّي يتم تحضيره من عصارة ثمرة جوز الهند (المترجم).

(8) ما يعادل، في هذا الوقت، حوالي مئة دولار أميركي (المترجم).

المبلغ ضمن مدخول العائلة، فالأربعة آلاف وخمسمئة بيزو تعني شراء
ديك جديد كل شـهر، إما أن يُقتل من قِبَل ديك أشـد شراسـة، وهو ما
يعني خسارة راتب شهر، وإما أن يتغلب على ديك منافس، ليربح جدّي
الرهان، ويشتري بثمن الربح ديكا آخر. أما ما يتبقى له من مال فيُصرف
في شراء أعلاف هذه الديّكة وما تحتاجه من حبوب منشّطة وفيتامينات
باهظـة الثمـن، وفـي كلتـا الحالتيـن تتطايـر الأمـوال مـع ريـش الديّكـة
المتصارعة في حين لا يملك أحد من أفراد العائلة حق الاعتراض. كان
العزاء الوحيد في حال فوز ديك جدّي هو عودته إلى البيت حاملا بين
يديه قفصا يضم ثلاثة ديوك .. الديك الرابح .. الديك الجديد... والديك
الخاسـر، والذي عادة ما يكون ميتا أو يوشـك أن يموت، ليكون وليمة
للعائلة الجائعة.

* * *

(4)

أهملت والدتي تربيتي دينيا، على يقين بـأن الإسـلام ينتظرني مستقبلا في بـلاد أبي. ورغم ان أبي همس بنداء صلاة المسـلمين في أذني اليمنى فور ما حملني بين يديه، في المستشـفى، بعد مولدي، فإن ذلـك لـم يمنـع والدتي، فور وصولنا، من أن تحملني إلى كنيسـة الحيّ الصغيرة ليتم تغطيسي في الماء المقدّس في طقوس تعميدي مسيحيا كاثوليكيا. لم يكن يقينها بعودتي قد ترسخ في ذاتها بعد.

لو انهما اتفقا على شيء واحد.. شيء واحد فقط.. بدلا من أن يتركاني وحيدا أتخبط في طريق طويلة باحثا عن هوية واضحة الملامح.. اسم واحد التفت لمن يناديني به.. وطن واحد أولد به، أحفظ نشيده، وأرسم على أشجاره وشوارعه ذكرياتي قبل أن أرقد مطمئنا في ترابه.. دين واحد أؤمـن بـه بدلا من تنصيب نفسي نبيّا لديـن لا يخص أحدا سواي.

أفكـر أحيانا في تلـك الدقائق التي استغرقها الإثنان معا، راشـد وجوزافيـن، علـى ذلـك المركـب، قبل أن يصبحا أبي وأمي. أي جنون هذا الذي يخلق من دقائق متعتهما بؤس حياتي بأكملها؟!

لو وُلدتُ لأب وأم كويتيين، مسلما، أسكن في بيت كبير تحتل غرفتي فيه مسـاحة لا بـأس بها في الدور العلـوي، غرفة فيها تلفاز 46 بوصة وغرفة ملابس وحمّام. أستيقظ صباح كل يوم لأذهب إلى عملي الـذي اخترتـه بنفسـي، مرتديا تلك الثياب البيضـاء الفضفاضة مع غطاء الـرأس التقليـدي، أشكل جـزءا مـن الـكل، مـن دون أن أظهر بصورة الكومبـارس الذيـن يقومـون بأدوار العرب في أفلام هوليوود. أنظر إلى الناس من حولي ولا أحتاج لأن أرفع رأسي إلى السماء كي أخاطبهم،

63

ومـن دون أن ينظـروا إلـى الأرض لينتبهـوا إلى وجـودي بينهم. أجلس فـي المقاهـي والمطاعـم الفخمـة من دون أن يتهامس البعض مسـتنكرا وجود أمثالي في مثل هذه الأماكن الراقية. أرتاد مجالس الشـباب ليلا، ويكون لدي الكثير من الأصدقاء الكويتيين، أصدقاء مثل غسان ووليد، أجتمع بهم في الديوانية، وأخرج معهم إلى البحر. أذهب إلى المسجد يوم الجمعة وأستمع إلى الرجل الواقف خلف المنصّة وأفهم ما يقول، بـدلا مـن أن أرفـع كفـيّ، مقّلدا الرجال حولي، مـرددا كالببغاء: آمين .. آمين .. آمين.

أو..

لو وُلدتُ لأب وأم فلبينيين، من طينة واحدة. أعيش مسيحيا، ميسور الحـال، مـع عائلتـي فـي مانيلا، أغوص كل يوم في زحمة البشـر، وأفتح رئتيّ ومسـامات جلدي لأمتص عوادم السـيارات. أو مسـلما فقيرا أعيش بطمأنينـة بيـن جماعتـي جنوبا، في مندناو، لا أخشـى الجوع وضغوطات الحكومـة. أو ثريـا أسـكن بيتـا فخما في أحد احياء فوربـس بارك الراقية في ماكاتي، أذهب صباح كل يوم إلى مدرسـتي التي لا يحتمل تكاليفها إلا الأثرياء. أو بوذيا من أصول صينية، أعمل مع والديّ في أحد متاجر الحـيّ الصينـي فـي مانيلا، أحرق البخـور كل صباح أمام تمثال بوذا جلبا للرزق. أو .. لو وُلدتُ لأبوين من قبائل الـ إيفوغاو[9] في الشمال، نقضي النهـار عـراة، إلا مـن قطعة صغيرة في الوسـط، نعمل في مدرجات الأرز الخضراء في الجبال، وننام ليلا في بيوت القش المعلقة، تحرسنا تماثيل

(9) Ifugao: منطقة جبلية في الشمال، تسكنها قبائل بدائية لها ديانتها وثقافتها الخاصة التي ترتبط بزراعة الأرز والذي يعتبر مصدر هيبتها وبقائها. نُحتت مدرّجات الأرز في جبال الـ إيفوغاو قبل حوالي 2000 سنة (المترجم).

الـ أنيتو[10] من الأرواح الشريرة. لو وُلدتُ ميستيزو[11] لا أملك غير هيأتي ميزة أستثمرها، لأصبح نجما سينيمائيا.. فتى إعلانات.. أو مغنيا مشهورا. أو..

لو فقست من بيضة ذبابة منزلية.. أعيش في البيت فسادا.. أشيخ بعد عشرة أيام.. ثم أستسلم للموت بعد أسبوعين كحد أقصى.

لو كنت شيئا.. أي شيء.. واضح المعالم.. لو.. لو.. لو ..

أي تيه هذا الذي أنا فيه؟

هل يجعل مني التعميد مسيحيا، وهل قبلتُ بالمسيحية دينا في طقس حضرته في حين كانت ذاكرتي لا تتسع لشيء بعد؟

لكل منا دينه الخاص، نأخذ من الأديان ما نؤمن به، ونتجاهل ما لا تدركه عقولنا، أو، نتظاهر بالإيمان، ونمارس طقوسا لا نفهمها، خوفا من خسارة شيء نحاول أن نؤمن به.

رغم كل الظلم الذي أعانيه، اعتدت أن أقابل الإساءة بالغفران، وأن أدير خدّي الأيسر لمن يصفع الأيمن، أحببت المسيح حتى أصبحت أراه في أحلامي مبتسما، يربت على رأسي بكف لا تزال بها أثر المسمار الكبير الذي اخترقها يوم تثبيته في الصليب. فهل أكون مسيحيا؟ ولكن، ماذا عن خلواتي التي أجد بها ذاتي، ورغبتي الدائمة في التوحد مع الطبيعة من حولي، والتصاقي بالأشجار في أرض جدّي ميندوزا حتى أوشك أن أفقد حواسي التي هي مصدر المعاناة كما يقول بوذا في تعاليمه، تلك التعاليم التي أدمنت قراءتها حتى خلتني أناندا، أحَب

(10) Anito: اسم آلهة الـ إيفوغاو، يصوّرها الناس بتماثيل خشبية داكنة اللون (المترجم).

(11) الذكر ميستيزو، الأنثى ميستيزا. تطلق هذه التسمية على من تختلط أصوله الفلبينية بالأوروبية، وعادة ما ترجع هذه الأصول إلى إسبانيا، فقد عرفت الفلبين هذا النوع في فترة الاحتلال الإسباني حين اختلط العرق الآسيوي بالعرق الأبيض. ويشتهر الميستيزو/ الميستيزا عادة بالجمال الفائق وطول القامة (المترجم).

تلاميذ بوذا وأقربهم إليه. أتراني بوذيا من دون أن أعلم؟ وماذا عن إيماني بوجود إله واحد لا يشاركه أحد.. صمد.. لم يلد ولم يولد؟ أمسلم أنا من دون اختيار؟

ماذا أكون؟

انه قدري، أن أقضي عمري باحثا عن اسم ودين ووطن. رغم ذلك، لن أنكر لوالديّ فضلهما في مساعدتي، من دون نية منهما، في تعرفي على خالقي.. بطريقتي.

* * *

(5)

ليـس هنـاك مـا يميّـز علاقتـي بالكنيسـة في بلاد أمـي، فزياراتي لها قليلة جدا، زرتها لأول مرة، بعد تعميدي، مع خالتي آيدا وخالي بيدرو وزوجته، حين بلغـت الثانية عشـرة وذلك للتثبيت، وفقا للأسـرار السـبعة المقدسة، والتي لم أجرِ منها إلا ثلاثة، هي التعميد والاعتراف والتثبيت.

أمـا طقـس الاعتـراف الأول فقـد تـم بترتيب من إدارة المدرسـة، حيـث عـادة مـا تسـتقبل المـدارس قسيسـا للقاء طلبـة الصـف الثالـث الإبتدائي لأخـذ اعترافاتهم. كنت في التاسـعة حين زارنا قس الكنيسـة لإجراء هـذا الطقـس. اصطففنا في طابور خـارج الفصل، في حين بقي القس في الداخل يستقبل الطالب تلو الآخر. ويالها من ذنوب تلك التي كانت بعمر مرتكبيها، صغيرة، لا تخرج عن "كذبت يوما ما على مدرّسة الفصل.. عصيت أمر أمي في.. سرقت قلما أو دمية من..″، ولكن ذنبي جـاء مغايـرا. لـم يكـن ذنبي بعمري آنذاك، فقد كنت أراه بعمر.. إينانغ تشولينغ!

إينانغ تشـولينغ، جارتنـا العجوز، مرعبة أطفـال الحيّ، التي يحتل منزلها مساحة صغيرة في أرض جدّي، تظلله شجرة المانجو العملاقة.

إذا ما عادت بي الذاكرة إلى أرض جدّي ميندوزا، لا بد وأن أتذكر ثلاثة مخلوقات، غير بشرية، تشاركنا أرضنا الصغيرة، كلب جدّي وايتي، وديوكه، وإينانغ تشولينغ. وحيدة كانت، بلا زوج أو أولاد. لم أشاهدها خارج منزلها الصغير قط. كل ما كنت أشاهده منها هو نصفها العلوي حين تظهر من خلف باب بيتها تتفقد طبق الطعام اليومي. كانت والدتي تقوم بتنظيف بيتها كل أسبوع أثناء مرض جدّتي وبعد وفاتها، فقد كانت جدّتي تقوم بتلك المهمة قبل ذلك، وفي أثناء سفر والدتي قامت خالتي

آيدا بهذا الدور. أما نساء الحيّ الأخريات فقد كنّ يضعن لها أطباق الطعام صباح ومساء كل يوم عند باب منزلها. كنت في السابعة من عمري حين مررت أمام منزل إينانغ تشولينغ، ذات يوم، متجها إلى بيتنا عائدا من المدرسة أتضور جوعا. شاهدت إحدى نساء الحيّ أمام منزل إينانغ تشولينغ تضع الطبق اليومي على الأرض. عادة ما يحتوي الطبق، على الرز الأبيض، أو الفواكه المقطعة، أو الموز المقلي، ولكن في ذلك اليوم رأيت نصف دجاجة تستلقي في طبق إينانغ تشولينغ أسفل الباب. سال لعابي. توقفت أمام منزلها، تفصل بيننا مسافة قصيرة، لم أتجاوزها قط خوفا من صاحبة المنزل. كنت أحدّق في الطبق، والصمت يكاد يبتلع المكان لولا حفيف الأشجار وطنين النحل المتزاحم في خلية عملاقة بين أغصان شجرة المانجو أعلى منزل الساحرة. التفتُّ حولي مترددا "هل أفعل؟"..

اتجهت بنظري إلى قبضة بابها الخشبي..

"ماذا لو ظهرت فجأة وسحبتني إلى الداخل؟"..

شرعت بقضم أظافري..

"سوف أجري قبل أن تمسك بي"..

تقدمت خطوة..

"ماذا لو ماتت جوعا؟"

هبطت بنظري إلى الطبق أسفل الباب..

"تبدو شهية.."

من مكان قريب.. تناهى إلى سمعي نباح كلب.. لا بد أن يكون وايتي..

"سوف يسبقني إليها الكلب إن لم.."

تقدمت خطوة، تدفعني خشيتي من أن يسبقني الكلب.. ثم أوقفني

خوفي من أن تسحبني إينانغ تشولينغ للداخل.. دفعني جوعي للتقدم للأمام خطوة أخرى.. توقفت خوفا من أن تموت العجوز جوعا.. ثم.. ارتفع نباح الكلب.. اقترَب.. وطنين النحل يتواصل.. تقلصت أمعائي.. قفزت إلى باب إينانغ تشولينغ لأحكم قبضتي الصغيرة على نصف الدجاجة المستلقية في الطبق على الأرض لأجري بعيدا تاركا لها الطبق فارغا.

في الفصل، بعد عامين من حادثة إينانغ تشولينغ، حين كنت وحيدا وإياه، اعترفت للقس بسرقتي طعام العجوز، رغم اني لم أتذوقه.

- تب عن فعلتك أولا..

هززت رأسي إيجابا:

- سأفعل يا أبانا.. ولكن..

- صلِّ لأبينا المسيح عشرين مرة.. وللعذراء..

ابتسم القسّ ابتسامة تشي بانتهاء الطقس..

- ولكن.. هل ستخرج النحلة من رأسي يا أبانا؟

بدا على وجهه الإستغراب. واصلت موضحا:

- عندما جريت هاربا من منزل إينانغ تشولينغ.. لحقت بي نحلة..

بدا على وجهه الإهتمام. هز رأسه يحثني على المواصلة..

- كنت أجري وطنينها يقترب من أذني.. فزعت..

أخذت أضرب الهواء حول وجهي شارحا للقس ما حدث..

- حاولت أن أبعدها.. ولكنها كانت مصرّة على شيء ما.. ارتطمت بأذني..

ضربت أذني بإصبعيّ مواصلا مشهدي التمثيلي..

- ضربتها.. أفلتّ الدجاجة من قبضتي لتسقط أرضا.. ثم.. وضعت كفيّ على أذنيّ.. وعينايّ في وجه القسّ تحدقان..

- اختفى الطنين فجأة.. ثم.. أصبحت أسمعه داخل رأسي!

ابتسم القس.. تلاشت ابتسامته تدريجيا.. سرح في شيء ما.. لم يطل صمته:

- انه الذنب..

قال، ثم أردف:

- سيغفره لك الرب إن صلَّيت.. وسيتلاشى الطنين..

صلَّيت.. صلَّيت كثيرا، ولكن.. طاب للنحلة البقاء داخل رأسي طويلا..

* * *

(6)

لـم تتوقـف أمـي عن الحديث حـول أبي والكويـت، والحياة التي تنتظرني. كنت أبكي إذا ما جاء ذكر الكويت التي لا أعرف عنها شيئا. كنت لا أتصور نفسي في مكان غير أرض جدّي ميندوزا في فالنسويللا. وكنت أنزعج من سـماع اسـم راشـد الذي ما توقفت والدتي عن ذكره أمامـي. ولكـن، مـع صعوبـة الحيـاة، والصـورة التي كانت ترسـمها لي أمي عن الجنة التي تنتظرني، أصبحت أنتظر ذلك اليوم الذي سـأصبح فيـه غنيـا قـادرا علـى الحصول على ما أريـد من دون جهد. كنت إذا ما انبهرت لمشـاهدة إعلان لسـيّارة باهظة الثمن، تقول والدتي: "سـتحصل على واحدة مثلها يوما ما .. إذا ما عدت إلى الكويت"، وإذا ما أشرت نحـو شـيء فـي السـوق لا تسـتطيع أمي شـراءه، تقول: "فـي الكويت.. هناك.. سيشتري لك راشد واحدا مثله". كنت أتخيّلني مثل آليس، أتبع وعود أمي بدلا من الأرنب، لأسقط في حفرة تفضي إلى الكويت.. بلاد العجائب.. أقنعتني أمي أننا نعيش في الجحيم، وأن الكويت هي الجنة التي أستحق.

كنـت قـد تعلمـت القراءة بالإنكليزيـة. ناولتني أمّي ذات يوم أولى رسـائل أبي إليها. كان قد أرسـلها بعد تركنا للكويت. كنت في شـهري الرابع آنذاك.

يقول والدي في رسالته:

العزيزة جوزافين،،

ها قد مر على رحيلك ثلاثة أشهر، ولم تسألي، حتى الآن، عن سبب تركي لكما، أنتِ وعيسى، على هذا النحو من الغموض.

قلت لأمي متأففا بعد أن مددت لها كفّي بالرسالة:

- أكره اسم عيسى..

قطبت حاجبيها معاتبة. قالت:

- ولكن اسم عيسى جميل. هو اسم اليسوع بالعربية..

ربّتت على رأسي:

- إن كنت ستختار دين أمك فإن عيسى هو ابن الرب.. وإن كنت ستختار دين أبيك فإنه نبيّ مرسل من عند الله.. في الحالتين يجب أن تعتز باسمك.

لم أرد. ابتسمت أمي تحثني على القراءة:

- واصل القراءة يا هوزيه..

واصلت. بعد أن دفعني "هوزيه" اسمي الذي أحببت لمواصلة القراءة:

وأعرف أنكِ لن تسألي، وأنتِ التي كنتِ دائمة القول: كل شيء يحدث بسبب ولسبب، ولست ممن يبحثن عن تفسيرات.

نعرف، بل نعترف، أنا وأنت، ان زواجنا وما ترتب عليه من فعل ارتكبناه، في ليلتنا المجنونة على ذلك المركب، كان تصرفا أرعن.

رفعت نظري إلى وجه أمي:

- ماذا حدث على سطح المركب.. ماما؟

قالت والإنزعاج باد على وجهها:

- في يوم ما.. ستعرف..

واصلت القراءة:

ولهذا السبب رضينا بنتائجه وتحملناها بداية. أما في ما بعد.. أعترف بأنني لم أحتمل، لأحملك، بكل ضعف، المسؤولية بالكامل.

كنت على يقين أن عيسى هو من سيليّن قلب والدتي الغاضبة، وهي التي ما توقفت يوما، قبل اعترافي بما حصل بيننا، عن ترديد: "أريد أن أرى ذريتك قبل أن أموت". أما في ذلك المساء، فور خروجنا من المستشفى وفور ذهابي لزيارتها مع عيسى، شعرت بها تتمنى الموت قبل أن ترى هذه الذرية.

كانت غاضبة إلى درجة انها غيَّرت مفاتيح المنزل كي لا أتمكن من الدخول إذا ما فكرت بالعودة. لم يطمئن قلبي لتصرف أمي وأنا الذي أعرف مقدار محبتها لي، ولكن، رغم عدم تمكني من فتح باب البيت، كنت أملك، كما حسبت، مفتاحا آخر أفتح بواسطته قلبها. مفتاح اسمه.. عيسى.

نظرت إلى أمي عابسًا:

ضَحِكتْ ..

- حسنا.. واصل القراءة يا هوزيه!

كانت رائحة البخور أول ما استقبلني فور ما فتحت لي الخادمة الباب. هل أحرقته أمي احتفاء بعودتي المحتملة؟ كنت أتساءل. تقدمتُ إلى الداخل وكلي لهفة لرؤية وجه أمي بعد أشهر الغياب. تبعتني الخادمة وهي تسأل: "من أنت؟ من تريد؟" لم أجبها. سألتها عن أمي. أشارت إلى السُلَّم وأجابت: "في الأعلى". كانت أنوار البيت مضاءة بالكامل، في مشهد لا يحدث إلا في المناسبات الخاصة. توجهت نحو السُلَّم. ارتقيت أولى درجاته، وإذ بوالدتي عند الدرجة الأخيرة، في الأعلى، تهم بالنزول.

تسمّرت في مكاني، عند الدرجة الأولى في الأسفل، أما هي فقد ترددت في بادئ الأمر. حاولت الانسحاب فور ما شاهدتني، ولكنها كابرت، فليست أمي التي تهرب. واجهتني. عيناها في عيني. ملامحها غاضبة صارمة، ولكنها تحولت إلى الهدوء. تحنّ .. ترقّ مع كل خطوة

أخطوهـا للأعلى. قبّلـتُ كفّها وجبينها، مددت يـديّ إليها حاملا صغيري. قلت: "عيسى".

ضغطت، بضيق، أسـناني على أحرف الاسـم "عيسى" من دون أن أنظر إلى وجه أمي هذه المرة.

هـل ترقرقـت الدمـوع من عينيها لرؤية الصغيـر؟ أم أن صورة والدي تراءت أمام عينيها حينما ذكرت لها اسمه "عيسى"؟

حملته بين ذراعيها، سـارت ببطء إلى الأسـفل في حين بقيت واقفا، في آخر السُلَّم، أرقب ملامحها وهي تحدّق في وجه الصغير حابسة شهقات البـكاء. جلسـت إلـى أريكـة في الأسـفل، وأنا، كنـت لا أزال أراقبهما من الأعلى، أشـاهد أجـزاء منهمـا، تظهـر من بيـن قطع كريسـتالية تتدلى من ثرية كبيرة تتوسـط السـقف. انفجر عيسـى باكيا بين ذراعيها، قرّبته أمي إلى صدرها، ثم بكت كما لم أرها تبكي من قبل سوى عند سماعها خبر وفاة والدي قبل سـنوات. سـالت الدموع من عينيّ وأنا أشـاهد أمي وولدي في البيـت الـذي فيه نشـأت، تحيطهم الأنوار ورائحة البخـور. حرّكت الرائحة السـؤال السـاكن في رأسـي، لماذا البخور؟ أهو احساسـها الذي هداها إلى هذا اليوم بالذات؟

ذهبـت إلـى حيـث تجلس على الأريكة، أسـندت ركبتيّ إلى الأرض أمامهـا، واضعـا كفّي علـى ركبتهـا، أعصرهـا بشـوق. ومع اتحـاد صوت بكائهمـا، أمي وعيسـى، سـمعت صـوت جرس المنزل. أتـت الخادمة بعد ثوان: "سـيّدتي، أربع نسـاء في الخارج يسـألن عنكِ". دفعت أمي الصغير إلـيّ وكأنـه قنبلة توشـك أن تنفجـر: "الخاطبات.. الخاطبات..". مسـحت دموعها، ثم انتصبت أمام المرآة ترمم ما حطّمه الصغير من ملامح صارمة في وجهها. ومن دون أن تلتفت إليّ، أشـارت بسـبّابتها إلى الباب الخلفي المفضي إلى المرآب: "خذ ابنك واخرج من هنا.."، صعقتُ لتبدّل مزاجها:

"أمي!"، رفعت صوتي متجاوزا بكاء عيسى. أردفتُ: "أمي.. أرجوكِ..". تقدمتْ نحو الباب الخلفي. فتحته وقالت مشددة على كلماتها: "أخرج.. الآن!"، ثم أشارت نحو الصغير: "وإياك أن تحضر هذا الشيء إلى هنا!".

خرجتُ، حاملا لعنة عيسى، من الباب الخلفي، لتدخل البركة إلى البيت من بابه الرئيسي. كانت أمي على موعد لاستقبال أهل خطيب عواطف، أختي الكبرى.

جوزافين،،

الأمر أكبر مما كنت أتصور. لن أستمر في لعبة لست أعرف قوانينها. أنهيت اجراءات الطلاق قبل كتابة هذه الرسالة بساعات قليلة. صدقيني هذا أفضل لي ولكِ. أما بخصوص عيسى، فأعدك بأني لن أتخلى عنه. سأتكفل بكل احتياجاته وسأرسل له ما يحتاجه من مال في نهاية كل شهر، إلى أن يأتي اليوم الذي أستعيده فيه. أعدك بأني سأفعل، في الوقت المناسب.

راشد

الكويت سبتمبر 1988

بكت والدتي حين قرأت على مسامعها: "أنهيت إجراءات الطلاق.."، رغم انها كانت قد قرأت هذه الرسالة قبل سنوات، ورغم انها كانت قد تزوجت برجل آخر بعد راشد. وبكيت أنا في المقابل، حين قرأت قول جدّتي: "وإياك أن تحضر هذا الشيء إلى هنا".

- لماذا تكرهني جدّتي.. ماما؟

سألت أمي التي كانت تهم بمسح دموعي بالمنديل الذي تشرّب دموعها. قالت:

- حتى الأنبياء، كما يقول اليسوع، غرباء بين أهلهم.

سألتها بدهشة:

- وهل أنا نبيّ؟!

أشاحت بوجهها نحو النافذة:

- اللّٰه وحده يعلم..

أمسكت بكفّيها والخوف يتملكني:

- ماما! وإذا كبرت وذهبت إلى بلاد أبي نبيّا.. ألا يصلبونني هناك؟

ضمّتني إلى صدرها ضاحكة:

- ان من صُلب هو ابن الرب.. لا تخف.. لن يصلبوك وأنت ابن راشد.

رغم خذلانه إياها.. كان لا يزال راشد يمثل لها شيئا كبيرا.

* * *

(7)

تقول والدتي إنها صعقت فور فراغها من قراءة الرسالة حين قرأتها أول مرة، ليس بسبب الطلاق، فهو النهاية المتوقعة لهذه العلاقة كما كانت تقـول، فالقـرار: "لـم يكن في يد أبيـك، لأن مجتمعا بأكمله يقف وراءه". ولكـن سـبب خوفهـا هو ذلك الوعد، لم تكـن تتصور ان بإمكانها التخلي عني لوالدي مهما كان السبب. كان هذا في البداية، ولكن حين فكرت في الأمر جيدا، بعيدا عن عواطفها، وجدت انه حلم الإنسان هناك، أن يعيش في الخارج، في بلد يضمن له الاستقرار والعيش الكريم. ففي حين تتنازل المرأة عن كل شيء مقابل الاقتران برجل غربي، يحملها إلى بلاده لتحصل على فرصة أفضل للعيش وتكوين أسرة، كان الرجل يجد مشقة في تحقيق هذا الحلم، فحلم كل إمرأة ورجل في بلاد أمي، هو أن يهاجر ويستقر في أوروبا.. أميركا أو كندا، متنازلا عن كل شيء، ماضيه ووطنه وحتى أهله.

أدركـت أمـي ان مسـتقبلا آمنـا، قلّما يتوفر لرجـل، ينتظرني هناك، في الكويت التي تقدم لمواطنيها، وأنا أحدهم، ما لا تقدمه أكثر الدول تقدما. تقبلت أمي وعد أبي، وانتظرته، وهيأتني له. ورغم خذلانه إياها وتخليه عنها بالطلاق كانت تقول: "ما أحببت أحدا مثل أبيك"، ولكن، رغم ذلك الحب، تزوجت والدتي بعد حوالي سـنتين من ألبيرتو. كان يكبرها بحوالي عشـر سـنوات، يسـكن في حيّنا، يعمل على ظهر سـفينة تجارية تجوب المحيطات ثمانية أشهر، ويقضي معها ما يتبقى من شهور السنة في بيته الصغير القريب من أرض جدّي. نالت والدتي حياة أفضل مع زوجها الجديد، تاركة إياي، أثناء وجوده في الفلبين، في رعاية خالتي آيدا. أوشكت والدتي على العودة للعمل خادمة مرة أخرى في الخليج، لتتمكـن، وزوجهـا الجديـد، من تأمين مسـتقبلهما، إلا انها تراجعت عن

الفكرة بعد تدخل والدي.

يقول في رسالة أرسلها بعد مرور أكثر من سنتين من سفرنا:

العزيزة جوزافين،،

كيف أنتِ؟ وكيف هو عيسى؟

وصلتني رسالتك الأخيرة، وقرأت ما جاء فيها. أرجو ألا يشغلك زواجـك عـن تربيـة الصغير، كمـا أتمنى أن تلغي فكرة السـفر للعمل في الخارج مرة أخرى. سأرسل لكِ ما تحتاجينه من مال يغنيك عن السـفر. فقـط ابـقِ إلى جانـب عيسى، لا أريـده أن يكبر بعيدا عن أمـه، فيكفيه ما جاءه من أبيه.

بعد أيام قليلة، سأتزوج من فتاة طيبة، إيمان، تحبني كثيرا، وهي متابعة وقارئة جيدة لما أكتب. أخبرتها بشـأن ابننا، ولم تعارض حين أخبرتها أنه سـيعود ليعيش معي ما ان تتزوج أخواتي الثلاث. ستنتقل للعيش معي في منزل والدتي، إلى أن تتحسن الظروف وننتقل للعيش في منزل جديد أكوّن فيه أسرتي الجديدة.

كونا دائما، أنتِ وعيسى، بخير،،

راشد

الكويت مايو 1990

كانت والدتي هي التي تطلب مني قراءة رسائل والدي إليها، ثم أصبحت رسائله تثير اهتمامي، وحين طلبت منها إعطائي المزيد:

– ليس لدي المزيد هوزيه..

قالت في حين كانت تعيد الأوراق داخل الحقيبة. أتمت:

– انقطعت رسائل أبيك وحوالاته المالية بعد تلك الرسالة بسبب حرب الخليج الثانية.

***

78

(8)

بات جدّي يكرهني. لم يعد يتجشم عناء مداراة مشاعره تجاهي بعد انقطاع حوالات أبي المالية. "ستستقرين يوما ما في بيت ألبيرتو، لا أريد لهذا الصبي أن يبقى هنا"، يقول لأمي، ولكن الرد يأتي على لسان آيدا: "سأعتني، أنا، به". يصمت جدّي.

كان لانقطاع أموال أبي أثرا كبيرا على ميندوزا، وعلى ذلك، كان يحدوه أمل صغير في أن تنتهي الحرب سريعا، ليعاود أبي ارسال المال لنا كل شهر، ولكن أمله هذا لم يكن سوى أمنية يخالطها الشك في أعماقه.

- أتمنى ألا يُفقد في الحرب..

يقول.. مخاطبا لا أحد. في حين تنقر والدتي خشب الأريكة[12]، حيث تجلس، بمفاصل أصابعها. يردف جدّي:

- أو أن تُفقده الحرب عقله..

اعتراف ضمني من ميندوزا، صاحب التجربة الحربية، يشي باضطراب عقله هو الآخر.

- هكذا هي الحرب..

يتحدث من دون أن يوجه كلامه لأحد. عيناه ثابتتان على شيء ما، وكأنه يشاهد صورا في أعماقه:

- ليست الحرب هي القتال في ساحة المعركة، بل تلك التي

---

(12) عادة يؤمن بها الكثير في الفلبين إذا ما تلفظ أحدهم بفأل مشؤوم، ينقرون على الخشب كي لا يتحقق. من العادات الموروثة أيضا لدى بعض الجاليات العربية الذين خالطتهم في الكويت، عادة تشبهها -امسك الخشب- إذ يُعتقد انها تُبعد الشر أو الحسد (المترجم).

تشتعل في نفوس أطرافها. تنتهي الأولى، والثانية تدوم.

عيناه ثابتتان لا تتحركان. تقول والدتي إن لمعانهما يشي باقتراب سقوط دمعة. يشيح بوجهه ناحية الباب. يهم بالذهاب إلى بيته المجاور. يهز رأسه ويقول بصوت خفيض:

- لن يعود هذا الرجل.. لن يعود..

وقبل أن يتجاوز الباب خارجا، تقول أمي: "سمعتُ ثلاث نقرات على الباب الخشبي المفضي إلى الخارج".

* * *

(9)

انتهت الحرب في بلاد أبي في فبراير 1991، وبالرغم من انتهائها لم تردنا منه أي رسالة. اتصلت والدتي بمنزل جدّتي مرات عدة، ولكنها لم تكن تحصل على شيء سوى الشتائم والصراخ اللذين يسبقان النغمة المعتادة: طـوط.. طـوط.. طوط! أوصت ممن يعملن في الكويت بتتبع أخبار أبي، إلا ان خبرا واحدا عنه لم يردها. سألت عنه في سفارة بلده في مانيلا، ولكن لا تجاوب من قبل العاملين فيها. انتظرت طويلا، ولكنه كان قد اختفى.

كان أول الشامتين، كما تقول والدتي، هي خالتي آيدا:
- هم هكذا الرجال.. كلهم أوغاد!

منذ ذلك اليوم أصبحت والدتي ترد بعبارتها الأثيرة: "إلا راشد". مـرت الأيـام تلـو الأيام، ولم يتزعزع إيمـان أمي بعودتي يوما إلى بلاد أبي، وإن لم تردها رسالة أو خبر عنه.

أما جدّي ميندوزا، فقد أصبح، رغم سنّي الصغيرة، يجاهر بعدائه لي:
- لو كان ثمة خير من وراء هذا الصبي لما تخلّى عنه أهله هناك..

تلتزم أمي صمتها. يواصل:
- لو كان أكبر من ذلك لتمكنا من الإستفادة منه.

كانت أمي في أول شهور حملها من ألبيرتو في ذلك الوقت. وما إن أنجبت أدريان، حين بلغتُ منتصف الثالثة من عمري. قررت أمي الاستقرار في منزل زوجها، بعد أن كانت إقامتها فيه لا تتجاوز الشهور الأربعـة، في فتـرة إجازتـه التي يقضيها في الفلبين. قليلا ما تزورنا في بيتنا، إما للسؤال عني، أو لإعطاء جدّي شيئا من المال، أو لتنظيف منزل

81

إينانغ تشولينغ كل أسبوع.

لم تستقر أمي طويلا، مع تزايد احتياجاتنا، حتى شرعت في التفكير بالسفر من جديد. وبعد أن بلغ أدريان شهره السادس سافرت أمي للعمل في البحرين، لتتركني وأخي الصغير في رعاية خالتي آيدا لثلاث سنوات.

ما الذي، سوى الفقر، يدفع أمّا لترك أطفالها لدى إمرأة استبدلت حمرة عينيها ببياضهما بسبب إفراطها بتدخين الماريجوانا؟!

تقول أمي في رسالة بعثتها لخالتي آيدا بعد مرور سنة على سفرها:

كيف أنتِ يا مجنونة؟

وكيف حال الولدين؟

أرسلت لكم قبل ساعات راتبي كاملا، أرجو ألا يصل شيء منه لأبي. وأن تتقاسموه، هوزيه وأدريان وأنتِ وميرلا. وسوف أحاول أن أدخر شيئا من المال لأساعد بيدرو في بنائه الجديد.

هاتفني ألبيرتو منذ أيام، أخبرني بأنه سيعود بعد أسابيع قليلة. أرجو أن تقومي بتنظيف منزله قبل عودته، ولا تنسي أن تحملي له أدريان كل يوم، فألبيرتو، كما تعرفين، لا يحبذ زيارة بيتنا حيث مضايقات أبي وإلحاحه الدائم بطلب المال. لا أريد أن أخسر هذا الرجل.. وإن كان كل الرجال أوغاداً.

أخبري هوزيه بأنني أفتقده كثيرا، وأنا أعمل في أرض قريبة من أرض أبيه. ليتني أستطيع أن أعبر البحر سباحة لألتقي براشد، أو لأعرف مصيره، لأطمئن على مستقبله.. مستقبل هوزيه.

أنا في حال جيدة. ليست البحرين مثل الكويت بمستوى المعيشة. رغم أن العائلة التي أعمل لديها ميسورة الحال، فإن البعض فقراء.. بسطاء.

يعمل البعض هنا في كل شيء. يغسلون السيارات ويحملون الحقائب في الفنادق ويبيعون في المحال التجارية، حتى أن مخدومتي تتقاسم معي أعمال البيت في أحيان كثيرة. أحببت الناس كثيرا.

الناس طيبون. أخبري هوزيه بذلك. يبدو أن الطيبة هي السمة الأبرز للفقر. ليس الفقر هنا كالذي كنا نعيشه، ولكنه، في أفضل حالاته بالنسبة للبعض، فقر.

قولي لـ هوزيه إني أحبه وأشتاقه كثيرا، وقبّلي، بالنيابة عني، أدريان.

جوزافين

مارس 1993

قالت لي آيدا إن أمي تحبني.. تشتاقني كثيرا..

لا أتذكر ذلك، فقد كنت في الخامسة، ولكنها حتما فعلت..

هل قبّلت أدريان؟ وهل شعر أدريان بقبلة أمي عبر شفاه آيدا؟

لو أن رسالتك يا أمي جاءت قبل موعدها..

* * *

في تلك السنة، كان خالي بيدرو قد فرغ من بناء منزله الجديد، في أرض ميندوزا، كما قام بشراء سيارة مستعملة، بعد أن تمكن من العمل بوظيفة سائق سيارة نقل كبيرة، بأجر يومي، لدى أكثر من شركة. وهذا له فضل كبير في أن تصبح لي، بعد سنوات، غرفة مستقلة في البيت، بعد أن تركه خالي بيدرو. غرفة احتضنت حياتي في بلاد أمي. غرفة صغيرة، بجدران زرقاء، تحتوي على سرير ومروحة سقف ونافذة تطل على نافذة غرفة جدّي في بيته الصغير. تفصل بين النافذتين مساحة صغيرة لا تتجاوز المترين، يمر خلالها ذلك المجرى المائي الذي نمت على ضفتيه أشجار البامبو بسيقانها الدقيقة. لم يكن هناك ما يعكر صفوي، إذا ما كنت في غرفتي، سوى هذيان جدّي، تحت تأثير الـ توبا، متسللا عبر نافذته ليلا إلى نافذتي، أو نداءاته النهارية الدائمة:

هوزيييه!

* * *

(10)

كنت في الخامسة، وكان أدريان قد بدأ قبل أشهر قليلة في السير. كان في منتصف عامه الثاني، لم يتمّه بعد. وكنت، على صغر سني، أعتني بأخي الصغير إذا ما انشغلت آيدا. ليست عناية بالمعنى الدال، فعنايتي به لا تتجاوز مراقبته وعدم السماح له بالخروج أو الاقتراب من المطبخ. كان سمينا. ما أجمله. عيناه صغيرتان، أنفه أفطس، يغوص بين وجنتين ممتلئتين. "هكذا يبدون الأبناء الشرعيين!"، يقول جدّي لـ آيدا.

ذات ليلة، طلبت مني آيدا مراقبة أدريان، حيث كانت ذاهبة لمساعدة خالي بيدرو بترتيب منزله الجديد. كانت ميرلا تنام في الدور العلوي. كنت وحيدا معه في صالون المنزل الصغير. لا أتذكر شيئا مما حدث سوى صور متفرقة، أعادت آيدا ترتيبها لي بعدما كبرت. شرحت لي ما ترتبت عليه صورة لا تزال تومض في ذاكرتي غير واضحة المعالم.

ظلام.. مطر شديد.. برق ورعد.. خالتي آيدا، تحت المطر، تنادي: "أدرياااان.. أدرياااان".. أبناء خالي بيدرو ينتشرون في الخارج.. رجال الحيّ ونساؤه، يحملون مصابيح، يبحثون في أرض جدّي.. خالي بيدرو يركض بين الأشجار: "أدرياااان.. أدرياااان". ثيابهم المبتلة تلتصق بأجسادهم.. المطر ينهمر بقوة.. أنوار المصابيح.. خطوط مستقيمة متشابكة لا تستقر في موضع.. وأنا.. لا أتذكر سوى الأصوات وما يكشفه وميض البرق من صور..

"هنا.. هنا" تصرخ زوجة خالي بيدرو.. صراخ ميرلا يتبع الـ "هنا".. نواح خالتي آيدا.. أضواء المصابيح اليدوية تتجه نحو موضع واحد.. الكل يجري إلى مكان ما.. بين بيتنا وبيت جدّي.. تبعتهم.. قفز خالي بيدرو في مجرى الماء.. يحمل شيئا يضعه على ضفة المجرى

84

بين سيقان البامبو المائلة بما حملت أوراقها من مياه المطر.. برق أضاء المكان.. تفرق الجمع.. الذعر على الوجوه.. تمتد الكفوف راسمة شارة الصليب.. وجه أدريان بين كفيّ خالي بيدرو.. أزرق داكن.. سائل أسود كثيف يسيل من فمه ومنخريه.. خالي بيدرو يضغط على صدره.. يضغط.. يضغط.. يشبك كفّيه.. يهوي بهما على صدر أدريان.. يضرب.. يضرب.. يلصق شفتيه بشفتيّ أخي الصغير.. ينفخ.. ينتحب..

* * *

لا بد وأن تنسى أخطاء كنت قد ارتكبتها في حق الغير زمن الطفولة، أما وبقاء الغير أمامك، لا يتزحزح، يكبر معك وأثر الخطأ فيه لا يزال.. فكيف السبيل إلى النسيان؟

كنت طفلا لا أدرك.. لا مسؤولية علي ولا.. لوم..

أعذار مقنعة تلك التي أرددها بيني وبين نفسي.. ولكن! أن تقنع عقلك وعاطفتك في آن.. أحدهما يأبى التصديق..

أستلف قول أمي.. "كل شيء يحدث بسبب ولسبب".. اللجوء إلى الإيمان، بحد ذاته، يحتاج إلى.. إيمان..

فكيف إذا كان إيمانا مستلفا؟!

كل جديد يصبح، مع مرور الوقت، قديما، إلا وجه أدريان، في كل مرة أشاهده.. جديدًا..

يجلس أمامي في زاويته الأثيرة. يسيل اللعاب من فمه المفتوح على الدوام. يذكرني بما أرجو نسيانه.. والشعور بذنب تجاه خطأ، لا أتذكر زمن حدوثه، يكاد يقتلني.

- آيدا!.. ألا سبيل لعلاجه؟

أسأل خالتي. تجيب كالعادة.

- هذا ما قيل لنا في المستشفى، بعد الحادث إياه، قبل سنوات.

رغـم تكرارهـا لما قاله الطبيب عشـرات المرات أمامي على مدى سنوات، اسألها:

- ماذا قال الطبيب؟

أستمع إلى إجابتها كما كل مرة:

- نتيجة لعدم وصول الأكسجين إلى الدماغ.. عطب في الخلايا..

خيبة شديدة تنتابني، وكأنني، في كل مرة أسأل فيها، أتوقع إجابة مغايرة!

إثر حادثـة غرقه، دخل أدريان في غيبوبة لأسـابيع.. اسـتعاد وزنه وعافيته بعدها تدريجيا..

استعاد كل شيء.. كل شيء سوى.. عقله.

* * *

(11)

لـم يجـرؤ أحـد، في البدء، على إخبار أمي في البحرين عن حادثة أدريـان. ولكـن بعـد عامين، وبعد فقدان الأمل في شفاء أخي، هاتفت آيـدا أمـي تخبرهـا بـكل تفاصيل الحادثة، إلا ما ترتب عليها من صفة ظلت لصيقة به. كان ألبيرتو قد عاد من سـفره بعد حادثة ولده الوحيد بأسابيع قليلة. فجع لمصير ابنه. أمضى إجازة الشهور الأربعة، معظمها، في الحانة القريبة من بيته. ثم.. اختفى في المحيط من جديد.

بعد مهاتفة خالتي آيدا لأمي، عادت الأخيرة من سفرها على الفور. كان ذلـك في منتصف عام 1995. كنا في انتظارها في البيت.. خالتي آيدا وميرلا.. أنا وأدريان.. زوجة خالي وأبناؤه.

تحفر المشاهد المأساوية نقوشـها على جدران الذاكرة، في حين ترسم السعادة صورها بألوان زاهية. تمطر سُحُب الزمن.. تهطل الأمطار على الجدران.. تأخذ معها الألوان.. وتُبقي لنا النقوش.

دفع خالي بيدرو الباب، ومن خلفه أمي تهم بالدخول. قفزت إليها. احتضنتني: "أصبحت رجلا.. هوزيه!"، قالت والسعادة تغمرها. بادلها الجميـع القبـلات والتحيـات. الكـل يترقب مواجهـة لا مفر منها. ينفضّ الجمع من حولها. تنظر أمي إلى أدريان في زاويته. تقترب منه، وبابتسامة كبيرة تقول:

– سنوات ثلاث.. كفيلة بأن تنسيك والدتك..

بهتت ابتسامتها.

– ما باله ينظر إليّ هكذا؟

يحيطها خالي بيدرو بذراعه. تمسك خالتي آيدا بيدها:

87

- اجلسي.. اجلسي أولا جوزافين..

قالت خالتي. تغيرت ملامح أمي:

- ما الذي يجري هنا؟

اللعـاب يسيل بغـزارة مـن فـم أدريـان المفتوح. أمي تكمم فمها بكفّيها. تجلس بين أخويها.

خالتي آيدا تشـرح.. تتلعثـم.. يتدخل خالي بيدرو.. يوضح.. أمي جامـدة الملامـح، وكأنهـا اختزلت مشـاعرها في حاجبيها المضطربين. انفجرت باكيـة، ذهبت لـ أدريان تضمه إلى صدرها، ولكنه دفعها. إلى خالتي آيدا ذهبت والشرر يتطاير من عينيها. تشتمها باكية:

- حقيرة.. حقيرة..

ترفع كفها عاليا وتنهال على خالتي تصفعها..

- أي مستقبل ينتظر ولدي بسببك..

تواصـل صفـع خالتي آيدا، في حين الأخيرة منتصبة لا تحاول أن تبعدها أو أن تحمي وجهها بكفيها.

- ليتني لم أعد.. لماذا يحدث لي كل هذا..

تقول أمي المسـتمرة في ضرب آيدا، في حين وضعتُ، أنا، كفّي على وجهي، وصوت الصفعات يخترق أذنيّ.

- ليتني لم أعد.. ليتني لم أعد..

توقفت عن صفع أختها لتحتضنها بقوة. انفجرت الأخيرة باكية.

- جوزافين!.. هذا يكفي!

قال خالي بيدرو وهو يدفع أمي إلى غرفتي.

لأول مرة أشاهد خالتي آيدا تبكي..

شيء بداخلي يقول إن لا أحد سواي يستحق تلك الصفعات. ورغم

أن وجه خالتي تلقاها فإنني شعرت بحرارتها على.. وجهي.

أسبوع استغرقته أمي في البكاء على أدريان. وكأنها استنفدت كل حزنها ومخزون دموعها لتدعو الجميع إلى صالة المنزل بعد أسبوع من عودتها. جلست على الأرض أمام حقيبة سفرها، توزع هداياها التي حملتها من البحرين لأفراد العائلة وكأن شيئا لم يحدث.

تراها آمنت بأن ما حدث لأدريان كان بسبب.. ولسبب؟

* * *

(12)

قالت والدتي في إحدى رسائلها، من البحرين، بأنها تتمنى أن تعبر البحر سباحة إلى الكويت، لتلتقي أبي، أو لتعرف، على الأقل، مصيره بعد الحرب. لم تكن تعرف أن كل ما تحتاج إليه هو أن تقفل عائدة إلى الفلبين، لتعرف أخباره هنا!

في إحدى ليالي عام 1996، أي بعد عام من عودة أمي من البحرين. كنت مستلقيا على أريكة في صالون المنزل الصغير، بعد يوم منهك في العمل مع جدّي. كانت خالتي آيدا وميرلا تتابعان التلفزيون، في حين كانت والدتي مع أدريان في غرفتي بسبب انقطاع التيار الكهربائي في منزل زوجها. في تلك الأثناء جاءنا صوت خالي بيدرو من الخارج، ينادي: "آيدااا.. آيدااا..". فتح الباب، وبوجه يحمل خبرا ما، سأل: "أين جوزافين؟.. ذهبت إليها في منزلها ولم أجد أحدا هناك". أشارت آيدا نحو باب غرفتي: "انها في غرفة هوزيه.. ما الأمر؟!". لم يجبها خالي بيدرو. انصرف بسرعة إلى غرفتي. أثار فضولي.. تبعته.

وضعت أمي سبّابتها أمام شفتيها ما إن فتح خالي بيدرو الباب تاركا المجال للضوء يبدد ظلام الغرفة: "هششش.. لا توقظ الصبي.. أخرج وسأتبعك".

في غرفة الجلوس الصغيرة جلست أمي بين آيدا وميرلا، في حين بقيت أنا واقفا إلى جانب خالي بيدرو الذي قال:

- قمت، اليوم، بتوصيل بضاعة إلى شركة..

نظرت أمي، باهتمام، إلى وجهه بعينين نصف مغمضتين. واصل:

- تعود ملكيتها لرجل أعمال كويتي..

فتحت عينيها على اتساعهما:

- أكمل.. وماذا بعد؟

لم يبعد عينيه عن وجهها. قال:

- يقول أحد الموظفين لديه إنه رجل معروف في الكويت..

تفرّست أمي وجه خالي. أتم حديثه:

- كاتب.. روائي.. أو شيء من هذا القبيل..

انتصبت أمي واقفة قبل أن تقول:

- هل تعتقد..

* * *

بما أن أبي كان كاتبا في إحدى صحف بلاده، فمن المحتمل، كما كانت أمي تأمل، أن تحصل من ذلك الرجل على معلومة تقودها إليه. أو ربما، تمنت أن يكون ذلك الرجل هو راشد.

قرر خالي بيدرو أن يأخذ والدتي إلى الرجل في اليوم التالي، لسؤاله إن كان قد سمع عن أبي، أو إن كان باستطاعته مساعدتنا في الوصول إليه أو معرفة أخباره.

لم تنم والدتي تلك الليلة. أيقظتني في الصباح الباكر، وطلبت مني تغيير ملابسي واللحاق بها، مع خالي بيدرو.

- ماذا يفعل رجل أعمال كويتي في الفلبين؟

سألت أمي خالي بيدرو أثناء طريقنا للقاء الرجل. أجابها:

- يقول العمّال لديه إنه يعيش هنا منذ خمس سنوات.. لا شأن لنا في ذلك!

في مقر عمله سألنا عنه، ولكن الموظف أخبرنا أنه قد سافر إلى البحرين.

- وهل سيمكث هناك طويلاً؟

سأل خالي بيدرو الموظف. أجابه:

- أسبوعين.. كحد أقصى.. لديه عمل مسرحي هناك.

التفت خالي بيدرو لوالدتي. قال:

- انتهت المسرحية هنا!

التفتت أمي نحوي. قالت:

- الرجل في البحرين!

صمتت برهة قبل أن تردف:

- كان هنا حينما كنت هناك.. وهو اليوم هناك.. وأنا.. هنا!

أقفلنا عائدين إلى السيّارة. كانت والدتي تخاطب نفسها:

- كل شيء يحدث بسبب ولسبب..

فتحتْ باب السيارة.. جلستْ إلى المقعد. أتمت:

- أشعر برغبة ملحّة للقاء هذا الرجل.

عدنا، على أمل لقاء الرجل الكويتي بعد عودته من سفره. كانت أمي تعقد آمالا كثيرة على لقائه. "لا بد أنه يعرف راشدا.. أو ربما، على الأقل، يعرف طريقة توصلنا إليه. القدر يخفي شيئا ما".

عند عودتنا إلى البيت، في الطريق الضيق المؤدي إلى مدخل أرض ميندوزا، أوقف خالي بيدرو سيارته ليفسح المجال لسيارة كانت قد خرجت للتو من هناك.

بسؤال جدّي عن السيارة، أخبرنا بسعادة غامرة:

- مندوبان من شركة سمارت للاتصالات..

أخرج ورقة من جيبه:

- وقّعت معهما، للتو، عقدا ينص على تأجير قطعة من الأرض بمساحة ستة أمتار مربعة لإقامة برج اتصالات، مقابل إيجار شهري.

أشاحت أمي بوجهها عن جدّي. قالت وهي تضرب الهواء أمام وجهها:

- مقابل ديك شهري!

* * *

(13)

كم كنت أعشق الأرض التي نشأت بها. كم من الوقت كنت أختلي
فيه بنفسي متأملا الأشياء من حولي، حتى خلتني إحدى أشجار أرض
جدّي. لا أستبعد فكرة أن يورق رأسي، أو أن تنبت ثمرة مانجو خلف
أذني.. أو أن أرفع ذراعي لأكشف عن عذق موز نبت في إبطي. وأحيانا،
كنت أتخيلني حصاة مهملة في الأرض ذاتها، قد يتغير مكانها، يطمرها
الرمل، ويكشف عنها المطر، ولكنها تبقى هناك، لا تتجاوز سور البامبو
الـذي يحيط الأرض قط. أحببت اللـون الأخضر، لون الحياة، بدرجاته
حتى خلته اللون الوحيد في هذا الكون.. ومع ذلك، وبقدر عشقي للون
الأخضر في أرض ميندوزا، كنت أكره.. ميندوزا.

لم تسلم من جشعه حتى الأرض. دمّر الحسنة الوحيدة التي كنت
أراه قد صنعها. ولكن، رغم جشعه، كان هناك ما يشفع له عندي في ما
مضى، وهو اهتمامه بالأرض، بالأشجار، بالكلب وايتي وعصابة الديوك.
كنت أحترم فيه هذا الاهتمام، وإن لم يكن يتجشم عناء اهتمامه هذا، إذ
يتمثل اهتمامه بالأوامر التي كان يوجهها لي بالعناية بكل تلك الأشياء.
أما بعد موافقته على إقامة ذلك البرج المسخ في الأرض التي أحببت،
ليزاحم الأشـجار هناك، فقد قام بنسـف الشـيء الوحيد الذي كنت أراه
طيبا بين خصاله البغيضة.

كنت قد اعتدت في أوقات كثيرة، في الليل غالبا، أن أسند ظهري
إلى ساق أكبر الأشجار في أرض ميندوزا. مساحة مسطحة تمتد أمامي،
تفصل بيني وبين منزل إينانغ تشـولينغ. أراقب كل شـيء حولي ما عدا
منزل تلك العجوز، كي لا تتحرك النحلة الساكنة في رأسي تصدر طنينها.

93

في هذه المساحة كانت تقوم حياة أخرى. كنت أجلس على الأرض الرطبة. يكاد الظلام أن يبتلع المكان لولا الأنوار التي تتسلل من نوافذ البيوت الأربعة المنتشرة من حولي.. بيتنا.. بيت جدّي.. بيت خالي بيدرو.. وبيت إينانغ تشولينغ.

نقيق الضفادع.. صوت صرار الليل.. نباح وايتي يتبعه نباح كلاب الحي.. وأصوات أخرى لا أميّز مصدرها. كانت الأصوات، بتحالفها مع رائحة الأرض تحثني على المكوث وقتا أطول. وكانت أمي، إذا ما افتقدتني ليلا، قبل عودتها إلى منزل ألبيرتو، تعرف أني أجلس تحت الشجرة إياها. تفتح النافذة: "هوزيبيه! هيا! عد للداخل". أترك المكان عائدا في حين أشعر بالأشجار من ورائي تمد أغصانها محاولة الإمساك بي. نقيق الضفادع وصرير الحشرات يرتفع، أكاد أميّز اسمي يتردد مصاحبا أصواتها. الأعشاب المهملة تتشابك حول قدمي تعطلني عن المضي في السير. وأنا لا أخشى فراق تلك الأشياء، لأن لقائي المقبل معها قريب جدا. بعد غروب شمس اليوم التالي أكون قد هيأت نفسي للقاء أحبتي.

فور دخولي المنزل تعلّق آيدا: "ها هو السيد بوذا قد عاد".

لماذا كان جلوسي تحت الشجرة يزعج أمي؟ أتراها كانت تخشى أن تنبت لي جذور تضرب في عمق الأرض ما يجعل عودتي إلى بلاد أبي أمرا مستحيلا؟.. ربما، ولكن، حتى الجذور لا تعني شيئا أحيانا.

لو كنت مثل شجرة البامبو، لا انتماء لها. نقتطع جزءا من ساقها.. نغرسه، بلا جذور، في أي أرض.. لا يلبث الساق طويلا حتى تنبت له جذور جديدة.. تنمو من جديد.. في أرض جديدة.. بلا ماض.. بلا ذاكرة.. لا يلتفت إلى اختلاف الناس حول تسميته.. كاوايان في الفلبين.. خيزران في الكويت.. أو بامبو في أماكن أخرى.

منذ اليوم الذي انتصب فيه برج الاتصالات في المساحة أمام شجرتي الأثيرة، أصبحت أجلس، مقرفصا على الأرض، بشكل عكسي. ظهري للبرج، مواجها ساق الشجرة. والأصوات ذاتها، رغم وضعي المغاير، عرفت طريقها إلى أذنيّ.

* * *

(14)

ذات صباح، وبعد مرور حوالي عشرة أيام على إقامة برج الإتصالات في أرض ميندوزا، سمعت بوق سيارة خالي بيدرو متسللا عبر نافذة غرفتي. فتحت النافذة: "أي مساعدة يا خال؟"، سألته. أشار بيده يطلب مني الخروج.

كانت أمي تجلس في مقعد السيارة إلى جانبه. فَتَحَتْ الباب. ترجل أخي الصغير: "هوزيه.. خذ أدريان إلى آيدا وعد أنت لتأتي معنا"، قالت أمي.

انطلقنا إلى مقر عمل التاجر الكويتي.

"لن يأتي اليوم.. يمكنكم المجيء في الغد"، قال أحد العاملين لخالي بيدرو، ولكن والدتي ألحّت عليه بضرورة مقابلة الرجل. التفت العامل إلى زميلة له من دون أن يفه بكلمة. حملت زميلته سماعة الهاتف، وبعد مكالمة أجرتها، قالت وهي تدوّن شيئا على قصاصة ورق: "يمكنكم زيارته في بيته على هذا العنوان..". مدّت يدها إلى أمي بالورقة. ختمت مشترطة: ".. إن كان الأمر بهذه الضرورة".

أمام بيت بسيط، لا يختلف كثيرا عن الذي نسكنه، أوقف خالي بيدرو سيارته. سألته أمي:

- أأنت متأكد من العنوان؟

أشار خالي بيدرو نحو باب السيارة: "اذهبي وتحققي من ذلك بنفسكِ".

- من المستحيل أن يكون هذا المنزل لكويتي.. بيدرو!

قالت والدتي. لم يجبها خالي. التفت إليّ بعد أن فتحت باب السيارة:

- هيا هوزيه..

تبعتها، في حين بقي خالي بيدرو داخل السيارة في انتظارنا. طرقت أمي الباب. لم يستغرق انتظارنا طويلا: "أهلا وسهلا.. تفضلا". قال بالإنكليزية.

رجل في العقد الخامس من عمره. يبدو بسيطا، ربما مقارنة مع الصورة التي صاحبت تعريف خالي بيدرو له بـ "رجل أعمال كويتي". متوسط الطول، نحيل القامة، لم يمس الشيب من رأسه سوى فوديه، هادئ الملامح، لا يميّزه سوى شاربين مدببين ينحدران إلى جانبيّ فمه، وحاجبين أسودين يبدوان أعرض مما ينبغي.

في صالونه الصغير المليء بالكتب، طلب منا الجلوس أمام مكتب صغير مليء بالأوراق وأقلام الرصاص المبرية حتى آخرها. قال قبل أن يجلس أمامنا خلف المكتب:

- اسمي إسماعيل [13]..

أجابته أمي:

- أنا جوزافين.. سيدي..

ثم أشارت نحوي:

- وهذا عيسى.. ابـ...

قاطعتها:

- هوزيه!

صحّحت والدتي:

- هوزيه.. ابني..

---

(13) الروائي الكويتي إسماعيل فهد إسماعيل، استقر في الفلبين بعد تحرير بلاده لحوالي ست سنوات، أنجز خلالها روايته السباعية التي تؤرخ لزمن الاحتلال "إحداثيات زمن العزلة". كان يعكف على مراجعتها أثناء زيارتنا له (المؤلف).

ابتسم الرجل. قال:

- سررت بلقائكما..

التزم الصمت. ينتظر أن تبدأ والدتي بالحديث:

- سيدي.. أريد أن أسألك عن رجل..

بدا الاهتمام على ملامح الرجل الهادئة. قال:

- حسبت أنكِ بحاجة إلى عمل!

- ما أحتاج إليه.. أهم.. سيدي..

هزّ رأسه حاثا إياها على مواصلة الحديث:

- سيدي.. هل تعرف رجلا كويتيا يدعى راشد؟

ابتسامة هادئة، تشبه ملامحه، ارتسمت على وجهه:

- آلاف في الكويت يحملون هذا الإسم..

تداركت أمي:

- راشد الطاروف.. سيدي..

ارتفع حاجبا الرجل للأعلى. واصلت أمي:

- كاتب.. يسكن في..

قاطعها الرجل متسائلا:

- قرطبة؟!

فوجئت والدتي بسؤاله. أجابت:

- نعم.. نعم سيدي!

خيم الصمت على المكان لثوان..

- هل تعرفه سيدي.. أرجوك..

هز الرجل رأسه إيجابا. سألته أمي:

- معرفة شخصية؟

واصل الرجل هز رأسه، في حين واصلت أمي حديثها:

- كنت أعمل في بيت والدته في الكويت.. انقطعت أخباره منذ الحرب إلى يومنا هذا.

عادت ملامح الرجل إلى الهدوء. سألته أمي:

- هل تعرف مصيره؟.. أين هو الآن سيدي؟

لم يجبها. بدت على ملامحه الحيرة. كان ساهما ينظر إلى رزمة أوراق ضخمة كانت على المكتب أمامه. أشار نحو الأوراق قائلا:

- انه هنا..

فتحت والدتي عينيها على اتساعهما. التفتت نحوي. همست لي بالفلبينية كيلا يفهم الرجل:

- تبّا لـ بيدرو.. يبدو هذا الرجل مجنونا!

بالفلبينية، قال لأمي وهو يبتسم:

- لستُ مجنونا..

احمرّ وجه أمي. واصل الرجل بالإنكليزية:

- كنت في الكويت أثناء الحرب.. كنا نشكل مجموعة مقاومة.. وراشد كان أحد أفراد هذه المجموعة..

تعلقت عينا أمي بوجه الرجل، في حين كان يواصل حديثه:

- تبدين مندهشة.. ولكن دهشتي أكبر..

وضع الرجل كفّه على رزمة الأوراق الضخمة:

- هذه رواية تسجيلية لنشاطنا وأحداث أشهُر الاحتلال السبعة.. شرعتُ في كتابتها منذ ما يربو على الخمسة أعوام.. والغريب في الأمر..

تردد الرجل قبل أن يكمل:

- ليلة البارحة..

هزّت أمي رأسها تحثه على المواصلة:

– ليلة البارحة فقط.. انتهى دور راشـد فيها واقعا في أسـر قوات الاحتلال!

لم تفه أمي بكلمة بعد أن فرغ الرجل من كلماته. صامتة كانت في السيارة، وفي البيت. لا تحمل بعد لقائها بذلك الرجل سوى خبر وقوع أبي في الأسر، ومظروفا من المال كان قد أعطاها إياه قبل تركنا منزله.
لم تخبره أمي أنها زوجة راشد..
واني.. ولده الوحيد..

***

(15)

ما عادت الكويت تمثل لي شيئا منذ أخبرنا إسماعيل الكويتي عن
وقـوع أبـي أسيرا في الحرب. انصرفت فكرة العودة إلى بلاد أبي من
تلقـاء نفسـها. وبالرغـم مـن ذلك، ما انفكت أمي تـردد بين حين وآخر:
"سيتحقق الوعد". تسألها خالتي آيدا:

- وماذا لو كان راشد..
تتـردد. تُبقي جملتها مفتوحة. تنقر الإثنتان على خشـب الأريكة.
تجيب أمي:
- لو مات راشد.. وعده لن يموت..

كنـت أشـفق علـى أمي. أي إيمان هـذا الذي لم يتزعزع طيلة هذه
السنوات؟ ما زالت تبني آمالا على رجل فُقد في الحرب منذ زمن. كنت
قد فقدت لهفتي وأملي بالرحيل إلى بلاد العجائب، رغم إيمان أمي.
ماذا لو تحقق الوعد؟ كنت أتسـاءل.. ماذا لو عاد ذلك الذي
يدعى راشد؟ أمصير شجرة البامبو ينتظرني؟

* * *

في عام 1997، بدأت أمي في البحث عن عمل، وكان أول شخص
فكرت في اللجوء إليه لمساعدتها هو إسماعيل الكويتي، ولكنه كان، في
تلك الأثناء، قد عاد إلى بلاده بعد أن أنهى جميع التزاماته ومشاريعه في
الفلبين.
تمكنت والدتي، بعد جهد، من العمل خادمة لدى عائلة ثرية تسكن
أحد أحياء فوربس بارك في ماكاتي. تقضي النهار كله تعمل في منزلهم،

101

لتعود آخر اليوم، تتناول معنا العشاء، ثم ترحل مع أدريان إلى بيتها.

ابتعدت أمي عني شيئا فشيئا، هكذا كنت أشعر، غيابها في العمل، وانشغالها مع أدريان واحتياجاته الخاصة، مزاجها السيئ، شرودها الدائم، ابتسامتها التي لم أعد أشاهدها. تغيرت أمي كثيرا، ولكني أتفهم أسباب كل ذلك. لست ألومها.

مقابل ابتعاد أمي، كان اقترابي من خالتي آيدا وميرلا. كنت قريبا منهما، رغم بعدهما عن بعضهما. لم أسمع ميرلا يوما تنادي خالتي بـ ماما، بل كانت تناديها باسمها: آيدا. تخرج من دون إذن، وتعود في ساعات متأخرة من الليل، وتقوم برحلات إلى مناطق بعيدة خارج مانيلا، ولا تستطيع خالتي آيدا أن تمنعها. ورغم ان خالتي كانت تحسن معاملة ابنتها بشكل مبالغ به أحيانا، ورغم محاولاتها الدائمة لاسترضائها، فإن الأخيرة كانت على العكس، لم تحسن معاملة أمها قط.

سوء معاملة ميرلا لـ آيدا كان له أثر في تعاطفي مع الأخيرة. سمعتها ذات مساء تشكو لأمي: "هي لا تناديني ماما"، في إشارة إلى ميرلا. ومنذ ذلك الحين أصبحتُ أناديها: "ماما آيدا". وأي تأثير تركه فعلي هذا على تصرفات خالتي!

من كان بوسعه أن يقبل بأن يكون له أكثر من أم سوى من تاه في أكثر من.. اسم.. اكثر من.. وطن.. أكثر من.. دين؟!

* * *

(16)

بلغت الثانية عشرة في عام 2000، وكان لزاما علي أن أزور الكنيسة لإجراء طقس التثبيت كما تقول ماما آيدا.

- جوزافين! بلغ هوزيه الثانية عشرة..

حول طاولة الطعام في المطبخ كنا نجلس. أجابت أمي:

- اهتمي بتدخين سمومك آيدا واتركي هوزيه في سبيله..

بوجه صارم الملامح أجابت ماما آيدا:

- تركت تدخين الماريجوانا جوزافين..

من دون اهتمام سألتها أمي:

- منذ؟

من دون أن تلتفت ماما آيدا إلى أمي، قالت:

- منذ اليوم..

لم تعقّب أمي. انصرفت لتطعم أدريان. واصلت ماما آيدا:

- يجب أن نأخذ هوزيه إلى الكنيسة جوزافين..

يرسم أدريان، بحركة تلقائية، علامة الصليب أمام وجهه ما إن ذكرت ماما آيدا الكنيسة.

- عاجلا أم آجلا.. سيتحول هوزيه إلى الإسلام في بلاد أبيه..

قالت أمي. أردفت:

- مادام بلغ بك الإيمان هذا الحد..

صمتت قليلا. أنهت:

- بلغت ابنتك السادسة عشر.. أصلحي سلوكها.. ثم خذيها إلى الكنيسة.. أو إلى الجحيم..

لم تفه ماما آيدا بكلمة..

***

كانت زيارتي الأولى لـ كاتدرائية مانيلا، بصحبة ماما آيدا التي أصرّت أن أقوم بطقس التثبيت، وفقا للأسرار السبعة المقدسة، في الكاتدرائية بدلا من القيام به في كنيسة حيّنا الصغيرة، حيث جرى تعميدي قبل سنوات. طلبت ماما آيدا من خالي بيدرو وزوجته الحضور ليشهدا الطقس وليكونا والديّ بالمعمودية بالإضافة إليها. وافق الإثنان، وبقيت أمي على رأيها: "سيعتنق الإسلام عاجلا أو آجلا"، ولم تحضر.

تجاوزنا البوابة الخشبية الكبيرة، ماما آيدا، خالي بيدرو وزوجته، وأنا. توقفنا أمام تمثال لملاك يحمل وعاء الماء المقدّس. غطّس الجميع أناملهم في الماء ورسموا علامة الصليب أمام وجوههم، وبالمثل فعلت. أهو الإيمان الذي أنزل بي ذلك الشعور بالرهبة تجاه المكان؟ أم أن للشموع والتماثيل والأيقونات دورها في ذلك؟

جلست ماما آيدا وخالي بيدرو وزوجته يتلون الصلوات، في حين بقيت واقفا في المنتصف، على سجادة حمراء طويلة، تنتشر الكراسي الطولية الخشبية في صفّين عن يميني ويساري. شعور جديد لم آلفه قبل زيارتي تلك. هدوء مطبق، نقوش على سقف يستند إلى أعمدة رخامية ثمانية، علامات الصليب على الجدران بأحجامها الكبيرة، النوافذ بزجاجها الملون، أشعة الشمس تلقي بألوان النوافذ على أرض الكاتدرائية الرخامية، وتمثال السيّدة العذراء، بثوبها الأبيض وعباءتها الزرقاء، ينتصب أمامي في صحن الكاتدرائية، تحيطه باقات الزهور من كل جانب.

كان هناك الكثير من الصبية، في مثل سنّي، ينتشرون بصحبة ذويهم في المقاعد الأمامية بانتظار القس ليجري الطقس. لهفة ماما آيدا.. كانت طقسا بحد ذاته.

فرغنا من إجراء طقس التثبيت، وباركنا القس بالماء المقدس، بعد الترديد، مع الصبية، بالإيجاب على أسئلته: "هل ستبقون بعيدا عن الشر؟ هل تؤمنون بالرب، عز وجل، خالق السماوات والأرض؟ هل تؤمنون بيسوع المسيح ابن الرب؟.. المغفرة؟.. التواصل مع القدّيسين؟.. قيامة الجسد؟.. الحياة الآخرة؟.."

ما أصعب أسئلتك يا أبانا.. وما أسهل إجاباتي: نعم.. نعم.. نعم! محظوظ أدريان.. لا تشكل له هذه الأسئلة أي قلق.. لا شكٌّ ولا إيمان.. لا حيرة لا خوف. لو كنت أنا من غرق في تلك الليلة، لِتعطب خلايا دماغي بدلا منك!

أهدتني ماما آيدا قبل خروجنا من الكاتدرائية قلادة تحمل الصليب. سعادة ماما آيدا في ذلك اليوم.. كانت أجمل ما في طقس التثبيت.

* * *

(17)

"هوزيه.. هوزيه.. هوزيه.."

يتردد هذا الاسم عشرات المرات في اليوم الواحد، على لسان جدّي، وهو ما جعلني -أنا الذي أتوق لاسم حقيقي- أتمنى أن أكون بـلا إسـم، مـع جـدّي فقط، كيلا يتمكن مـن مناداتي طـوال الوقت. لا تقف خلف نداءاته تلك رغبة في الحديث معي، لأن ترديد اسمي على لسان ميندوزا لا بد وأن يعقبه أمر ما: "املأ وعاء الديوك بالماء.. نظّف الحظيرة من الـ.. احمل بقايا الطعام إلى وايتي.. تسلّق شـجرة المانجو واقطف.. أو.. قم بتسخين الزيت واتبعني.. ".

لـم يكـن هنـاك من يرضخ لميندوزا سـواي، خصوصـا بعد انتقال والدتي إلى بيت زوجها، بعد أن أنجبت أدريان، أخي الصغير، واصرارها على البقاء إلى جانبه بعيدا عن بيت أبيها، في بيئة أفضل، وإن كان هذا البعد، المتمثل في بيتها الجديد، لا يتجاوز منزلا صغيرا في نهاية الطريق الرملي الذي تطل عليه أرض جدّي.

أي بيئة أرادت أمي لأدريان أن ينشـأ بها، وهو، المحظوظ، الذي لا يدرك شيئا مما يجري حوله!

نالت أمي، في الزواج، حريتها، بعد أن نالت ماما آيدا، قبل ذلك بسنوات، حريتها بالتمرد، أما ميرلا، فإن حريتها وخلاصها يكمنان، إلى جانب شخصيتها، في انتمائها لـ ماما آيدا، ما يحجب رؤية جدّي ميندوزا لكل هؤلاء، ليبصر من ثقب صغير وجودي فقط، أنا الذي لم أنل حريتي بعد.

كم كرهت اسمي حين يخرج من بين شفتيه الداكنتين، حاملا معه رائحة التبغ، متسللا من الفراغات بين أسنانه البنية. يُخيَّل لي انه سيسقط

ميتا ما إن يفرغ من صرخته المعتادة: "هوزيييييه!" بصوته الحاد المزعج كصرير الطباشير على سبورة الفصل. أهرع إليه. أنحني. أمسك بكفِّه ألصق ظهرها بجبيني، وأنا أكيل له الشتائم في داخلي.

قصير القامة كان، داكن البشرة، خطوط غائرة تملأ جبينه ووجنتيه. عيناه غائرتان، تكادان تختفيان أسفل حاجبيه الكثين. يسعل باستمرار وكأنه يوشك أن يستفرغ رئتيه. منذ كنت صغيرا وأنا على يقين بأن ميندوزا يحتضر، ولكن احتضاره امتد لسنوات طويلة! يمكنني تصوّر هيأته بعد موته، لأنها لن تختلف كثيرا بعد الموت عما قبله، فقد كان هيكلا عظميا يكسوه جلد مجعّد.

في بيته الصغير، يستلقي على سريره الخشبي كل يوم. يغوص وجهه في وسادته النتنة. جزؤه العلوي عار. أما أنا، رغم صغر سنّي آنذاك، فقد كنت بخبرة تؤهلني للعمل كمعالج تدليك محترف، نظرا لقيامي بهذا الدور بشكل يومي. أجلس فوق مؤخرة ميندوزا الخشبية كسريره. خيط رفيع من زيت رخيص دافئ ينساب على ظهره من العلبة البلاستيكية في يدي. أضغط بكفيّ أسفل ظهره، مارّا على فقرات عموده الفقري الناتئة، وصولا إلى رقبته. "آآآآه" يئن جدّي: "واصل الضغط" يأمرني، في حين يملؤني الرعب من أن ينفتق جلده كاشفا عن عموده الفقري. وكعصفور ينتظر بزوغ الفجر ليحلق بعيدا بين الأشجار، كنت أنتظر إشارة الخلاص التي تعتقني من هذه المهمة الشاقة. ما إن ينتظم نَفَسَهُ حتى أخفف من الضغط على ظهره تدريجيا، منتقلا من باطن كفيّ إلى أطراف أصابعي، حتى تبدأ وصلة الشخير، لأنطلق بعدها إلى ميرلا.

***

(18)

تكبرني ميرلا بأربعة أعوام. لا يأخذني منها سوى نداءات ميندوزا. كـم كنت أحسـدها، فخشـية جـدّي من آيدا حالـت دون أن يجرؤ على تكليف ابنتها بشيء، كما ان لشـخصيتها دورًا في ذلك، ما أثقل كاهلي بتلبية طلباته المتكررة.

لـ ميرلا شخصية قوية، ذكية، قيادية منذ كانت طفلة. يخشاها صبية الحيّ. لا تستخدم لسانها كثيرا كبقية الفتيات، ولكن يدها تعمل بشكل تلقائي إذا ما غضبت.

ممشوقة القوام. طويلة نسبيا. بيضاء البشرة مائلة إلى الحُمرة. شعرها بنيّ متمـوّج. عيناها ملوّنتان، ما يجعلها مسـتيزا بامتياز، وان كانت تكره هـذه الصفـة فيهـا. فملامحها الجميلة تذكرها بأبيها الأوروبي المجهول الذي تكره. بسببه كرِهَتْ ملامحها وكل ما هو أوروبي بشكل فظيع.

توطـدت علاقتي بها، منذ أصبحت خالتي آيدا تتكفل برعايتي في الشـهور الأربعة التي تقضيها والدتي في سكن زوجها كل عام، قبل أن تستقر، بشكل دائم، في بيتها الجديد.

كم كنتُ أفتقدها وأنا هناك، بعيدا عن.. هنا.

كنـت أشتاقها كاشـتياقي إلى اللـون الأخضر الذي لـم أعد أراه. أفتقدهـا كمـا افتقـد رائحة العشـب بعد اغتسـاله بالمطـر، بعد أن تمتلئ التربة بالماء، تتجشأ الأرض، وتنثّ أنفاسها المنشعة تغسل أرواح الخلق.

ليتنـا نتمكـن مـن استعادة أيامنـا التي مضت مع مـن فرّقتنا عنهم السبل، لنحياهـا مـع غيرهـم، ولكـن، لا أحد في هذا الكـون يمكنه أن يأخذ مكان الآخر. فكيف إذا ما كان الآخر هو.. ميرلا؟ كم كنت أتمنى لقاءها.

108

غامضة كانت، رغم الوقت الذي كنت أقضيه معها، فقد كانت تخفي جانبا أجهله. بدأت أسئلتي لها منذ عادت إلى البيت، ذات يوم، بحرفي MM موشومان على ساعدها.

- ميرلا.. حرفي الأول.

كانت تجيب مبررة..

- ولأنني أحب نفسي كثيرا.. فإن حرف M واحد لا يكفي.

لم أنتبه يوما إلى جمالها الصارخ.. أنوثتها الطاغية وجسدها المنحوت، لونها، جنون شعرها، واكتناز شفتيها، إلى أن خُلِقت ميرلا، في عينيّ، بصورة أخرى جديدة. كنت قد بلغت الرابعة عشر للتو حين زارتني في حلمي أول مرة. مجنونة كانت، وبالمثل كنت. صحوت غير مصدق بأن تجربتي تلك لم تكن حقيقية، وبأنني سأكرر تجربتي مع ميرلا كثيرا، ولكن، ليس خارج أحلام ليلية رطبة تراود صبيّا يهمُّ بنزع ثوب الطفولة ليرتدي ثوب الرجولة. الاحساس الذي انتابني في نومي.. الملمس.. الطعم.. الرائحة و.. الأثر المترتب على أحلام كهذه. لم أتمكن من طرد مشاهد الحلم من رأسي كلما لاحت ميرلا أمامي. هي الفتاة نفسها التي كبرتُ معها في بيت واحد. لم يطرأ عليها أي تغيير. عيناي هما اللتان أصبحتا تنظران لها بصورة مغايرة. ليست الأنثى، بشكلها وتصرفاتها، محفزا لغريزة الرجل، بقدر الصورة التي يراها عليها داخل رأسه. وداخل رأسي لم أكن أرى، إذا ما شاهدت ميرلا، سوى صورتها في الحلم.

لم يكن لنا أن نقيم علاقة غير التي خُلقنا عليها، ففضلا عن فارق السن، الذي كنت أراه كبيرا، كانت ميرلا ابنة خالتي.

قلت لوالدتي ذات يوم، عندما كنت في السادسة، في حين كانت ميرلا في العاشرة:

- ماما.. أريد أن أتزوج ميرلا..

انفجرت والدتي ضاحكة:

- يبدو لي انك ستعتنق الإسلام بأسرع مما تصورت!

قالـت أمي، في حيـن بدت الدهشـة على ماما آيـدا التي عاجلت بالسؤال:

- وهل يجيز الإسلام زواج أبناء العمومة؟!

هزّت أمي رأسها إيجابا. قلت لهما:

- إذن! فأنا مسلم..

وضعت ماما آيدا كفها على صدرها:

- إياك والتفكير! أنا وابنتي كاثوليكيتان..

بينما كانت تقهقه، أشارت بسبابتها نحوي متوعدة. أتمت:

- عد إلى بلاد أبيك.. وتزوج من جدّتك إن أردت!

انزعجت، في ذلك اليوم، لأن هناك ما يمنعني من الزواج بـ ميرلا، فقد كنت أحبها، وكنت شديد الغيرة عليها، إلا ان ذلك كله لم يتجاوز أحلام الأطفال التي سرعان ما تتلاشى، لتعود بعد سنوات، بشكل مغاير.. أحلام ليست كأحلام الطفولة.

ميرلا. جرأتها، تمردها وأحاديثها المجنونة.. تسكعنا، نحـن المراهقان، الفتاة الـ Mestiza والشاب الـArabo ، في شوارع مانيلا، نشرب الشاي المثلج أمام أكشاك العصائر على الأرصفة.. زيارتنا لـ فورت سانتياغو، المعسكر الإسباني القديم، رحلاتنا صعودا في الجبال، نزولا إلى الوديان، ولوجنا كهوف بياك-نا-باتو(14). جلوسنا أمام بركان

_____

(14) Biak-na-Bato National Park: منطقـة صخريـة، تحتـوي على كهـوف وأنهـار ومرتفعات، تمتد بينها جسـور خشبية معلقة وسـلالم تسهّل التنقل بين المرتفعات والوصول إلى الكهوف (المترجم).

110

تـا-آل الشـهير، لا يفصـل بيننـا وبينـه سـوى بحيرة تطفو على سـطحها قوارب صيادين حمّصت الشمس بشرتهم.

كنـا نحصـل، فـي رحلاتنـا تلـك، علـى سـعادة مجانية كمـا تقول ميـرلا. ننفـق مبلغـا رمزيـا من المال لوسـائل النقل وحسـب، وأحيانا.. نادرا، تفرض بعض الأماكن مبلغا لا يعتد به ثمنا لتذكرة دخول عالم لا ينتهي. وكل شيء، عدا القطار أو الحافلة أو الجيبني[15] وتذكرة الدخول، إن وُجدت، هو مجاني.. لا أحد يسـألك المال مقابل سـاعات تقضيها محدّقا في الجبل البركاني، ولا أحد ينبهك لانتهاء الوقت إذا ما جلست أسفل شجرة عملاقة نبتت من قلب صخرة عظيمة، ولا أحد يطالبك بألا تسـتلقي على سـطح البحيرة طافيا محدقّا في الغيوم، تحصيها.. غيمة.. غيمتان.. ثلاث.. خمسون. وليس هناك من يمنعك من أن تمد يدك إلى ثمرة شهية تقطفها.. تشارك بها من تحب.

تقول ميرلا: "أرأيت؟! تمنحنا الطبيعة سعادة مجانية"

- ولكننا اشترينا تذكرتيّ الدخول!

قلت لها، ثم دسسـتُ كفي في جيب الشـورت. أخرجت ورقتين صفراوين. أتممت:

- من يملك الحق؟!

نظـرت ميـرلا إلى السـماء ثم الأشـجار والصخـور من حولها قبل أن تقول:

- لا ذنب للطبيعة إن فرض البشر رسوما مقابل ما لا يملكون.

تصمت قليلا قبل أن تردف:

- ثم اننا قمنا بشراء التذكرتين لنتجاوز البوابة وحسب.. وكل ما

---

(15) وسـيلة المواصلات العامة الأشـهر في الفلبين، سـيّارة جيب تتسع لحوالي عشرين راكبا. جاء تصميمها من سـيّارات الجيب العسـكرية الأميركية التي خلفتها الحرب العالمية الثانية. تعتبر من علامات الثقافة الفلبينية الأبرز (المترجم).

بعد ذلك هو مجاني!

لم أعقب على ما قالت، لأنني وان لم أقتنع، كنت أرى أن ميرلا، بسبب فارق السن الذي يبدو كبيرا، آنذاك، حكيمة تفقه كل شيء، كما انني كنت أتجنب الدخول في جدل معها، حيث سأكون الخاسر في النهاية كما هي العادة. ولأنني كنت في الرابعة عشرة وقتئذ، فقد سلمت عقلي، طواعية، لابنة الثامنة عشرة.

كنا، ذلك اليوم، في بياك-نا-باتو، في أحد أيام 2002، في ذلك المكان الرهيب، حيث يلتقي العمالقة، الأشجار التي تخترق السماء بطولها، والجبال الصخرية التي تجثم على صدر المكان بعظمتها. كانت أول رحلة لي مع ميرلا بعيدا عن منطقتنا. كنت أبدو مثل الرحالة الذين كنت أشاهدهم في التلفزيون. أحمل، كمستكشف، حقيبة على ظهري تحتوي على كل ما نحتاجه للرحلة. ألبس بنطالا يتجاوز أسفل ركبتيّ بقليل، يبدو فضفاضا لكثرة الجيوب فيه. أنتعل حذاء ذا عنق طويل يصلح للسير في الطرق الصخرية الوعرة. أما ميرلا، فقد كانت تحمل في يدها مصباحا يدويا نستخدمه داخل الكهوف المظلمة. ترتدي قميصا أبيض بلا أكمام، وشورت جينز قصيرا جدا، وتعقص شعرها خلف ظهرها. تبّا لها.. لو لم تكن ابنة خالتي!

كانت، كما هو من البديهي أن تكون، هي مرشدتي. ولأنها سبق وأن زارت المكان من قبل، فقد طلبتْ من المرشد ألا يقودنا للداخل. كنت أتبعها، منصتا لشرحها: "استقر أبطال المقاومة، قبل سنوات طويلة، في هذه الكهوف الصخرية، يرسمون خططهم للثورة بعيدا عن أعين المحتل الإسباني".

كانت تتحدث كثيرا عن تاريخ المكان، وكنت أستمع إذا ما كانت الطريق سالكة، وأهمل ما تقول إذا ما واجهتُ صعوبة في ارتقاء السلالم بين الصخور المرتفعة، وأطلب منها أن تلتزم الصمت إذا ما شعرتُ بالدوار

في منتصف الجسور الخشبية المعلقة. وكانت تسخر مني: "صُنعت هذه الجسور والسلالم لمن هم مثلك يا بائس!". تدفعني بكفّيها، تحثني على مواصلة السير. تقول: "لم تكن تلك الجسور والسلالم موجودة في الزمن الذي استقر فيه أبطال الثورة في هذا المكان".

- كيف كانوا يتنقلون بين الكهوف العالية إذن؟

سألتها. أجابت بعد أن مدّت لي لسانها ساخرة:

- كانوا أبطالا! و..

أبقت جملتها مفتوحة تدفعني للسؤال:

- وماذا؟

قذفت بسؤالي منتظرا، بلهفة، إجابتها. أشارت نحو الصخور العملاقة، وكأنها لا تريد للصخور أن تسمعها، همست:

- لابد انها كانت متواطئة معهم حين سمحت لهم بالمكوث في داخل هذه الكهوف.

حتى الحكايات الطبيعية، مع ابنة خالتي، تصبح خيالية. لها قدرة عجيبة تحيل أبسط الحكايات إلى أساطير. ساحرة كانت.. ميرلا.

كانت تسير، وكنت أتبعها، وأحدّق في جسدها من الخلف.. انحناءاته.. تمايلها أثناء السير.. نعومة ساقيها.. والوشم على ساعدها يحمل حرفها مكررا MM أتمنى أن أزيل أحدهما لأضع بدلا منه حرف الـ J.. كان الحلم الذي زارني قبل أيام ينتصب بيني وبينها، ولا يقطع خيالاتي سوى شعوري بالاختناق كلما ارتفعت بنا الطريق بين الصخور العملاقة، وكلما ازداد تشابك الأغصان من فوقنا حاجبة ضوء الشمس والهواء.

في منتصف جسر خشبي كبير، يمتد بين مرتفعين تفصل بينهما بحيرة كبيرة، توقفت ميرلا، ثم أشارت نحو الأسفل:

- مات الكثير من العمّال غرقا، في هذه البحيرة، أثناء مدّ هذا الجسر..

تشبّثتُ في الحبال على طرف الجسر الخشبي. ازدرت ريقي محاولا أن أنظر إلى الأسفل من دون جدوى. واصلت ميرلا:

- يقال بأنه ما كان لهذا الجسر أن يقوم في هذا المكان من دون تضحيات..

أمسكت كتفي بكفّها.. شعور غريب باغتني.. قرّبت وجهها من وجهي ببطء.. أغمضتُ عينيّ بعد أن اعترتني رعشة لذيذة. قرّبت وجهي بالمثل. وقبل أن..

عاجلتني بضربة من مصباحها اليدوي على رأسي!

- ماذا تفعل يا مغفل؟!

ارتبكت، في حين كنت أفرك مكان الضربة، في مقدمة رأسي، بباطن كفّي. لم أقل شيئا، فقد كان ما أوشكت أن أقوم به واضحا. تجاوزت ميرلا ما حصل، وكأن شيئا لم يكن. فتحت عينيها على اتساعهما.. أتمت ما كانت تقول، قبل أن أغمض عيني، هامسة:

- لم يكن العمال، الذين قضوا نحبهم غرقا، سوى قرابين قُدِّمتْ لروح هذا المكان، كي تسمح للإنسان بمدِّ هذا الجسر.

هزّت رأسها بأسف تقول:

- لا بد أنهم كانوا أخيارا.

ولأنني لم أقف عند قولها، استطردت توضّح:

- يقول ريزال[16]، يجب أن يكون الضحية نقيّا كي تُقبل التضحية.

لم ألتفت لمأساة موت العمال وقت مدّ الجسر، ولا لأقوال

---

(16) Jose Rizal 1862-1896: أبرز الأبطال القوميين في الفلبين وأشهر من قاوم الإستعمار الإسباني (المؤلف).

ريـزال، فقـد كنت منصرفـا بتفكيري إلى الكدمة التي أخـذت تبرز في رأسـي، وعبـارة ميـرلا: "روح المـكان". سـرحت بعيدا.. طفتُ بنظري حـول الصخـور الكبيـرة والأشـجار العملاقة والكهوف العظيمة. أقسـم بأني كنت أسـتمع إلى وشوشـة الصخـور من حولي.. حفيف الأشجار.. خرير الماء.. كل شيء يهمس بشيء أجهل لغته.

آمنـت، منـذ ذلك اليوم، بأن لكل شيء روحًا.. كل شـيء. قالت ميرلا في حين كانت تحدّق في البحيرة أسـفل الجسـر المعلق: "أتمنى أن أنهي حياتي قفزا من هذا الجسر". نظرتُ إليها في ريبة أقول: "ولكن أمي تقول لا يقدم على الانتحار سـوى إنسـان جبان فشل في مواجهة الحياة". لم تسمعني، أو لعلها تظاهرت بذلك.

اختفت الطيور من السماء فجأة، في حين كنا فوق الجسر الخشبي المعلـق لا نـزال. "اتبعني"، قالـت ميرلا وهي تتجه نحو قلب المكان. كنا نسـتمع إلى زقزقة الطيور وأصواتها المختلفة تصدر من الأشـجار. وبينما كنا نتقدم في سيرنا، قالت ميرلا: "أسـرع.. سوف تمطر". نظرتُ إلى السماء من بين الأغصان المتشابكة، ولكنني لم أجد أثرا للسحب.

- وكيف عرفتِ ذلك.. ميرلا؟

أشارت نحو الأشجار:

- انظر كيف اختفت الطيور هناك..

ثم التفتت إلى جدار صخري كان عن يسارها:

- انظر هنا..

نمل كثير كان يتسلّق الجدار..

- وما شأن ذلك في المطر؟!

سألتها. أجابت ممتعضة:

- انت لا تفهم شيئا!

115

كم كنت أكره تباهيها بمعرفة كل شيء. تواجهني أحيانا بعض الأسئلة التي لا أجد لها إجابات. أهمّ أسأل ابنة خالتي الخبيرة، ولكنني أتراجع خوفا من أن تُسمعني جوابها المعتاد: "أنت لا تفهم شيئا".

مضينا في السير في الممرات الضيقة التي تطل على الوديان السحيقة بين الصخور العظيمة. تجمعت السحب بعد دقائق تحجب أشعة الشمس. بدأ هزيم الرعد يهزّ المكان، تبعه مطر غزير وكأن السُحُب، بما تحمل، تتساقط على الأرض من صدر السماء، تُثبتُ لي أنني لا أفهم شيئا بحق.

ركضنا بين الصخور. إلى أكبر الكهوف لجأنا. فوق صخرة كبيرة، داخل الكهف، جلست وميرلا. فتحة الكهف أمامنا لا تكشف عن شيء سوى المطر المتساقط بغزارة، وخيال داكن الخضرة. كان المكان شديد الرطوبة في الداخل، ورائحة التربة المبتلة متحالفة مع فضلات الخفافيش أضفت على المكان شعورا غريبا. أضاءت ميرلا مصباحها اليدوي، ممررة الضوء على الصخور في الأعلى. عشرات الخفافيش تتدلى من الصخور، رؤوسها للأسفل.

كنت ملتصقا بميرلا. ساقي لصق ساقها المبتلة المكشوفة. مشاعر مختلفة انتابتني ليس الخوف أحدها. فلا خوف في حضرة ميرلا وإن كنا بمواجهة الموت.

أن تستشعر المرأة أمانا في ظل رجل.. لا جديد، الجدّة تكمن عكس ذلك.

تذكرت الحلم. شعور بالخدر أخذ يتسلل إلى جسدي من الجزء الذي يلامس ساقها. كنت أشعر بالنبض في صدغيّ. والرطوبة، على اختلاف مصادرها، زادت من ارتباكي.

- بماذا تفكر؟

سألتْ ميرلا. وكمن يدفع عنه تهمة، بلا تفكير، أجبت:

- لا شيء!

على من كنت أحاول الكذب يا ترى؟! لم تمهلني ميرلا:

- لا تظن أنني لا أفهمك..

إيقاعـات متسـارعة لارتطام قطرات المطـر على الأرض الصخرية خارج الكهف، تسابقها نبضات قلبي. واصلت ميرلا:

- منذ فترة.. نظراتك.. تصرفاتك..

قرّبت وجهها إلى وجهي. أنفاسها قريبة. زفيرها يتسلل مع شهيقي إلى رئتيّ. عيناها في عينيّ تحدّقان. عيناي، مفتوحتان هذه المرة، ثابتتان على مصباحها اليدوي. والدماء تنبض أسفل الكدمة في رأسي.

- مستحيل ما تفكر به.. هوزيه..

خوف لم أكن أعرفه في حضرتها.. تملكني. وافقتها قولها:

- نعم.. نعم.. مستحيل..

وجهها مقابل وجهي لا يزال. ألقت بسؤالها:

- أين تكمن الاستحالة؟ هل تعرف؟

وجّهت نظري إلى عينيها مباشرة:

- ابنة خالتي.. أنتِ..

ابتسامة ارتسمت على نصف وجهها:

- سبب تافه كهذا لن يحول بيني وبين رغبتي لو رغبت..

أدارت وجهها نحو فتحة الكهف..

- سبب آخر يمنعني..

أطفأت مصباحها اليدوي. نور خافت لم يسـعفني لرؤية ملامحها بوضوح. أتمّت:

- لو لم تكن رجلا..

* * *

(19)

"هوزيه.. هوزيه.. هوزيه.."

ضقت ذرعا بنداءاتك يا جدّي!

هـذا حديـث يعتمـل في صدري، قد يرتفع قليلا، ولكنه لا يتجاوز حنجرتي.

ما شعرت بمعاناة أمي، النفسية على الأقل، أثناء حديثها عن عملها في منزل السيدة الكبيرة في بلاد أبي، إلا بعد ما عانيته من أعمال شاقة مع ميندوزا.

أترك نافذتي مفتوحة طوال الليل، بعد يوم طويل وشاق، مفسحا المجال لأصوات صرار الليل تتسلل إلى الداخل. ولكنها نادرا ما كانت تتسلل بمفردها..

- تبًا لكم.. أوغاد!

صوت ميندوزا المخمور يصاحب أصوات صرار الليل..

- ميييرلا..

يلفظ اسم ميرلا بصوت خفيض.. ثم يصرخ باسمي:

- هوزيييه!

لا أرد..

- لا آباء لكم..

أفتـح عينـيّ.. ظلال سـيقان البامبو تتراقـص على جدران غرفتي.. تحاكي نور الشمعة المتسلل من نافذة جدّي.

- هوزيييه!

أدسّ إصبعي في أذنيّ.. يقتلني الصمت.. أخرج إصبعيّ.. أرهف

السمع.. صرار الليل يعود.. و:

- هوزيبيه!

أتظاهر بالنوم..

- أعرف أنك تسمعني..

قرعُ الخشب على الخشب.. كوب الـ توبا على الطاولة:

- أكره مجهولي الآباء!

يقول ميندوزا. أقفز إلى النافذة. أدسّ ذراعي بين القضبان الحديدية المتشابكة. أتخيلني محكما بقبضتيّ على عنقه:

- لست مجهول الأب!

يصمت ميندوزا.. أتراه سيدخل من باب الغرفة ورائي؟.. صمته لا يطول:

- هل لك أن تثبت ذلك؟

يقذف سؤاله. ينفجر ضاحكا.. يقهقه.. يسعل..

اللعنة على صرار الليل لماذا لا يسكن غرفتي؟!

أختم حوارنا المبتور بصوت ارتطام النافذة في إطارها..

* * *

- هوزيبيه!

يأتيني صوته في صبيحة اليوم التالي..

- أحضر لي موزة..

يردف بعد لحظات صمت..

- موزة صفراء.

من الطبيعي أن تكون صفراء، لماذا يصر جدّي على تحديد اللون؟! آه! هو يعلم ان أشجار الموز حول بيوتنا تحمل أعذاق موز

صغيرة خضراء، ليست جاهزة للقطف بعد. أكرهك يا ميندوزا!

- لا يزال الموز أخضر.. جدّي!

يتظاهر بالغضب. يجيب بصوته المزعج:

- لا بد أن تعثر على موزة صفراء!

بنفاد صبر أجيبه:

- كلا، لا يوجد.

- أأنت متأكد؟

يسألني. ومع معرفتي بما ينوي قوله. أرد:

- نعم.. متأكد.

يرفع صوته أكثر مما ينبغي:

- حسنا.. أتمنى أن تنبت لك ألف عين كي تتمكن من رؤية الأشياء بوضوح!

بهدوء أجيبه:

- سأصلي للرب كي يلبي لك أمنيتك.. جدّي.

يصمت. وأنا على يقين بأنه يكاد ينفجر من الغضب.

كنت قد بلغت الرابعة عشرة، ولم تعد تلك الأمنية تثير الرعب في نفسي كما في السابق.

* * *

في ما مضى، كنت أستيقظ صباح كل يوم على جرس المنبه العجوز: "هوزيييه!". وما إن أفتح عينيّ حتى أمرر كفّي على وجهي أتحسسه. وأشكر الرب ما إن أطمئن إلى ان الجلد لا يزال يكسوني.

لئيم كان جدّي. يعرف ذلك الأثر الذي تركته الأسطورة القديمة في نفسي منذ كنت طفلا. أسطورة پينيا.

كان يتسلى بخوفي من مصير يشابه مصير بطلة الأسطورة. وكان

إذا لم يجد شيئا يكلفني بالقيام به، يطلب مني احضار شيء ما، أي شيء من أي مكان. ولعلمه المسبق بعدم وجود حاجته تلك في المكان الذي أرسلني إليه، فهو ينتظر عودتي خائبا بفارغ الصبر ليقذف بوجهي عبارته الخبيثة: "أتمنى لو تنبت لك ألف عين حتى ترى الأشياء بوضوح".

لم أكن قد بلغت السابعة بعد، عندما بدأ ميندوزا يتسلى بخوفي من هذه الأمنية. ما إن يقذف بأمنيته تلك، حتى أجدني، كالمجنون، أجري، يتملكني الخوف، باحثا عن حاجته في المكان الذي أرشدني إليه، وفي أماكن أخرى، في حين ينفجر هو ضاحكا.

من أين له ذلك القلب.. ميندوزا؟

* * *

قصة من القصص الكثيرة التي كانت تحكي لي إياها أمي أو ماما آيدا قبل النوم. كنت أطلب منهما إعادة الحكايات، وكنت أستمتع بها في كل مرة وكأني أسمعها للمرة الأولى، ما عدا أسطورة پينيا. كرهتها منذ المرة الأولى، وطلبت من ماما آيدا ألا تعيد قصّها علي. ورغم ذلك، لم أتمكن من نسيانها.

* * *

في قرية ما، قبل زمن، كانت هناك امرأة لديها ابنة جميلة، وحيدة، ولأنها كذلك، كانت مدللة. لا تحسن التصرف أبدا. اتكالية كسولة. ومع ذلك، كانت جميع طلباتها مستجابة من قبل أمها التي ما أحبت شيئا في العالم كحبها لـ.. پينيا.

كانت پينيا معروفة في كل القرية، يحسدها الأطفال على ما تتمتع بـه مـن مزايـا لا تتوفر لهم. ذات يـوم، مرضت والدة پينيا، وكانت تأمل بالشفاء بسرعة كي ترعى پينيا. ولكنها في ذلك الوقت، كانت، هي، من يحتاج إلى الرعاية.

- بينيا.. بينيا..

نادت الأم ابنتها بضعف، غير قادرة على النهوض من السرير.

- تعالي يا ابنتي.. أحتاجك في أمر ما.

قالت الأم مخاطبة ابنتها المشغولة في اللعب في فناء البيت الخلفي.

- حسنا ماما.. ماذا هناك؟

أمام سرير أمها وقفت بينيا تسأل. قالت الأم:

- اني منهكة.. غير قادرة على النهوض.. أشعر بالجوع ولا أستطيع أن آكل شيئا صلبا.

واصلت الأم طلبها برجاء:

- أريدك أن تحضّري طبق لوغاو.

استغربت بينيا. أكملت الأم:

- الأمر بسيط يا بينيا، ضعي قليلا من الرز في وعاء، أضيفي له ماء، وقليلا من السكر، ثم اتركيه يغلي لفترة من الوقت.

- ما أصعب هذا العمل يا أمي!

قالت بينيا بنفاد صبر. أجابت الأم بوهن:

- عليك عمل ذلك بينيا.. ماذا ستأكل أمك المسكينة ان لم تفعلي؟

جرّت بينيا قدميها على السلم متثاقلة متجهة إلى المطبخ في الأسفل.

جهزت بينيا الوعاء والرز والماء والسكر، ولكنها لم تعثر على المغرفة. "كيف لي أن أحرّك الخليط من غير المغرفة؟!" تساءلت بينيا. رفعت صوتها تسأل والدتها:

- ماما! أين يمكنني العثور على المغرفة؟

سألت پينيا. أجابت الأم بصوت ضعيف:

- انها مع أدوات المطبخ.. أنت تعرفين أين أضعها.. پينيا!

ولكن پينيا لم تعثر على المغرفة مع أدوات المطبخ، كما انها لم تكلف نفسها عناء البحث عنها في مكان آخر.

- لم أتمكن من العثور عليها ماما! لن أصنع لكِ الـ لوغاو من دونها.

صرخت پينيا. أجابتها الأم هامسة بيأس يخالطه غضب:

- أوه! طفلة كسولة!

ثم رفعت صوتها قائلة:

- أنتِ لم تنظري، حتى، إلى مكان آخر!

أتمت الأم كلامها غاضبة:

- أتمنى أن تنبت لكِ ألف عين كي تتمكني من مشاهدة الأشياء!

ما إن لفظت الأم أمنيتها تلك حتى خيم السكون على البيت. توقف ضجيج الأطباق في الأسفل. "لعلها شرعت في الطبخ"، قالت الأم تطمئن نفسها.

مر وقت طويل، والصمت في المنزل لا يزال. لا صوت يصدر عن الأواني في المطبخ، ولا رائحة طهي تنبعث من الأسفل. باغتها قلق شديد على پينيا. وبكل ما تبقى لديها من قوة صرخت تنادي: " پينيااااا.. پينياااا". ولكن پينيا لم ترد. انتبه الجيران إلى نداءات الأم وبكائها. "أوه! أنت خير من يعلم بتصرفات پينيا!.. لا تقلقي.. لابد انها تلهو مع صديقاتها في مكان ما"، قال أحد الجيران مطمئنا. ختم: "لعلها غاضبة من تكليفك إياها عمل الـ لوغاو.. ستعود إليك قريبا". اطمأنت الأم لقول الجار، ولكن اطمئنانها هذا لم يدم طويلا. نهضت من فراشها بصعوبة تبحث عنها في القرية وتسأل الناس، ولكن، لا أثر

لـ پينيا. تعبت الأم.. بكت.. انتحبت.. ولكن، طال غياب پينيا.

في نهار مشمس، وبينما كانت أم پينيا تقوم بتنظيف ساحة المنزل الخلفية، وقع نظرها على ثمرة غريبة الشكل، لم تألفها من قبل، كانت بحجم رأس طفل صغير. لها أوراق خضراء سميكة نبتت أعلاها. اقتربت الأم من الثمرة والدهشة تبدو على ملامحها. مررت أصابعها على قشرة الثمرة. "تبدو غريبة.. لها ألف عين"، قالت الأم، ثم كررت جملتها الأخيرة وقد تكشف لها شيء ما: "لها ألف عين!". تذكرت أمنيتها لابنتها!

أيقنت الأم ان ابنتها استحالت إلى هذه الثمرة، وأصبح لها، كما تمنت، ألف عين، ولكن أيا منها لم تكن قادرة على الإبصار أو حتى ذرف الدموع.

ولما كانت أم پينيا لا تزال تحب ابنتها كما لا تحب شيئا آخر في هذا العالم، فقد اعتنت الأم بالثمرة، وعاهدت نفسها، وفاء لذكرى پينيا، أن تجمع بذور الثمرة الغريبة لتعيد زراعتها. تكاثرت الثمرات في الفناء الخلفي لبيت الأم. أصبحت تعطي الجيران وأهل القرية من تلك الثمار التي أصبحت تعرف باسم Pinya/ پينيا، أو Pineapple.. أناناس.

ما عادت تلك الأسطورة تثير الرعب في نفسي، وإن كرر جدّي ميندوزا أمنيته على مسمعي كل يوم: "أتمنى لو تنبت لك ألف عين لتتمكن من رؤية الأشياء بوضوح". ولكن، رغم ذلك، ما زلت غير قادر، منذ معرفتي بتلك الأسطورة، أن آكل الأناناس.

شيء بداخلي يقول بأنها كانت بشرا.. پينيا.. الفتاة الفلبينية الصغيرة.

* * *

(20)

في عـام 2004، ظهـرت ماريا في حياتنا، صديقـة مقربـة لـ ميـرلا. فسّـر لي ذلك الوشـم الذي زينت/شـوهت به ميرلا سـاعدها الحريري: MM.

فتاة غريبة الأطوار، ماريا. كنت أسـمع باسـمها من ميرلا منذ مدة طويلة، ولكنني لم أرها قط قبل ذلك. وعندما أصبحت تزورنا في البيت لـم يطمئن لهـا أحـد من العائلة. كانت تـزور بيتنا في كثير من الأحيان، تقضـي وقتـا طويـلا بصحبة ميرلا في غرفتها. ولم تكن ماما آيدا تخفي مشـاعرها تجاه ماريا، فقد كانت تستقبلها بوجه عبوس، وهذا ما خلق الكثير مـن المشـاكل بيـن ماما آيدا وميـرلا. ماما آيدا تحـذر ميرلا كل يوم.. تصارحها بعدم ارتياحها لـ ماريا.. شجارات متكررة.. تنفذ ميرلا ما تريد.. ينتهي اليوم ببكاء ماما آيدا على سريرها قبل النوم.

لم أحمل أي مشاعر عدائية لـ ماريا بسبب ما كانت تراه ماما آيدا. رغـم شكلها المريـب، والشـعيرات النابتـة في صدغيها بشـكل واضح، وشعرها القصير، وملابسها الفضفاضة، ومشيتها التي لا تناسب فتاة. فإن سبب عدم ارتياحي لها هو استيلاؤها على ابنة خالتي الوحيدة.. ميرلا.

انصرفت ميرلا عني، ولم يعد يجمعني بها شـيء على الإطلاق، حتى سـهراتنا الليليـة في غرفتي، ورحلاتنا إلى المناطق البعيدة. شيء ممـا كان يميـز علاقتي بــ ميرلا لم يعد بعدما اسـتولت عليها ماريا. لم تكتفِ ميرلا بالأوقات التي تقضيها مع صديقتها المريبة في الخارج أو في البيت، فقد قامت بتوصيل سـلك للهاتف إلى غرفتها ليتسـنى لهما الحديث طوال الليل.

رغـم التصاقي بماما آيـدا ومحبتي لها ورعايتها لـي، فإن بيتنا لم

125

يعد كما كان بعد أن أصبحت ميرلا لا تعود إليه إلا في ساعات الصباح الأولى.. تتحدث مع ماريا عبر الهاتف.. تنام.. تصحو متأخرا.. تقضي ما يتبقى لها من اليوم في الخارج بصحبة صديقتها.

أنظر إلى ميرلا كل يوم، في حين أعمل مع جدّي، وهي تتجه إلى الطريق الرملي في نهاية أرض ميندوزا، تقفز فوق الدراجة النارية، تحيط ذراعيها حول خاصرة ماريا. تنطلقان إلى جهة غير معلومة.

في الأحلام.. نلت ميرلا.. وفي الواقع.. ماريا فعلت..

رغم ذلك لـم أستطع طرد ميرلا من قلبي.. لـم يحُل الدين دون رغبتي في الحصول عليها.. ولم يصرفها ميلها لجنسها عن زيارتي في أحلامي و.. يقظتي.

* * *

استيقظت في أحـد أيام تلك السـنة في سـاعة متأخـرة من الليل. صـراخ مامـا آيـدا تتخلله ضربـات عنيفة على أحد الأبـواب في الطابق العلوي. كنت على سريري لا أزال.

– الهدوء.. الهدوء يا عاهرات!

صوت جدّي ميندوزا يصدر من نافذته القريبة. يواصل:

– قم يا ابن العاهرة وانظر ماذا يجري في الأعلى..

"قم أنت وانظر.. ان كنت تجرؤ!"، أحدث نفسي.

في الطابـق العلـوي مامـا آيدا تضرب بـاب غرفة ميـرلا بقبضتيها وقدميها كالمجنونة.

– ماذا يجري ماما؟!

سألتها، في حين كنت أبعدها عن الباب.

– ألا تشم الرائحة؟ هذه الفتاة مجنونة!

رائحة السجائر تنبعث من غرفة ميرلا.

126

- ما الجديد ماما؟ أنت تعرفين أن ميرلا تدخن!

تدفعني. تنقض على الباب تضربه بهيستيريا:

- هذه ليست سجائر..

تركل الباب بقدمها:

- افتحي الباب وإلا..!

تلتفت ماما آيدا إليّ:

- ميرلا تدخن الماريجوانا!

القوة التي كانت عليها ماما آيدا في الطابق العلوي استحالت ضعفا لم أر له مثيلا في صالون المنزل في الأسفل.

الضجيج الصادر من دراجة ماريا النارية يخترق سكون الليل في الخارج. بكاء ماما آيدا يمزق سكون البيت في الداخل. تمسك بكفيّ ابنتها.. تقبلهما:

- أرجوك.. أتوسل إليك لا تذهبي..

تشيح ميرلا وجهها بعيدا عن ماما آيدا، تتجه إلى الباب المفضي إلى الخارج، تحمل بيدها حقيبة ملابسها.

- ميرلا أرجوكِ.. أرجوك لا تفعلي..

توصد ماما آيدا الباب. تسند ظهرها إليه.

- ابتعدي آيدا!

تقول ميرلا محذرة أمها. تواصل:

- توسلاتك هذه لن تجدي نفعا..

جلست ماما آيدا على الأرض بعدما خارت قواها، وظهرها مستندا إلى الباب لا يزال.

- ليست هذه الحياة التي أريدها لكِ ميرلا.. أرجوكِ..

127

غطّت وجهها بكفيها تنتحب:

- أريد لكِ حياة حقيقية.. بيت.. زوج وأولاد..

- هذا يكفي!

صرخت ميرلا. واصلت:

- تقولين زوج وأولاد؟!

بكيت لبكاء ماما آيدا، في حين كانت ميرلا تواصل صراخها:

- بعد كل ما سمعته منكِ عن الديوك تريدين لي زوجا وأولادا؟!

تلاشت القوة في صوت ميرلا..

- أنظري إليّ!.. أين أنا؟ أين أبي؟!

انفجرت باكية. وبصوت يغالب بكاءها:

- أنظري إلى نفسك.. إلى أبيك المخمور في بيته.. أين هو؟ أين أنت؟

أشارت نحوي. قالت:

- انظري إليه! انظري إلى الجميع هنا!

اندفعت ميرلا إلى قبضة الباب تسحبها بكل قوتها.

- لا.. لا ميرلا أتوسل إليك..

قالت ماما آيدا بوجه تبلله الدموع والمخاط، في حين كانت تدفع الباب بظهرها إلى الخلف محاولة أن توصده. ولكن ميرلا، كما هي دائما، كانت.. الأقوى.

ضجيج الدراجة النارية في الخارج يبتعد.. يبتعد.. يختفي..

✳ ✳ ✳

128

الشك في الله يعني الشك في ضمير المرء،

وهذا يؤدي إلى الشك في كل شيء

خوسيه ريزال

الجزء الثالث

عيسى.. التيه الأول

(1)

مع رحيل ميرلا عن البيت، لم يعد لي فيه ما يصبّرني على البقاء، وان كانت ماما آيدا سببا في بقائي، فإنها لم تعد كذلك. خصوصا بعد عودتها للشرب والتدخين بعد حادثة ميرلا.

كنت في السادسة عشرة. تركت المدرسة. فجعت أمي، ولكنني كنت قد اتخذت قراري: "سأبحث عن عمل".

كنت قد نويت في اتخاذي لهذا القرار أن أحرر نفسي من ذل ميندوزا وحسب، ومن طلباته التي باتت لا تطاق بعد مرضه. كنت على استعداد للقيام بالأعمال نفسها التي يكلفني بها شريطة أن تكون في مكان آخر، مقابل أجر أتقاضاه. ومع زوال أسباب ارتياحي في أرض ميندوزا، المتمثلة في توبة آيدا، وصحبة ميرلا، لم يعد هناك ما يدفعني إلى البقاء. إيمان ماما آيدا المفاجئ أشعرني بأنني لست وحيدا، أخذت أستمد من إيمانها شعورا بالاطمئنان. تخليها عن إيمانها سلب مني ذلك الشعور، وزعزع إيماني الضعيف. لأول مرة أشعر بأنني وحيد، وبأنني أملك مصيري بيدي. شعور بالفزع انتابني حين شعرت بأن لا ملجأ إليَّ.. سواي.

حاولت أمي أن تثنيني عن قراري. توسلتْ. حـذَّرَتْ وهدَّدَتْ. أرسلت لي ألبيرتو مرارا، ولكنني كنت قد اتخذت من ميرلا مثالا في الإصرار والعناد. لـم يقف إلى جانبي، في قراري هذا، سـوى خالي بيـدرو. أقرضني مبلغـا مـن المـال، وقدّم لي هاتفا محمـولا. "ابق على اتصال"، قال لي.

رتّب لي لقاء مع تاجر موز يعرفه، قال إنه سوف يقوم بمساعدتي. وضع كفّه على رأسي قائلا: "اسمع هوزيه.. لا أحب اسداء النصح وأنا

131

في أمسّ الحاجة إليه.. ولكن.."، أزاح كفّه عن رأسي واضعا إياها على كتفي، أردف: "حتى تذلل مصاعب العمل، حسّن علاقتك برب العمل، وكي تذلل مصاعب الحياة، حسّن علاقتك بربك".

※ ※ ※

كانت أحوال جدّي الصحية قد تدهورت في تلك الأثناء، تضاعفت طلباته، وازداد هذيانه في ساعات الليل مع شراب الـ توبا ومن دونه. أما ساعة التدليك اليومية فقد امتدت إلى ساعات. وصراخ الليل، الذي ما كنت أطيقه، استحال إلى حوارات، من طرف واحد، مع زوجته المتوفاة. وأصبح يردد أسماء لم أسمع بها من قبل، وبسؤالي ماما آيدا قالت: "تعود تلك الأسماء إلى أفراد من عائلتنا.. ماتوا منذ زمن طويل". كفّ عن حوارات الليل تلك ليشرع في نداءات مرعبة: "النجدة.. النجدة.. انه ينظر إليّ!". أهرع إليه تاركا سريري، أنظر إلى الزاوية في سقف غرفته حيث ينظر، ولكن لا شيء هناك. "أنظر له هوزيه.. هل تراه.. انه يشير إليّ بيـده يدعوني للذهاب معه!"، يقول حاجبًا وجهه بكفيه. "النجدة.. انقذوني.. لا أريد الذهاب.. لا أريد".

- لا شيء جدّي.. لا شيء هناك!

أقول له والشفقة تكاد تتملكني لولا ذكرياتي معه.

كفّاه على وجهه. يباعـد بيـن أصابعه ممـررا نظره بينهـا. يصرخ مذعورا:

- انظر إليه! انه هناك..

أتقدم نحو الزاوية. أمرر يديّ في الهواء.

- لا شيء هنا.. جدّي!

- اقترب منه أكثر هوزيه.. اقترب..

تحت إلحاحه، اقترب من الزاوية أكثر. يقول مخاطبا لا أحد:

132

- خذه.. خذه بدلا مني أرجوك..

لئيم كان جدّي في ضعفه كما في قوته!

قرّبت طاولـة صغيرة إلى الحائط، وقفـت فوقها مقربا وجهي إلى زاوية السقف:

- هل ترى يا جدّي؟ لا شيء هنا!

يسحب غطاء السرير. يختفي تحته. يقول باكيا:

- تبّا لـك!.. أتمنى أن تنبت لـك ألـف عين لترى هذا الشيء بوضوح!

قفـزت مـن فـوق الطاولة. ذهبت إلى سـلة الفاكهة في مطبخ بيتنا. حملـت ثمرة أناناس ثـم عـدت إلى بيت جدّي. كان تحت غطائه لا يـزال. على الطاولة الصغيرة، حيث كنت أقف، وضعت ثمرة الأناناس. خرجت. أوصدت الباب خلفي.

***

أمـام عربـة مـوز، في مانيلا تشـاينا تاون، كنـت أقضي نهاري كله. أحصـل، مـن عملـي هـذا، على عمولة بيع وحسـب، تتفـاوت بين يوم وآخر، ولكنها، وحتى في أيام السبت والأحد، أكثر أيام البيع، لم تكن تساوي شيئا.

على الـرصيف المقابل للـرصيف الذي أركـن فيه عربتي، كان تشانغ يركن عربته. يفصل بيننا شارع ضيّق. كان تشانغ بوذيا من أصول صينية، وُلد في عام 4683، سـنة النمر حسـب التقويم الصيني. كان في الثامنة عشرة آنذاك، ، يعمل لصالح تاجر الموز إياه. عمولته أكبر من عمولتي، وبيعـه يعـادل أضعـاف مـا أبيعه أنا كل يوم نظرا لخبرته في هذا العمل، ولكثرة معارفه من الزبائن. سألني حين طلبت منه مشاركته السكن: "في أي تاريخ وُلـدت؟"، أجبتـه بأني مـن مواليـد الثالث مـن أبريل 1988،

أغمض عينيه يفكّر وهو يعدُّ على أصابعه. أجاب: "4685 سنة التنين.. ممتاز كلانا من عنصر الخشب". لو كنت من مواليد سنة الأفعى أو الحصان أو الخروف لما سمح لي تشانغ بمشاركته غرفته، لأنها من العنصر الناري، والنار لا تجتمع مع الخشب على حد قوله. للأبراج الصينية صفات معقدة، وتشانغ لا يتعب نفسه بحثا في صفاتها، فهو يعود لعناصر الأبراج الأساسية، الأرض والنار والماء والخشب والمعدن، ويقوم باتخاذ قراره على هذا الأساس. هو نوع من الجنون الذي تمارسه جدّتي، كما عرفت من أمي، في تفاؤلها وتشاؤمها من الأشياء.

أفسح لي تشانغ، مقابل ثمن بسيط، مجالا لمشاركته غرفته الصغيرة، في الدور الثاني من مبنى قديم في شارع قريب من مانيلا تشاينا تاون. غرفة صغيرة، بنافذة واحدة تطل على معبد سينغ-غوان. لا تتسع الغرفة لأي شيء، إذا ما فرشنا مرتبتينا على الأرض ليلا، سوى ثلاجة صغيرة تحتوي على أطعمتنا المعلبة. سألته في أول ليلة لي في غرفته عن سبب قبوله لي رغم ضيق المكان، "أحتاج إلى صوت أسمعه.. غير صوتي"، أجاب. أشرت خلف الباب حيث يسند آلة الـ غوزهينغ[17] بشكل عمودي: "صوتها.. ألا يكفيك؟". ابتسم قائلا: "قلت لك اني أحتاج لسماع صوت آخر غير صوتي!".

فوق الثلاجة ثبَّت تشانغ أرففًا تحمل كل شيء يخصنا.. ثيابنا.. منشفتينا.. كتب.. مكعبات صابون وأطباق النودل البلاستيكية، شموع وتماثيل صغيرة لـ بوذا في وضعيات مختلفة.

كنا نستلقي على مرتبتينا ليلا، نتبادل الحديث في الظلام، كل ليلة، إلى أن نستسلم للنوم. قال لي تشانغ، بعد أن حدثته عن بلاد أبي، ذات ليلة:

- كويت.. قرأت هذا الاسم ذات يوم في كشف التصدير لدى

---

(17) Guzheng: قيثارة صينية (المترجم).

مكتب التاجر حيث كنت أعمل.

صمت قليلا ثم سأل:

- أين تقع هذه البلد؟

أجبته:

- هي قريبة من السعودية..

قال هازّا رأسه:

- هم لا يزرعون الموز.. يستوردونه من هنا..

ختم ضاحكا:

- ربما لو كنتَ موزة لتمكنتَ من الذهاب إلى بلاد أبيك!

أي مصير أختار؟ ثمرة أناناس لدى ميندوزا، أم موزة مستوردة في بلاد أبي؟

* * *

(2)

من نافذة غرفة تشانغ، وأثناء نوم صديقي، كنت أراقب معبد سينغ-غوان في الليل. يبدو مهيبا، لونه رمادي داكن، يعلوه القرميد بتصاميم تشبه البيوت الصينية، نقوش كثيرة بارزة على جدرانه.. هنا تمثال لتنين صيني.. وهناك تمثال لشيخ أصلع باسم الوجه له لحية طويلة. وفي أعلى البوابة المقوّسة تبرز لوحة تحمل حروفا صينية، وأسفل اللوحة، على الجزء المقوّس من البوابة كُتب اسم المعبد بالإنكليزية Seng Guan Temple. أحببت المكان، ونما بداخلي فضول لما يجري بداخله، ولكنني، رغم فضولي، لم أفكر في دخول المعبد.

قادني الفضول، بدلا من زيارة المعبد، إلى الأرفف فوق ثلاجة تشانغ. سحبت كتابا من بين كتبه. ومنذ تلك الليلة، أصبحت أقرأ، أثناء نوم صديقي، على ضوء الشمعة، تعاليم بوذا.. حياته.. تلاميذه.. جلوسه بوضعية اللوتس تحت شجرة التين..وقصة التنوير.

سحرتني شخصيته. تُرى.. لو واصلت جلوسي تحت شجرتي الأثيرة في أرض ميندوزا.. هل كنت سأصبح.. بوذا؟ تبّا لبرج الإتصالات!

لاحظ تشانغ اهتمامي بكتبه، وكثرة اسئلتي حول ديانته وطقوسها. أصبح، بعد ذلك، كل ليلة، يحكي لي عن بوذا، وفي المقابل، يسألني عن يسوع المسيح. نقارن بينهما، ونتوقف عند التشابه في ظروف ولادتهما، وحياتهما، وأتباعهما، والظروف التي مرت بهما.

ما أعظمهما..

هل أخون أحدهما إذا ما اتبعت تعاليم الآخر؟

كلاهما يدعو للمحبة والسلام.. التسامح والخير والمعاملة الحسنة.

* * *

دعانـي تشـانغ ذات يـوم لمرافقتـه إلـى المعبد. تـرددت في البدء، خوفا من أن يكون الأمر غير مسموح به، ولكنه أكد لي ان المعبد يستقبل البـوذي وغيـر البوذي. "سـوف ينتابك شـعور بالإطمئنـان في الداخل"، قال لي.

قبـل الغـروب، فـور فراغنـا من العمـل، ذهبت وتشـانغ إلى معبد سينغ-غوان. لم يكن يشبه الكنيسة في شيء، ولكن الشعور.. هو ذاته.

"راقبني.. وافعل كما أفعل"، قال تشـانغ، وحين شـعر بارتباكي قال: "أو.. يمكنك الجلوس هناك". أشار تشانغ نحو مقاعد أرضية جلدية حمراء. ستة صفوف يحتوي كل واحد منها على عشرة مقاعد متلاصقة، ليس لها مساند للظهر أو لليدين. ارتفاعها لا يتجاوز الثلاثين سنتيمترا. جلست في المنتصف، على المقعد الخامس في الصف الرابع. الإضاءة خافتـة. أمامـي ثـلاث غـرف زجاجية كبيرة، بداخلها ثلاثـة تماثيل ذهبية لـ بوذا بالحجم الطبيعي. في الغرفة الوسـطى ينتصب بوذا واقفا تحيطه النقوش الذهبية بارزة على خلفية حمراء قانية، وفي الغرفتين الزجاجيتين الأخريين، تمثالين يجلسان القرفصاء.

لم يكن سـوانا، تشـانغ وأنا، في المعبد. تقدم تشـانغ نحو الغرفة الزجاجية الوسطى ضامّا كفيه أسفل ذقنه. أحنى رأسه، وشرع في الصلاة.

حواسي، كلها، متحفزة. كثير من الأشياء يمكن اكتشافها وتجربتها بالمجـان، كمـا قالـت ميـرلا ذات يوم. كنت مأخوذا بكل شـيء. دخان أعـواد البخـور الجاثـم علـى صـدر المكان كغيمـة كثيفة. رائحـة أزهار الياسمين المنتشرة في كل الزوايا. والصمت.. وحده الصمت قادر على تحفيز أصوات بداخلنا، تبدو لأناس آخرين، نطمئن لهم، يرشدوننا إلى أماكن غير مألوفة، نحث إليها الخطى مطمئنين.

فرغ تشـانغ من صلاته. تقدم نحو وعاء برونزي كبير. أشـعل عود بخور وغرسه في الرمل الناعم داخل الوعاء.

قبل أن يهم تشانغ بالخروج، تقدمت نحو الغرفة الزجاجية الوسطى تاركا مقعدي الأحمر. انتصبت أمام التمثال ذي الملامح الساكنة. أحنيت رأسي. رسمت علامة الصليب أمام وجهي. وعندما رفعت رأسي، وجدت ملامحه، كما كانت، بالهدوء نفسه.. من دون أن يستنكر فعلي.

نحو الوعاء البرونزي تقدمت. أشعلت عود بخور. غرسته في الرمل الناعم. ثم انصرفنا.. تشانغ وأنا.

* * *

في المساء، بعد ان مددنا مرتبتينا على الأرض، قرفص تشانغ فوق مرتبته. فرك كفّيه ببعضهما كذبابة. قال: "ناولني الـ غوزهينغ من فضلك".

نحو الزاوية خلف الباب تقدمت. كان يسند آلته بشكل عمودي. حملتها برفق بين يديّ وكأنني أحمل طفلا. شكلها ساحر. مصنوعة من العاج المطعم بصدف السلاحف. أوتارها الواحد والعشرون مشدودة بانتظام. ناولته إياها. أسندها فوق ساقيه، ثم نزع قميصه.

- هل ستقوم بارضاعها؟!

سألته مازحا. ضحك، ثم قال:

- اعتدت العزف عاريا.. لولا وجودك..

انفجرت ضاحكا. سارعت بالقول:

- حسنا حسنا.. إلى هنا كل شيء على ما يرام.

قام بتثبيت حلقات صغيرة حول أنامله، تبرز منها رؤوس تشبه المخالب. اكتسته ملامح جدية قبل أن يقول:

- قبل أن تجلس هوزيه.. أطفئ النور وأشعل تلك الشموع فوق الثلاجة.

أطفأت مصباح الغرفة الوحيد. أشعلت الشموع. ثم..

كيف لي أن أدوّن، هنا، ما صدر من تلك الآلة؟

"عطر زهرة الياسمين"، قال تشانغ في إشارة إلى اسم المقطوعة قبل أن يشرع في عزفها.

أصابع كفّه اليمنى تتحرك بسرعة فائقة، على ثلاثة أوتار، تكرر نغمة واحدة، في حين لم تستقر أصابع كفّه الأخرى على وتر. ينتقل بها بين الأوتار ناثرا سحرها في المكان. انتصبت شعيرات جسدي، كل شعرة تعانق الأخرى تراقصها. أسندت ظهري إلى الحائط وأغمضت عينيّ. أن تصدر الآلة أنغاما موسيقية.. بديهي.. أما أن تنثّ الأوتار عطر الياسمين! هذا ما لم أجد له تفسيرا!

ما إن فرغ من مداعبه أوتار الـ غوزهينغ حتى ناولني آلته، يشير نحو الزاوية خلف الباب من دون أن يفه بكلمة.

- أي سحر يصدر من هذه الآلة؟!

سألته في حين كنت أعيدها إلى مكانها. ابتسم ولم يجب. دسّ ساقيه تحت الغطاء واستلقى على مرتبته. أطفأت الشموع ثم استلقيت على مرتبتي منتظرا إياه في أن يشرع في الحديث الليلي كالعادة، ولكنه ظل صامتا. سألته:

- ألن تتحدث هذه الليلة؟

غير من وضعيته، أدار ظهره لي يقول:

- قلت كل ما لدي قبل قليل.. كل ما لدي.

* * *

(3)

ذات مساء، أيقظني تشانغ في وقت متأخر. "هوزيه!".

- ماذا يجري.. تشانغ؟

سألته، في حين كان مستلقيا على صدره فوق مرتبته. قال:

- سخن الزيت وقم بعملك..

- ليس الأمر مضحكا.. كلمات كهذه تسببت في تركي لأرض ميندوزا!

قلت له غاضبا. تدارك تشانغ:

- لست أمزح.. ألم تقل لي إنك على استعداد للقيام بالأعمال التي يكلفك بها جدّك، على أن تكون في مكان آخر مقابل ثمن تتقاضاه؟

اعتدلت في جلستي:

- وهل ستدفع لي مقابل ذلك؟!

- لا تكن مغفلا هوزيه.. قم بعملك أولا وسوف أخبرك في ما بعد.

أذعنت له من دون فهم.

- أحتاج زيتا!

أشار بإصبعه إلى زاوية الغرفة:

- فوق الرف هناك..

***

لم يلبث تشانغ، بين يديّ، نصف ساعة حتى استسلم للنوم.

- تشانغ! تشانغ!

أيقظته.

- هوزيه.. في الغد في الغد أرجوك..

قال كمن لا يريد أن يفوّت حلما أدرك نصفه في المنام. هززت كتفيه بقوة:

- لن تضحك عليّ تشانغ! هل تفهم؟!

قلت له غاضبا. اعتدل في جلسته. وبعينين نصف مغمضتين قال:

- وظيفة بيع الموز لا تناسبك يا مجنون..

- كان خياري الوحيد..

- انظر هوزيه..

قال تشانغ مقاطعا، أتم:

- سأصطحبك صباح الغد إلى المركز الصيني.. في زاوية الشارع خلف المعبد.

- ولكني لا أجيد الصينية!

ضحك. اختفت عيناه. أشار إلى كفّي:

- أناملك تجيد..

كان تشانغ يتحدث عن المركز الصيني للعلاج الطبيعي والتدليك. كمِعالج، يتطلب الأمر شهادة تجيز ممارسة المهنة.. "كمدلك.. لا يتطلب الأمر سوى أنامل سحرية كتلك" قال تشانغ مشيرا إلى كفيّ.

* * *

بعد اختبار عملي في المركز الصيني، قال لي المسؤول:

- لا بأس.. ولكن.. هذا لا يكفي..

ترك السرير الطبي متجها إلى حاجز خشبي يطل من فوقه دش الاستحمام. توارى خلف الحاجز ليزيل الزيت عن جسده. رفع صوته متجاوزا صوت المياه المتدفقة:

- يتطلب الأمر أن تجتاز تدريبا عمليا في التدليك الصيني

التقليدي.. التايلندي.. التدليك الجاف والتدليك بواسطة الحجارة الساخنة..

وقّعت عقدا مع المركز الصيني فور اجتيازي التدريب بنجاح، ينص على العمل مقابل راتب شهري بالإضافة إلى عمولة نظير الخدمة المقدمة، والأهم من هذا وتلك، هو ما لم يأتِ ذكره في العقد، البقشيش الـذي يدسّه عمـلاء المركز في يدي إذا ما نالت الخدمة استحسـانهم. وهـذا مـا وفـر لـي دخلا يعادل أضعاف ما كنت أجنيه من بيع الموز في مانيلا تشاينا تاون.

أبليت بلاء حسنا في عملي، رغم الصعوبة التي كنت أواجهها في البدء، فكوني رجلا، هذا بحد ذاته، يقلل من حظوظي في اختيار العملاء لي، حيث ان المرأة، في هذا العمل، كما في أعمال أخرى، هي صاحبة الحـظ الأوفر. إلا ان هـذا لـم يعد يمثل مشـكلة بالنسـبة لـي مع مرور الوقت، فقد أصبح لي عملاء جادون، يزورون المركز بعد يوم شاق في العمل، أو بعد تمرين رياضي مجهد، ليستمتعوا بسـاعة تدليك حقيقية، بعيدا عما تقدمه بعض المعالِجات في غرف المركز المغلقة.

* * *

142

(4)

بعد شهر أمضيته في بيع الموز في مانيلا تشاينا تاون، وشهر آخر في عملي لدى المركز الصيني، قررت زيارة بيتنا في فالنسويللا، حاملا بداخلي شوقا للمكان، ومظروفين من المال في حقيبة ظهري، أحدهما لـ ماما آيدا والآخر لأمي وأدريان.

في الحافلة، يتجاوز عدد الواقفين عدد الجالسين إلى المقاعد. ينام البعض وقوفا كالأحصنة، وقد صبغ التعب وجوههم بلونه الباهت. الأجساد متلاصقة، روائح مختلفة تنبعث في المكان، أميّز بعضها وأجهل بعضها الآخر. جلد المقاعد.. رطوبة هواء التكييف.. عرق.. فاكهة.. عطور رخيصة.

بين الوجوه، كنت أرسل نظراتي باحثا عن شيء. أمعنت النظر حولي. عمّال أحرقت الشمس وجوههم، موظفون وموظفات بلباسهم الرسمي، ممرضون وممرضات يشكّلون فريقا أبيض اللون، أمٌ ترضع صغيرها، أطفال يتزاحمون على النوافذ، يقربون وجوههم إليها، يشكلون بزفيرهم غيوما على الزجاج، وعلى الغيوم يرسمون أحلامهم الصغيرة بأناملهم.. الصغيرة. البعض يفسح مجالا لشيخ يتكئ على عصاه، والبعض الآخر يسند عجوزا، يساعدها في الوصول إلى مقعد شاغر، يحمل عنها كيسا ورقيا مليئا بالفاكهة. والمحصّل، يتغلغل كالزئبق بينهم، أحسده لقدرته على تمييز وجوه الركاب الجدد بين هذا الزحام. يقطع لكل وجه جديد تذكرة بعد سؤاله عن وجهته. يقبض المال. يتغلغل بين الزحام من جديد، عائدا إلى حيث يقف في صدر الحافلة.

تهتز الحافلة.. تهتز الرؤوس لاهتزازها وتتمايل، تتوقف فجأة، تحمل مزيدا من الركاب. زحام فوق الزحام. تبتلع الحافلة الكثير، وتلفظ القليل،

143

ثم تنطلق من جديد. وأنا، مسحور بحكايات الوجوه من حولي. لا أحتاج لتخمين القصص التي تختفي وراءها، فكل وجه بحكاياته يبوح. أحدّق في كل وجه أقرأه، مستغلا نظارتي الشمسية بعدستيها العاكستين كمرآة. أمعن النظر في الناس، وإن أمعنوا النظر ليدركوا عيني خلف النظارة، لن يشاهدوا سوى وجوههم منعكسة على عدستيها.

لم أجد مكانا للابتسامة، داخل الحافلة، سوى في وجوه الاطفال المطمئنة. أما بقية الوجوه، فلم أشاهد في تعابيرها سوى مزيج من خوف وحزن وغضب و.. استسلام.

كنت كمن يقف في منتصف جسر ممتد بين مدينتين، مدينة طفولة مطمئنة، ومدينة رجال ونساء يصارعون الحياة.

في منتصف الجسر كنت أسير مجبرا، أحمل سنواتي الستة عشر. أغنيات الأطفال وضحكاتهم تتعالى في المدينة خلفي. أمضي في السير مبتعدا عن مدينتهم.. تبتعد أصوات الضحكات.. تتلاشى الأغنيات.. أواصل السير.. أتعب.. أسعل.. ينحني ظهري وأشيخ.. تتناهى إلى سمعي أصوات أخرى تأتي من البعيد ثم تقترب.. بكاء.. رجاء.. شكوى.. صلاة.. لعنات.. نحيب.

نزعت نظارتي الشمسية. وضعتها أمام وجهي. ومن خلال عدستها العاكسة أخذت أحدق في هذا الوجه. لم يعد يشبه الأطفال هنا.. وقريبا.. سيصبح وجهي واحدا من الوجوه الباهتة التي أشاهدها حولي في الحافلة.

فزعت!.. "أي مصير ينتظرني هنا؟".

تمنيت أن يظهر لي أرنب آليس في منتصف الجسر.. يقودني إلى حفرة تفضي إلى بلاد أبي.. بلاد العجائب.. قبل أن أصل إلى المدينة في آخر الجسر، ليصبح وجهي واحدا من هذه الوجوه.

***

- عديني ماما آيدا بأن شيئا من هذا المال لن يذهب إلى ما يضر بصحتك.

مدّت يدها إلى المظروف تأخذه من يدي.

- أعدك.

كيف لي أن أصدقها، وعيناها الحمراوان، وملامحها الجامدة تشهد بأنها في عالم آخر لحظة الوعد الذي قطعته لي؟

التفت نحو أمي. سألتها:

- ما زلتِ غاضبة؟

- كلا هوزيه.. لم أغضب منك يوما.

نظرت إلى وجهي والحزن في وجهها. قالت:

- كل ما في الأمر انني أخشى عليك. لا أريد أن يعطلك شيء عن السفر إلى بلاد أبيك.. إذا ما حان الوقت لذلك.

قاطعتها:

- ماما!..

قاطعتني:

- هوزيه!.. هيأت نفسي، منذ زمن طويل لذلك اليوم. هل تفهم؟

غالبت دموعها. قالت:

- أحبـك هوزيـه.. أحبـك كثيـرا.. ولكنك لم تخلـق لتعيش هنا. هيأت نفسي لذلك كي لا أتعلق بك. انتقلت إلى بيت ألبيرتو من دونك، وانصرفت إلى أدريان ليس نقصا بمحبتي لك..

بظهر كفّها تمسح دموعها، تواصل:

- بل خوفا من التعلق بك.. تركتك في البيت هنا مع آيدا وميرلا حتى إذا ما جاء الوقت.. يصبح رحيلك أخف وطأة.

نظرت إلى الساعة في يدي لتفهم أمي بأن وقت زيارتي قد انتهى.

145

حملت حقيبتي على ظهري، وقبل أن أهم بالخروج، قالت:

- ألن تذهب لزيارة جدّك؟

هززت رأسي إيجابا:

- سأفعل.

* * *

عند باب بيت جدّي توقفت مترددا. رائحة المكان لا تطاق. قالت أمي ان ميندوزا، في الآونة الأخيرة، أصبح طريح الفراش لا يتركه على الإطلاق. يتبول حيث يستلقي ويتغوط. نداءاته الليلة المرعبة، وحواراته مع الأموات من أسلافه تتكرر كل ليلة. "يبدو انه فقد عقله"، تقول أمي.

أدرت ظهري إلى باب ميندوزا. يكفيني ما رأيته من هذا الرجل، ولا حاجة لي برؤية المزيد. وفي حين كنت أمضي في السير نحو الممر المفضي إلى الزقاق الرملي خارج أرض جدّي، سمعت صوته يتسلل من بابه الموارب خلفي:

- هوزيه استحال ثمرة أناناس.. هوزيه استحال ثمرة أناناس..

توقفت ما إن سمعت كلماته. "يا إلهي! هل جُنَّ ميندوزا بسببي؟"، تساءلت. وقبل أن أستأنف السير من جديد، جاء صوته من ورائي مستغيثا:

- جوزافيين.. بيدروووو.. آيداااا.. ميرلاا..

آيدا وميرلا!.. منذ متى ينادي جدّي آيدا وميرلا؟! كان يبكي بحرقة طفل، يواصل:

- هوزيه استحال ثمرة أناناس.. هوزيه استحال..

طفرت الدموع من عيني بغزارة. "هل أعود إليه لأطمئنه إلى وجودي؟". ترددت. ثم.. واصلت السير. اقتربت من منزل إينانغ تشولينغ، تحرّكت النحلة داخل رأسي. تعالى طنينها. أسرعت الخطى

متجاوزا سور البامبو الذي يحيط أرض ميندوزا. تاركا كل شيء خلفي، بيتنا ونداءات جدّي:

- هوزيييه.. سامحني أنا آسف.. هوزيييه هل تسمعني؟.. أنا آسف..

"هوزيه.. هوزيه.. هوزيه.."

* * *

(5)

قبـل أن أتمـم الشـهر السـادس فـي وظيفتـي الجديـدة، أخبرنـي المسـؤول فـي المركـز الصيني بضرورة البحث عـن عمل جديد، وبأنه يمنحني أسـبوعا أخيرا في العمل لدى المركز قبل أن يتم انهاء عقدي معهم.

يجبر القانون، في الفلبين، أصحاب العمل على صرف مكافأة نهاية خدمة للموظف إذا ما تم انهاء خدماته بعد مرور ستة أشهر له في العمل. ولهـذا السـبب، كثيـرا ما يقوم أصحاب العمـل بإنهاء خدمات موظفيهم قبـل مـرور سـتة أشـهر من توظيفهم، كـي لا يلتزموا بدفـع مكافأة نهاية الخدمة، ولسبب آخر، هو أن العقود عادة ما تتجدد تلقائيا بعد مرور هذه الفتـرة. ولأن الأيـدي العاملـة متوفـرة على الدوام، فإن من مصلحة رب العمل انهاء عقد الموظف قبل حلول الشرط، واستبداله بموظف جديد، وقبل أن يتم هذا الأخير الأشهر الستة في عمله حتى يتم انهاء خدماته، واستبداله بآخر.. وهكذا. ولعل هذا السبب هو ما يجعل الفلبيني يملك خبرة في مجالات وأعمال عدة في زمن قصير، لأن هذا الشـرط يحيله من وظيفة إلى أخرى.. باستمرار.

ما أتممت أسبوعي الأخير حتى خرجت بوظيفة جديدة في أحد منتجعات جزيرة بوراكاي في جنوب مانيلا، وفرها لي أحد عملائي في المركز. كان موظفا في شـركة سـياحية. وظيفة تعيسـة بائسـة، براتب لا يضمن لي أن أعيش إلى نهاية الشهر، ولكنه أكد لي ان ما يقدمه السيّاح مـن بقشـيش سـوف يضمـن لي دخلا معقـولا. "هذا أقصى مـا يمكنني تقديمه لفتى لم يكمل تعليمه"، قال لي الرجل.

"متى سيتحقق وعد أبي؟ متى؟"

كانت الأبواب في بلاد أمي قد بدأت توصد في وجهي.. الواحد تلو الآخر، ولم يتبق سوى أبواب مواربة، بالكاد أتسلل من أحدها إلى ما يضمن لي الاستمرار في العيش زمنا مؤقتا.

* * *

كانت الرحلة الأطول، حتى ذلك اليوم، هي رحلتي من غرفة تشانغ إلى جزيرة بوراكاي، مرورا ببيتنا لتحضير حاجيات السفر. وكأنني على موعد لتجربة كل وسائل النقل في الفلبين في اليوم ذاته. ركبت الـ ترايسِكِل[18] والجيبني، والحافلة، والقطار، والطائرة، وأخيرا المركب.

على ظهر المركب ذاته كان عملي. مركب صغير، يضم رجلا يقف خلف الدفة، وآخر يقوم بمساعدته. لست محظوظا بقدر كاف لأكون أحد هذين الرجلين، فقد كنت ثالثهما، مهمتي الوقوف في مقدمة المركب، حاملا قصبة طويلة من البامبو، أستشعر بها اقترابنا من المياه الضحلة، وأبعد بواسطتها مقدمة المركب عن الصخور اذا ما اقتربنا من الشاطىء. أرمي المرساة لحظة الوصول، وأقوم بربط المركب، بواسطة حبل سميك، إلى أحد الأعمدة المخصصة لذلك في ميناء الجزيرة الصغير، ثم أقوم بِمَدِّ لوح خشبي من المركب إلى الشاطئ ليتمكن الركاب من العبور. أتبعهم حاملا حقائبهم إلى السيارة التي تقلهم إلى المنتجع.

لكل منتجع في بوراكاي مركب أو أكثر، مهمته توصيل السيّاح من جزيرة كاتيكلان، حيث المطار الصغير، إلى جزيرة بوراكاي المشهورة بمنتجعاتها السياحية. وبين الجزيرتين كنت أقضي اليوم

---

(18) Tricycle: إحدى وسائل النقل الشهيرة في الفلبين، دراجة نارية ثلاثية العجلات تحمل صندوقا في جانبها يتسع لراكبين كحد أقصى (المترجم).

بطوله واقفا في صدر المركب. أرافق الركاب في رحلة الدقائق العشر التي يستغرقها الإبحار بين الجزيرتين، عشر دقائق ذهابا، ومثلها إيابا. تنطلق المراكب، كل يحمل اسم المنتجع الذي ينتمي إليه، نحو جزيرة المطار ما إن يتم إبلاغنا بوصول طائرة. عشرات المراكب تبحر نحو الوجهة ذاتها، في الوقت ذاته. تتفاوت مستويات المراكب، بعضها فاخر وبعضها متوسط المستوى والبعض الآخر متواضع. مستوى المركب يدل على مستوى المنتجع الذي يعود إليه. عمال كل مركب، أثناء الإبحار نحو جزيرة المطار، يأملون في أن يكون نصيبهم كبيرا من السيّاح، ما يعزز فرصهم في الحصول على قدر أكبر من البقشيش نظير خدمتهم.

تغيّر لون بشرتي. تقشر الجلد فوق كتفيّ وحول أنفي بسبب المياه المالحة وأشعة الشمس. تغيّر شكلي كثيرا في فترة وجيزة.

في بوراكاي، افتقدت اللون الأخضر بحق، ولكن الأزرق كان لطيفا معي. يا له من لون! أيني من سحره كل هذه السنوات؟ لون لا بدايات له، ولا نهايات. أطلق عينيّ في هذا اللون السرمدي، مثل طائري نورس يحلقان في السماء، تداعب أجنحتهما البيضاء بياض السحب، وإذا ما كلّت أجنحتهما من التحليق في زرقة السماء.. أطلقتُ عينيّ في البحر سمكتين.. تتبع إحداهما الأخرى في زرقة لا آخر لها. أحببت اللون الأزرق في السماء وفي البحر وأنا الذي ما كنتُ أراه سوى في.. عينيّ ميرلا.

في عملي هذا، رأيت الكويتيين لمرة ثانية، بعد لقائنا القديم بإسماعيل الكويتي. أزواج جدد جاؤوا لقضاء شهر العسل، أو مجموعات شبابية مرحة، كل مجموعة تضم خمسة أو ستة شباب أو أكثر، جاؤوا للجزيرة مستغلين إجازة الصيف في بلادهم. ما

أسعدهم.. كم أحببت الجو الذي يضفونه حولهم أينما حلّوا.. مجانين. يملأون المركب صخبا، يغنون بصوت واحد، بلغة أبي التي أجهلها، يصفقون بطريقة تثير الإعجاب، بإيقاع منتظم. يتحلقون حول واحد منهم، أو اثنين متقابلين، يصفقون، في البدء، كما لو انهم رجل واحد، ثم يتحول التصفيق وكأنه لمئة رجل، في حين يرقص الذي في منتصف الحلقة رقصات غريبة. يقوِّس ظهره إلى الأمام هازّا كتفيه، يحني ساقيه واضعا كفّه فوق رأسه مثبِّتا قبعته، ثم يقفز في مكانه لتنفضّ الحلقة من حوله. يواصلون التصفيق، في حين يستمر الذي في المنتصف ثابتا في مكانه، يتمايل، ثم يحرك يديه وكأنه يقوم بسحب حبل خفي.

كم أحببتهم. وكم كنت أطير فرحا إذا ما علمت ان المركب يضم شبابا كويتيين. في البدء كنت أميِّز السيّاح العرب، أما في ما بعد، فقد أصبحت أميّز الكويتيين من بينهم. "لأنني واحد منهم"، كنت أحاول أن أقنع نفسي.

ثيابهم.. أحذيتهم.. قبعاتهم، نظاراتهم الشمسية وعطورهم.. لا تتناسب والمكان الذي يزورونه. يبدون أغنياء بثيابهم، وان بدوا بسطاء بتصرفاتهم.

مقابل ابتسامة لهم، ومساعدتهم في عبور اللوح الخشبي بين المركب وميناء الجزيرة، كنت أحصل، من بعضهم، على الكثير، وكأن المال لا يعني، لبعضهم، شيئا. وما إن يركبوا سيّارة الجيب، بصحبة قائد المركب ومساعده، يتجهون إلى المنتجع، حتى أنظر إلى نفسي في مقدمة المركب، حاملا القصبة بين يديّ، أنظر لها، متمنيا أن تستحيل عصا سحرية تحيلني واحدا منهم.

تتملكني رغبة في أن أتبعهم.. أن أناديهم: "هيّ! توقفوا..

إسمي عيسى.. أنا واحد منكم.. انتظروني..". تبتعد سيارة الجيب مع ضحكاتهم.. تختفي.. أجلس فوق التراب، قريبا من المركب.. أنظر إليه.. أتخيّل أبي وأمي على متنه، في تلك اللحظات حيث بدأت رحلتي ما قبل الحياة.. أغمض عينيّ.. أفتحهما.. أشاهد أبي بطاقيته البيضاء مع غسان، يرميان خيطيهما في الماء، ووليد ينظر إليّ بعين حولاء، يمد لي لسانه.. أقترب من المركب.. يختفي وليد.. أقترب أكثر.. يختفي أبي.. أتوقف عن المضي في السير.. كي لا يختفي الثالث..

* * *

كان سكني في ملحق صغير خصصته الإدارة للعمّال، يقع إلى جانب المنتجع، له باب يفضي إلى منتصف زقاق ضيّق مترب، يطل على جدار عال لمنتجع آخر، إذا ما اتجهت يمينا أدرك الشاطئ، وإذا ما اتجهت يسارا أصل إلى الشارع الموازي للشاطئ من الخلف، يمر على بقية المنتجعات.

كنت لا أدخل سكن العمّال إلا للنوم. أقضي فترة ما قبل ذلك في الزقاق الضيّق أدخن السجائر، أو بالجلوس أمام الشاطئ.

مقابل الشاطئ تنتصب صخرة بركانية وسط الماء، ويليز-روك، نَمَت عليها شجرة جوز هند، وشجرتان لم أميّز نوعهما. أسفل إحدى الشجرتين محراب مبني من الحصى، وفي داخله ينتصب تمثال للسيّدة العذراء يقابل الشاطئ. وجهها هادئ جميل، تضم يديها أمام صدرها، تحيط رأسها من الخلف هالة ذهبية.

تبعد الصخرة عن الشاطئ حوالي مئة متر، يزورها الناس سيرا على الأقدام وقت الجزر، أو سباحة وقت المد. يرتقون السلّم المثبت إليها. يقفون أمام المحراب.. يصلون.. يشعلون شمعة.

شاهدت الصخرة عن قرب، ذات ليلة، في منتصف عام 2005. تركت قميصي ونعليّ وعلبة سجائري على رمال الشاطئ. كانت مياه المد مرتفعة إلى ما فوق سُلّم ويليز-روك. لا يظهر من الصخرة البركانية سوى سطحها والمحراب والشجرات الثلاث. تقدمت باتجاهها. تجاوز الماء ساقيّ. وضعت قدّاحتي بين أسناني ثم بدأت بالعوم إلى الصخرة البركانية.

كان الوقت متأخرا، لا يوجد أحد على الشاطئ سوى رجال الحراسة ومجموعة من النزلاء يجلسون في نصف حلقة على الشاطئ المظلم، كأنهم أشباح، لا يُرى منهم سوى قمصانهم البيضاء. الأنوار خافتة، وأنوار غرف المنتجع من خلفي مطفأة، ما جعل النجوم تبدو أكثر وضوحا. ارتقيت السُلّم. انتصبت أمام تمثال السيّدة العذراء. ضممت كفيّ أسفل ذقني وشرعت في الصلاة. أصوات الأمواج من حولي، على ارتفاعها، بثّت في داخلي شيئا من الهدوء. ترتطم الأمواج في الصخرة ترشُّ قطراتها المالحة على وجهي. أمسحها بظهر كفّي.

- أنا لا أبكي يا أمنا مريم..

أخاطبها. أرفع رأسي أنظر في وجهها.

- هذه القطرات من مياه البحر.. لا تقلقي..

لا تنظر إليّ. عيناها تنظران إلى شيء بعيد ورائي. ارتقيت الدرجة أمام المحراب. أصبحت قامتي بمستواها. قرّبت وجهي فوق كتفها الأيسر، وهمست في أذنها:

- ولكنني سوف أبكي.. إذا ما طال بي البقاء هنا.

ضممتها مغمض العينين، ثم سمعت صوتا يخالط صوت الأمواج، يشبه نغمات الـ غوزهينغ. انتصبت الشعيرات في جسدي. نظرت إلى وجه السيّدة العذراء. عيناها تنظران ورائي إلى البعيد. أدرت وجهي

حيث تنظر. مجموعـة من النزلاء يجلسـون على رمال الشـاطئ هناك. يتمايلون. أحدهم يعزف ألحانا غريبة على آلة لم أكن أعرفها. أشـعلت شـمعة. أطبقت أسـناني على قدّاحتي ثم نزلت إلى الماء عائدا إلى الشاطئ.

* * *

(6)

كويتيون.. شباب.. خمسة يجلسون أمام الشاطئ في نصف حلقة. أوسطهم يمسك بآلة تشبه الغيتار. يعزف ويغني في حين الأربعة الآخرون يستمعون في صمت. يعلو صوته فيأتيه رجل الحراسة:

- سيّدي! سوف تزعج النزلاء!

ينظرون إليه من دون أن يتفوه أحدهم بكلمة.

- يمكنكم الجلوس هناك..

يشير نحو منتجع مظلم، تحت الصيانة والترميم.

- المنتجع خال من النزلاء كما ترون..

قام الذي في المنتصف يحمل آلته، ثم تبعه البقية كل يحمل في يده شيئا.

كنت أجلس على مقربة منهم. بينهم وبين مياه البحر. مقابل ويليز-روك. أراقبهم بسمعي. وعندما ابتعدوا وشرعوا في الغناء أمام المنتجع المغلق، أسفل شجرة جوز هند شاهقة الارتفاع، وجدتني غير قادر على منع نفسي من الذهاب إليهم:

- سلام عليكم..

ألقيت تحيتي كما علمتني أمي. نظروا إليّ، بعد أن نظر واحدهم إلى الآخر. بصوت واحد أجابوا:

- وعليكم السلام!

خشيت أن يكونوا سكارى. ولكنهم، باستثناء واحد منهم، لم يكونوا كذلك. ابتسمت:

- أنتم من الكويت.. أليس كذلك؟

تبادلوا النظرات فيما بينهم مندهشين. قال أوسطهم:

- نعم.. كيف عرفت ذلك؟

- أنا أعرفكم سيّدي.

تبادلوا كلمات لم أفهمها. قال من كان يحمل بيده كأسا بإنكليزية متقنة:

- تفضل اجلس.

- هل يمكنني ذلك بالفعل.. سيّدي؟

أجاب الخمسة وهم يشيرون نحو الأرض:

- نعم.. نعم.. بكل تأكيد.

جلست بينهم. مدّ لي أحدهم يده بعلبة السجائر. أخرجت علبتي من جيب الشورت:

- شكرا سيّدي.. أنا أحمل واحدة.

تناولها من يدّي وأخذ يتفحصها. أعادها إليّ وأصرّ أن أدخن من سجائره الـ Davidoff:

- خُذ واحدة من هذه.. نظف صدرك.

ضحك أصدقاؤه. تناول صاحب الكأس قنينة زجاجية بنية اللون يحيطها ملصق أحمر:

- هل تشرب؟

سألني، في حين كانت يده ممدودة لي بالكأس.

- قانونيا.. لا يسمح لي بالشرب.. ما زلت في السابعة عشرة.. رغم انني جربت من قبل..

همّ يعيد الكأس إلى مكانها. أردفت:

- ولكن يسعدني أن أقبل دعوتك.

تناولت الكأس من يده.

156

- معروف أن جعة ريد-هورس قوية التأثير.. هل هذا صحيح؟

سألته. عبَّ ما تبقى من كأسه. تجمّعت أجزاء وجهه حول أنفه وكأنه يقضم ليمونة. قال:

- جربها بنفسك.

شربت محتوى الكأس في رشفة واحدة. ضحك الجميع. سكب لي صاحب الكأس المزيد. سألت أوسطهم:

- ألن تعزف يا سيّدي على..

ترددت قبل أن أقول:

- بالمناسبة.. ما اسم هذه الآلة؟

- العود.

أجاب الشاب. ذكرني الاسم بما كانت تحدثني به أمي عن غسان الذي يعزف على الآلة ذاتها.

شرع الشاب بتحريك الأوتار بواسطة شريحة بلاستيكية صغيرة سوداء. سألته:

- ما اسم المقطوعة التي ستعزفها.. سيّدي؟

وهو يواصل العزف على الأوتار، أجاب:

- هذه أغنية لمطربي المفضل في الكويت..

توقف عن العزف، ثم وضع الشريحة البلاستيكية السوداء، التي كان يعزف بواسطتها، بين أنفه وشفته كشارب. قال:

- اسمه....

لا أتذكر الاسم الذي قاله لي. ولكنني أتذكر ان أصدقاءه انفجروا ضاحكين. ضحك هو الآخر، ثم شرع في العزف من جديد قائلا:

- شاربه الكث يميّزه عن غيره من المطربين، كما صوته.

ثم شرع في الغناء. يحرك رأسه. ينظر إلى السماء تارة، ويسند

157

رأسه إلى آلته تارة أخرى. وددت لو أفهم ما يقول.

* * *

كأس تلو الأخرى.. رأسي بـدأ يثقـل.. العزف مسـتمر.. والغناء كأجمل ما يكون.

انتصبت واقفـا والأرض تـدور من حولي. "Stop .. Stop"، قلت لهم. توقف أوسطهم عن الغناء. نظر خمستهم إليّ. قلت:

- انظروا يا شباب.. سأكشف لكم سرّا!

لم يفه أحدهم بكلمة. واصلت:

- أنا كويتي..

رفعت رأسي بصعوبة أشاهد وجوههم. الدهشة تعلوها.

- اسمي عيسى..

تبادلوا النظرات في ما بينهم.

- ان كنتم لا تصدقون.. سأثبت لكم ذلك..

أسند أوسطهم آلته مقلوبة إلى ساقيه. ينظر إليّ باهتمام.

- هل لكم أن تصفّقوا.. من فضلكم؟

شرعوا في التصفيق والدهشة على وجوههم لا تزال. أوقفتهم:

- لا.. لا.. ليس هكذا.

توقفـوا عـن التصفيـق ينظرون إليّ. ضرب صاحـب الكأس قدميه ببعضهما:

- هكذا؟

سألني ساخرا. أجبته:

- كلا سيّدي.. صفّقوا بالطريقة التي يصفق بها الكويتيون..

الدهشـة استحالت ابتسـامات، تبادلوا كلمات لا أفهمها. شـرعوا

158

بالتصفيق بتلك الطريقة المجنونة. هززت كتفيّ وجسدي يتمايل. دهشتهم مع ابتساماتهم الواسعة بالإضافة إلى ما يلعب بداخل رأسي حثوني على الاستمرار. ملتُ بكتفيّ إلى الأمام. وضعت كفّي فوق رأسي أثبت قبعة لا وجود لها. انتصب صاحب الكأس واقفا. تقدم نحوي. أخذ يتمايل بكتفيه هو الآخر. الاهتمام بدا على وجوه البقية. أحنيت ساقيّ ثم قفزت في الهواء. وقف الشاب إلى جانبي. كتفه تلاصق كتفي: "كلا.. ليس هكذا.. افعل كما أفعل". ثبتَّ قدميه في التراب. بالمثل فعلت. واصلنا هزّ كتفينا ببطء. أخذت أسحب ذلك الحبل الخفي بين يديّ وأنا منفرج الساقين.

انفجروا ضاحكين.. يقهقهون.. يستلقون على ظهورهم..

- نعـم.. أنـت على حق.. كويتي.. ولكن Made in Philippines

واصلوا ضحكهم بأعلى ما يكون.

جاء رجل الحراسة راكضا: أرجوكم!.. أرجوكم!..

انفضّت الجلسة.

* * *

(7)

"هوزيه.. هوزيه.. هوزيه.."

لم يكن ميندوزا صاحب النداءات هذه المرة. كانت والدتي، عبر الهاتف، في اتصال تلقيته بعد منتصف الليل، تبكي، وتتعثر بلفظ اسمي:

- هوزيه.. هوزيه..!

تلتقط أنفاسها. تستجمع الحروف لتكوّن كلمات تصيغ الخبر:

- قبل قليل.. مات أبي!

واصلت بكاءها.. انتَحَبَتْ.. تعالى نحيبها:

- احضر حالا.. يجب أن تكون هنا!

* * *

على ظهر المركب كنت، في رحلة الدقائق العشر بين جزيرتي بوراكاي وكاتيكلان، بصحبة الشباب الكويتيين إياهم. لـم أكن وقتئذ ذلك الفتى الذي يقف في مقدمة المركب. كنت أحد مغادري الجزيرة، وان كنـت أحسبها مغـادرة مؤقتة لا تتجاوز الأسبوع كإجازة من دون راتب.

الكويتيـون كمـا هم. مرحهم. أغنياتهم. ضحكاتهم والمقالب التي يدبرونها لبعضهم. هم بالجنون نفسـه، في المنتجع، في المركب، وفي الطائرة.

تنظم شركات الطيران، عادة، في رحلاتها الداخلية، بعض الأنشطة الترفيهية للركاب. يقيم طاقم الطائرة مسـابقات خلال الرحلة. يسـألون أسئلة ثقافية عامة، ويقدمون الهدايا الرمزية للفائزين من الركاب. ولكن، في تلك الرحلة، ومع الشباب الكويتيين، وجد طاقم الطائرة أنفسهم في

160

مـأزق، حيـث أن أحـدا لـم يلتفت إليهم وإلى أنشـطتهم الترفيهية تلك.
انصـرف الجميـع إلى أولئك المجانين، بأغنياتهـم وتصفيقهم بطريقتهم
التقليدية المدهشة. صاحب الآلة الموسيقية يعزف ألحانا سريعة، والبقية
يغنون بعد أن وقف أحدهم في منتصف ممر الطائرة يشرح للركاب:

– سيّداتي.. سادتي..

يشير إلى أصحاب المقاعد في جهة اليمين:

– أنتم تصفقون هكذا..

يهمّ بالتصفيق شارحا الطريقة.

– تك.. تك.. تك.. بهذا الإيقاع..

يلتفت إلى الركاب عن يساره:

– وأنتم.. تصفقون بهذا الإيقاع: تك تك تك.. تك تك تك.. هل
هذا واضح؟

عاد إلى مقعده، قال بصوت عال:

– واحد.. إثنان.. ثلاثة.. الآن!

أي جنون هذا الذي أضفاه الكويتيون على هذه الرحلة؟! الوجوه
الباسـمة.. الضحـك.. كاميـرات الفيديو تسـجل كل شيء.. الكاميرات
الفوتوغرافية..

وأنا، في غمرة فرحي، نسيت أن عزاء يقام في كنيسة الحيّ القريبة
مـن أرض ميندوزا. لم أشـعر بحزن لفقدان جـدّي، ولكن الحزن الذي
انتابنـي بعـد أن حطّت الطائرة في مطار الرحلات الداخلية، كان بسبب
أولئك المجانين الذين عزموا على الرحيل إلى بلاد أبي.. من دوني.

عند بوابة المطار، كنت أهمّ بركوب سيّارة أجرة. أحدهم ينادي:
"عيسى!.. عيسى!". لم يلفت الاسم انتباهي. مزيج من الأصوات. أبواق
السـيارات وضجيـج محركاتها. أصوات البشـر في الزحام.. وأصوات

161

أخرى داخل رأسي.

أمسك أحدهم بكتفي:

- أليس اسمك عيسى؟!

كان الشاب صاحب الكأس. أجبته:

- بلى.. سيّدي.

أشار نحو أصدقائه داخل سيارة ڤان قريبة. ينظرون إليّ من خلف زجاج النافذة بوجوه باسمة:

- أصدقائي.. وأنا..

تردد قبل أن يقول:

- ذاهبــون إلــى مطــار نينوي أكينو الدولي.. لنعود، من هناك، إلى الكويت.

مدّ يده إليّ بأوراق نقدية كثيرة:

- لن يسعفنا الوقت لصرف هذه الأموال.. انها لك..

- ولكن.. هذا كثير.. سيّدي!

لم يلتفت لما قلت. حدّق في وجهي. قال:

- لست متأكدا من صحة ما تقول.. كونك كويتيا.. ولكن..

صمت قليلا. وددت لو أقسم له بأن والدي كويتي.. وأني وُلِدت هناك ولدي أوراق تثبت ذلك. تركته يكمل ما أراد قوله:

- ولكن، أيا كنت يا هذا، لا تفكر بالسفر إلى هناك بصفتك هذه.

أدار لي ظهره عائدا إلى أصحابه في السيارة. نظرت إليهم والمال في يدي، والحيرة في وجهي. وقبل أن يركب سيارة الـ ڤان، التفت إليّ قائلا:

- ابقَ هنا يا صديقي.. واشرب الـ ريد-هورس..

- أشربه هناك..

162

قلت له والدهشة تتملكني. قال قبل أن يغوص بين أصدقائه المتكدسين في السيارة:

- الـ ريد-هورس هناك.. لن يقبل وجودك.. سيهرسك تحت حوافره يا صديقي.

ضغط بقدمه الأرض كأنه يسحق عقب سيجارة قبل أن ينصرف يسحب الباب الجرّار للسيارة. وفي حين كانوا يبتعدون بين الزحام أطل صاحب الآلة الموسيقية من النافذة الجانبية، وصاح بصوت عال جعل الناس تلتفت نحوي:

- لا ندري ماذا قال لك هذا المخمور، ولكن، عد للكويت ان كنت صادقا بما تقول.. لك، هناك، حقوق كثيرة..

الناس تنظر إليّ. صاحب سيّارة الأجرة يطلب مني الركوب. صاحب الكأس، من خلال زجاج النافذة الخلفية لسيارة الـ ڤان، يهزّ رأسه، ويحرك سبّابته ولسان حاله يقول: "إياك أن تفعل!".

اختفت السيّارة بين الزحام. اختفى المجانين، تاركين لي مبلغا كبيرا من المال، وحيرة أكبر ضاق بها رأسي.

* * *

(8)

في كنيسة حيّنا الصغيرة، حيث تم تعميدي قبل سنوات طويلة، استقبلت عائلتي المعزين بوفاة جدّي. أناس كثر، جاؤوا من أماكن مختلفة، بعضها قريب، وبعضها الآخر بعيد. جاؤوا يواسوننا ويودعون ميندوزا بعد رحيله. أي وداع هذا بعد الرحيل؟!

على أحد مقاعد الكنيسة جلست، إلى جانب ماما آيدا التي حضرت على مضض، بعد إلحاح أمي وخالي بيدرو. أخبرتني بكيفية معرفتها بموت أبيها: "شيء مرعب.. مرعب يا هوزيه!". نظرتْ باتجاه التابوت الذي يحمل جثمان ميندوزا، ثم واصلت:

"كنت في غرفتي، أدخن، في وقت متأخر من الليل. شرع الكلب العجوز، وايتي، بالنباح. لم يلبث طويلا حتى استحال نباحه عواء يشبه النحيب. كان الخدر ينتشر في رأسي. وشيء يشبه دبيب النمل يتصاعد إلى صدغيّ. هززت رأسي كمن يحاول أن يستفيق من حلم مزعج، وبدلا من أن يختفي عواء وايتي، شرع أحد الديوك في الصياح. هل لك أن تتخيل عواء كلب يصاحبه صياح ديك، في الوقت نفسه؟! لم تجرؤ الديوك على الصياح قط إذا ما نبح وايتي، ولكنها، في ذلك الوقت كانت تصيح بشكل متواصل، يستريح أحدها ليواصل الآخر ما بدأه الأول، وعواء وايتي يستمر بشكل مرعب".

مسحت ماما آيدا ذراعيها بكفيها، كأنها تعيد شعيرات جسدها المنتصبة إلى وضعها الطبيعي. واصلت حديثها:

"نزلت السُلّم جريا، بثياب النوم، من دون نعلين خرجت من البيت".

رسمت ماما آيدا شارة الصليب أمام وجهها. واصلت:

"كان وايتي مقعيا عند باب أبي، رافعا رأسه يعوي. من الذي فكّ طوقه المثبّت إلى بيته الصغير؟.. الديوك كانت تواصل صياحها. وما أثار الهلع في نفسي، وأقشعر له بدني يا هوزيه، هو منظر إينانغ تشولينغ، تقف، مقوسة الظهر، خلف نافذة بيتها في الظلام. عارية الصدر، ضامّة ذراعيها أسفل ثدييها الضامرين، كأنها تحمل شيئا، تنظر إليه".

انحنت بجذعها إلى الأمام. أسندت مرفقيها إلى ركبتيها، وغطّت وجهها بكفيها. قالت:

"لم أجرؤ على الاقتراب من منزل أبي وأنا لم أدخله منذ سنوات طويلة. أخذت أجري إلى منزل بيدرو من دون أن أنظر إلى منزل إينانغ تشولينغ. طرقت الباب بكلتا يدي. سألني بيدرو عما دهاني. "مات أبوك بيدرو.. مات أبوك على سريره"، قلت له. سألني، وهو على يقين بأنني لم أدخل بيت أبي: "من أخبرك بذلك آيدا؟". أشرت نحو الساحة أمام بيت أبي: "وايتي والديوك!"

جلس خالي بيدرو إلى جانبي. أصبحت بينه وبين ماما آيدا التي تركت المكان فور وصول أخيها: "سـأعود إلى البيت.. هذا يكفي.. لا أحتمـل البقـاء هنـا مدة أطول". لم يلتفـت خالي إليها. واصل ما انتهت به أخته:

"جريـت إلى منزل أبي، بعد أن أخبرتني آيـدا. فتحتُ البـاب. سبقني وايتي إلى الداخل. رائحة الشـموع تشـي بانطفائهـا قبل وقت قصير من دخولنا. ضغطت مكبس الضوء.. لم يعمل. أشعلت قدّاحتي.. وجـدت أبي يستلقي على أحد جانبيه عاريا، ضامّا ركبتيه إلى صدره بوضعيـة جنيـن، يحجب وجهـه بكفيه كمـن يهرب مـن مواجهة منظر مرعب".

***

165

وصلت ميرلا في اليوم الثالث بعد وفاة جدّي. وكانت العائلة قد قررت أن تبقي جثمان ميندوزا في الكنيسة خمسة أيام كي تتسنّى لجميع أفراد العائلة رؤيته قبل أن يوارى الثرى.

دخلت ميرلا بصحبة ماريا إلى الكنيسة. جلست الأخيرة في الصف الأخير بالقرب من الباب، في حين تقدمت ميرلا إلى الصف الأمامي. ألقت التحية ثم قالت: "أنا آسفة لسماع هذا الخبر". جلست بعد أن أفسح لها خالي بيدرو مكانا بجانبي.

كان أفراد العائلة والمعزون قد بدأوا بالخروج واحدا تلو الآخر. ومع الغروب، لم يكن هناك أحد في الداخل سوانا أنا وميرلا. التفتت إليّ:

– منافق أنت!

نظرت إلى وجهي. أتمت:

– لا تتظاهر بالحزن على فقدانه هوزيه..

وضعت كفّي على ركبتها، ونظرت باتجاه التابوت حيث يرقد الجثمان. أجبتها:

– بل أنا حزين ميرلا.. لم أنظر إلى وجهه حتى الآن.

أحكمت قبضتي على ركبتها. قلت:

– لو أنني قابلته قبل موته لأقول له: "سامحتك ميندوزا".

أزاحت كفّي عن ركبتها. انتصبت واقفة تتجه نحو التابوت. قالت:

– المهم انك سامحته.. الأمر يخصك.. لا يخصه..

– كيف؟

سألتها، في حين كان ظهرها أمامي، ووجهها مقابل التابوت الذي

166

يبعد عنا أمتارًا قليلة. أجابت:

- نحن لا نكافئ الآخرين بغفراننا ذنوبهم، نحن نكافئ أنفسنا، ونتطهر من الداخل.

صمتي لا يعني إطلاقا موافقتي على ما تؤمن به ميرلا، ولكن.. أن تناقش مجنونة.. في ظرف كهذا!.. كنت أريد لـ ميندوزا أن يتطهر من ذنبه تجاهي قبل رحيله، وبتطهره من ذلك الذنب أتطهر.. أنا.

من دون أن تلتفت نحوي ميرلا، قالت: "ألن تلقي نظرة أخيرة على ميندوزا يا هوزيه؟". تقدمت ميرلا نحو الجثمان. تبعتها بخطوات ثقيلة.

في صدر الكنيسة الصغيرة، كان تابوت جدّي، المفتوح، محمولا على طاولة مغطاة بقماش حريري أبيض. تحيطه أزهار بيضاء في آنيات فضية. تابوت أبيض بنقوش أرجوانية، له مقابض ذهبية على جوانبه الأربعة. صليب متوسط الحجم معلق إلى الحائط أعلى التابوت. وعن يمينه يستند إطار على حمّالة خشبية، يضم صورة جدّي وبياناته: سيكستو فيليب ميندوزا.. ميلاد السادس من أبريل 1925 – وفاة الحادي والعشرون من يونيو 2005 – 80 عامًا.

تقدمت نحو التابوت حيث تقف ميرلا تصلّي. أسفل الزجاج كان جدّي يستلقي مغمض العينين، بوجه رمادي لم تخفِ المساحيق شحوبه. يبدو محترما كما لم أره في حياتي. يرتدي بنطالا أسود، وقميصا أبيض بخطوط طولية سوداء.

نظرت إلى غطاء التابوت، في الجهة التي تقابل وجهه إذا ما أطبق الغطاء. كانت أمي قد ثبتت شرائط من القماش، أرجوانية اللون، تحمل كل شريطة اسم أحد أفراد عائلته المقربين: آيدا.. جوزافين.. بيدرو وزوجته وأبناءه.. ألبيرتو وأدريان.. ميرلا و.. هوزيه.

تصبح هذه الأسماء، إذا ما أطبق الغطاء، على سقف التابوت من الداخل، أمام وجه الميت، ليتذكر أفراد عائلته في العالم الآخر.

- هيا لننصرف هوزيه..

قالت ميرلا. رسمنا شارة الصليب أمام الجثمان قبل أن نتركه في سكون الكنيسة.

في الطريق إلى البيت، طلبت من ميرلا أن تنتظرني هناك:

- لدي ما أقوم به.. سوف أتبعك.

قلت لها، ثم عدت إلى الكنيسة. كان الرجل المسؤول يهمّ بإغلاق الباب بعد أن أطفأ الأنوار. رجوته أن يمهلني قليلا من الوقت كي أصلي لجدّي: "سأعود بعد خمس دقائق"، قال الرجل، ثم تقدم نحو طاولة، تناول شمعة. أشعلها. قدمها لي قبل أن ينصرف.

حاملا شمعتي، توجهت إلى جثمان جدّي. نظرت إلى وجهه. عيناه.. أنفه وشفتاه.. وبقية أجزاء وجهه كأنها تتحرك بفعل شعلة الشمعة المتراقصة والظلال. توجهت بنظري نحو غطاء التابوت. مددت كفّي. وبسبّابتي وإبهامي انتزعت الشريطة التي تحمل اسمي من بين أسماء أفراد العائلة.

- أنا آسف يا جدّي..

قلت له، ناظرا في وجهه خلف الزجاج. أطبقتُ غطاء التابوت، واتجهتُ، سالكا الممر القصير، إلى الخارج، حاملا الشمعة في يد، والشريطة التي تحمل اسمي في يدي الأخرى. قلت، في حين كنت أمضي مبتعدا، تاركا التابوت خلفي:

- سوف لن تتذكر أن لك حفيدا اسمه هوزيه..

عند الباب توقفت. استدرت. واجهت التابوت المطبق هناك.

168

كوَّرت شفتي أنفخ على الشمعة أطفئها، وأنا على يقين بأنني لن أستمع إلى نداءات ميندوزا بعد اليوم:

"هوزيه.. هوزيه.. هوزيه.."

* * *

(9)

ظهـر أرنـب آليس، من دون سـابق إنذار، فـي اليوم الخامس لوفاة ميندوزا. أتراه كان ينتظر موت جدّي؟

لطالمـا انتظرتـك يا أرنب، تظهر أمامي بشـكلك الغريب، أتبعك.. أتعثر.. أسـقط في حفرة تفضي إلى بلاد أبي، ولكن، يبدو ان السـقوط في الحفرة ليس بالسـهولة التي تصورت: "قبل أسـبوع، تسـلمت عائلة الطـاروف رفـاة راشـد من إحدى المقابـر الجماعية في جنوب العراق". قال الأرنب ليضع نقطة في آخر سطر من حياة أبي القصيرة.

***

ظهيرة اليوم الخامس لوفاة جدّي. سـيارة ليموزين فخمة، محمّلة بأعـداد هائلـة مـن الزهور، كانت تحمل جثمان ميندوزا، جدّي الذي لم يركـب مثـل هـذه السـيارة في حياتـه، يركبها ميتا، محمـولا إلى المقبرة القريبة من أرضه.

تدور عجلات السيارة ببطء شديد، وأفراد العائلة والمعزون، على كثرتهـم، يسـيرون خلفها على أقدامهـم، حاملين باقات الزهور، يرفعون شمسياتهم فوق رؤوسهم، يشيّعون ميندوزا إلى مثواه الأخير.

فـي تلـك الأثنـاء، كان أرنـب آليس ينتظرني في مـكان ما، مرتديا معطفه الشهير، حاملا ساعته، يعد بواسطتها الوقت.

قبل تشـييع ميندوزا بأسـبوع واحد، كان الأرنب هناك، يشـيّع، هو الآخر، صديقه بعد فراق دام خمسة عشر عاما.

***

كانـت مامـا آيدا فـي البيت. لم تذهب معنا لتوديع جدّي ميندوزا.

ورغم إلحاح أمي وخالي بيدرو، تمسكت برفضها قائلة. "مات أبي منذ زمن طويل.. منذ كنا أطفالا.. لا جديد اليوم سوى إلقاء جثمانه في حفرة مظلمة تشبه الحفرة التي دفعني إليها عندما كنت في السابعة عشرة من عمري.. اذهبا أنتما.. وخذا معكما الأولاد".

بعد عودتنا إلى البيت، حيث اجتمع أفراد العائلة بعد وداع ميندوزا، قالت ماما آيدا أن أحدهم اتصل يسأل عن أمي، "طلبتُ منه معاودة الاتصال بعد ساعتين"، وفي الوقت المحدد.. اتصل الأرنب!

"نعم.. أنا جوزافين"، قالت أمي للمتصل، ثم انتصبت واقفة والدهشة تعلو وجهها: "كيف لا أتذكرك! بالطبع أتذكرك يا غسان!".

غسان! صعقني سماع الاسم. صديق أبي.. صائد السمك.. العسكري.. الشاعر الذي يعزف على آلة العود!

احتشدت الذكريات في رأسي واستفزت لها حواسي. صوت نغمات الآلة التي استمعت إليها في بوراكاي، ورائحة سمك تصاعدت إلى أنفي، ورائحة أخرى مقرفة، لعلها رائحة الطُعم في الكيس البلاستيكي الذي كان يحمله وليد في الصورة القديمة.

ما إن لفظت أمي اسم غسان حتى وجدتني أقفز إلى السلم، متجاوزا درجاته مسرعا باتجاه غرفة ميرلا حيث الهاتف الآخر. حملت السماعة.. ألصقتها بأذني أستمع لحوارهما، أمي وغسان:

- أتصور أن الوقت قد حان لعودته..

قال غسان بصوت غليظ لا يشبه صوت شاعر، لعله صوت العسكري. واصل:

- كانت هذه رغبة راشد، منذ خمسة عشر عاما..

تسارعت أنفاس أمي حين سمعت اسم أبي. واصل غسان:

- أوصيته بأمي إن أصابني مكروه.. وفي المقابل، أوصاني هو أن أتكفل بـ عيسى إذا ما حدث له مكروه.

171

بصوت خفيض، بالكاد سمعته، قالت أمي لـ غسان:

- راشد؟!.. مكروه؟!

- كان أملي كبيرا بعودته من الأسر..

قال غسان بعد أن رقّ صوته، ثم تردد قبل أن يردف:

- يؤسفني ذلك.. ولكن..

اختفى صوت العسكري.. ثم واصل حديثه بصوت الشاعر:

- قبـل أسـبوع، تسـلمت عائلـة الطـاروف رفاة راشـد من إحدى المقابر الجماعية في جنوب العراق.

لم تفه أمي بكلمة. سألها غسان:

- أليست لديه رغبة في العودة إلى الكويت؟

شرعت أمي في البكاء، في حين أجبته من الهاتف الآخر:

- بلى.. أريد أن أعود.. أريد أن أعود..

وعدنـا غسـان أن يتكفـل هـو بـكل شـيء، "أعرف أناسا يمكنهم مسـاعدتنا في شـأن عودتـه"، قال لأمي. وعدني: "أمهلنـي بعضا من الوقت لأقوم بتحضير أوراقك، واستخراج جواز سـفر كويتي". قال انه كان يتمنى لو يحضر إلى الفلبين، ليصطحبني إلى الكويت بنفسه، ولكن سببا كان يمنعه من ذلك.

ختم الأرنب مكالمته: "سأكون على اتصال بكما".

* * *

(10)

غريب أمر الموت، بقي في الجوار، يتحرك ببطء يبحث عن شخص ما يسلب حياته. ما دام مارّا من هنا.. لِمَ العودة في وقت لاحق؟

في اليوم الخامس لوفاة ميندوزا تلقينا خبر وفاة راشد. وبعد مرور أسبوع على دفن ميندوزا، غادرنا الموت حاملا معه روح إينانغ تشولينغ.

انتبهت الجارات إلى أن أطباق الطعام، أسفل باب منزل العجوز، لم تُمس منذ الصباح. "يبدو ان إينانغ تشولينغ مريضة"، قالت جارتنا لـ ماما آيدا. ذهبت الأخيرة إلى منزل العجوز لتعود بعد دقائق بوجه جامد الملامح. بشفتين جافتين مرتعشتين. التقطت سماعة الهاتف: "جوزافين!.. تعالي بسرعة!"، قالت ماما آيدا، ثم انفجرت باكية: "ماتت العجوز.. ماتت..". ألقت سماعة الهاتف، ثم ارتمت على الأريكة تبكي بكاء هيستيريا، في حين شلّت الصدمة لساني وتفكيري، "هي لم تبكِ لوفاة والدها!"، تساءلت. دخل خالي بيدرو بوجه شاحب، ثم دخلت أمي تستند إلى ذراع ألبيرتو، يتبعهما أدريان فاغرا فمه، يشكل اللعاب بقعة كبيرة على صدره. جلست أمي إلى جانب ماما آيدا، غطت وجهها بكفيها باكية: "ماتت المسكينة بعد أن طال انتظارها.. ماتت بموت أملها الوحيد". ماذا يجري هنا؟ تساءلت. مررت نظري على الوجوه من حولي.. نحيب ماما آيدا.. بكاء أمي.. حزن خالي بيدرو.. صمت ألبيرتو.. شرود أدريان و.. حيرة الجارة..

ارتقيت السُلم إلى الدور العلوي. غرفة ميرلا. جلست فوق سريرها والتقطت سماعة الهاتف. "ماتت إينانغ تشولينغ!"، قلت لـ ميرلا. أجابت: "أمر مؤسف، ولكن، ما بال صوتك هوزيه؟ المرأة قاربت، أو جاوزت المئة. هل صدقت أساطير أطفال الحيّ وحكاياتهم حول إينانغ تشولينغ

الساحرة التي لا تموت؟!". ربما كنت مؤمنا بالأساطير التي قيلت عن
هذه العجوز، ولكن حيرتي لم تكن بسبب موتها أو بسبب الأساطير التي
التصقت بها. "ألو!.. ألو هوزيه!".. نبّهتني ميرلا من شرودي. قلت لها
قبل أن أنهي المكالمة: "تعالي ميرلا.. شيء غريب يحدث في الأسفل..
أمي.. أمك وخالي بيدرو..".

* * *

ذهب الجميع، ما عداي، إلى منزل إينانغ تشولينغ. جلست أنتظر
ميرلا، وفور وصولها سألت: "أين ذهب الجميع؟".

- إلى منزل العجوز..

أجبتها. نظرت ميرلا إلى وجهي باستغراب. قالت:

- هوزيه! لقد أخفتني.. ماذا يجري؟

هززت كتفيّ. أجبتها بحيرة:

- لست أدري.. ولكن..

لم أكمل جملتي. أمسكت بيدي. سحبتني:

- قم لنلقي نظرة أولى وأخيرة على منزل العجوز من الداخل.

لم أكن راغبا بسحب يدي من يدها الناعمة، ولكنني فعلت:

- مجنونة أنتِ؟ هل ستدخلين منزل الساحرة؟

نظرت إليّ والدهشة تعلو وجهها:

- لماذا طلبت مني المجيء هوزيه؟!

ترددت. فلست أدري ما الذي دفعني لذلك.

- لا أدري ميرلا.. ولكن أمك كانت حزينة جدا.. أمي وخالي
بيدرو كذلك.. ردة فعلهم مقابل تلقيهم الخبر كانت غريبة!

قالت بنفاد صبر:

- كل شيء غريب في أرض ميندوزا.. كل شيء..

174

قاطعتها:

- ولكن.. أمي تقول إن العجوز انتظرت طويلا..

قاطعتني:

- لا تكن سخيفا هوزيه!.. عجوز في مثل سنّها ماذا ستنتظر سوى الموت!

لم أفه بكلمة. أردفت ميرلا:

- هيا بنا لنرى كوخ الساحرة..

* * *

أمام منزل إينانغ تشولينغ اجتمع الجيران، النساء والرجال، ومن خلفهم أطفالهم يراقبون بأعين مذعورة. زوجة خالي بيدرو وأطفالها كانوا في الخارج. ألبيرتو، زوج أمي، يجلس على حجر قريب منهم. بعد أن اقتربنا، ميرلا وأنا، قالت زوجة خالي: "بيدرو وجوزافين وآيدا، بصحبة القس، في الداخل.. ألن تدخلا؟". نظرت ميرلا إليّ تنتظر إجابتي. "لا.. لا داعي لدخولنا"، أجبتُ زوجة خالي. تقدم ألبيرتو نحونا قائلا: "ميرلا.. هوزيه.. يجب أن تدخلا". التصقت ميرلا بي هامسة: "كنت أنوي الدخول.. ولكن اصرارهم.. أقلقني". تقدمت زوجة خالي بيدرو إلى باب منزل العجوز. فتحته. أشارت لنا بالدخول. سبقتني ميرلا بخطوات مترددة. تبعتها بخطوات أكثر ترددا. منزلها صغير من الخارج، ويبدو أصغر من الداخل. غرفة نوم وحمام ومطبخ صغير في الزاوية مفتوح على الغرفة. الرطوبة ورائحة الطعام المتعفن تخالطان رائحة الموت. ملأني شعور بالغثيان. أمام سرير خشبي كانت أمي وماما آيدا تتلوان الصلوات في خشوع، في حين جلس خالي بيدرو إلى كرسي قريب منهما. على السرير الخشبي تستلقي إينانغ تشولينغ تحت غطاء أبيض لا يظهر منها سوى كتفيها ورأسها. وخلف ظهرها ثلاث وسائد تسند ظهرها الأحدب. كان قس كنيسة الحيّ يمسح على

جبينها بالزيت المقدّس ويتلو الصلوات. أي شجاعة يتحلى بها هذا الرجل؟ كان فمها مفتوحا على اتساعه، كاشفا عن أسنان متفرقة. كنت أتصبب عرقا، بانتظار أن ينهي القس مهمته قبل أن تنتفض العجوز وتغرس ما تبقى من أسنانها في كفّه. كان الخوف يتملكني. والشعور بذنب سرقة طعامها قبل سنوات يحفّز النحلة داخل رأسي للحركة من جديد. بكاء أمي وماما آيدا.. والطنين داخل رأسي.. ونبضات قلبي في صدغيّ.. ورعشة أطرافي حثوني على ترك المكان. وقبل أن أفعل، لكزتني ميرلا بمرفقها. نظرتُ إليها. أشارت بعينيها إلى أحد الجدران. نظرت حيث أشارت. فتحت عينيّ على اتساعهما غير مصدق! صور لميندوزا بالأبيض والأسود ملصقة إلى الجدار. صورة كنت قد رأيتها في بطاقة الهوية الخاصة بالجيش. صورة أخرى يقف فيها مع مجموعة من الرجال بزيّهم العسكري. وأخرى يجلس فيها إلى كرسي عريض مع امرأة، يجلس بينهما طفلتان وصبي. ومجموعة أخرى من الصور القديمة لميندوزا لم أكن رأيتها قط. التفت لـ ميرلا أستوضح أمر الصور. قرّبت وجهها إليّ. همست في أذني: "انك لا تفهم شيئا". هي تعرف ان كلماتها هذه تؤذيني. نظرت إليها معاتبا. أتمت: "لجدك اللئيم معجبات!". أجبتها في حيرة: "ولكنني لم أشاهده يقترب من بيتها قط!".

خرج القسّ بعد أن أنهى مهمته. وما إن تجاوز الباب حتى ألقت ميرلا بسؤالها بصوت خفيض: "صوَر جدّي.. على جدار إينانغ تشولينغ.. لماذا؟".

خرج خالي بيدرو يتبع القسّ. تظاهرت أمي بالانشغال بترتيب المكان. ومن دون أن تلتفت ماما آيدا، أجابت:

- ليس غريبا أن تزّين الأم جدرانها بصوَر ولدها الوحيد..

تبادلنا، أنا وميرلا، النظرات غير مصدقين. سألتُ ماما آيدا.

- إينانغ تشولينغ هي والدة ميندوزا؟!

هزّت رأسها إيجابا والدموع تسيل على وجنتيها بسخاء، في حين كانت أمي تدير لنا ظهرها. تتظاهر بالانشغال في شيء ما. كتفاها يهتزّان من فرط البكاء. تقدمتُ نحوها. نظرتُ في عينيها، ولكنها أشاحت بوجهها عني. سألتها:

– تلك العجوز والدة ميندوزا.. من يكون والده؟

نظرت إليّ بعينين تذرفان الدموع. صفعتني بقولها:

– ليس له أب..

سكنت النحلة في رأسي. اختفى طنينها. أغمضت عينيّ أستشعرها، ولكنها كانت قد غادرت رأسي، لتنضم إلى خلية تغص بالنحل.. داخل رأس ميندوزا.

* * *

(11)

بعد حوالي ستة شهور من الترتيبات، بعد مكالمة غسان الأولى، استلمت جواز السفر من سفارة الكويت في مانيلا. ومن السفارة إلى كاتدرائية مانيلا توجهت على الفور. الارتباك، بعد أن أصبح سفري أمرا محتوما، تملكني، متحالفا مع الخوف من المجهول.

في الكاتدرائية. جلستُ في الصف الأمامي. وضعت كفّي فوق صدري، على الصليب المتدلي من رقبتي، ذلك الذي أهدتني إياه ماما آيدا بعد إجراء طقس التثبيت قبل سنوات. شرعت في الصلاة: أبانا الذي في السماء.. ليتقدس اسمك.. ليأت ملكوتك.. لتكن مشيئتك.. كما في السماء كذلك على الأرض.. وخبزنا كفافنا أعطنا في أيامنا.. وأغفر لنا ذنوبنا كما نحن لغيرنا.. لا تدخلنا في تجربة بل نجنا من الشرير.. لأن لك الملك والقوة والمجد.. من الأزل إلى الأبد.. آمين.

أبانا.. اني عائد إلى حيث وُلدت.. إلى بلاد أبي الذي لم أره.. إلى مصير أجهله ولا غيرك يعلمه.. تقول أمي أن حياة جميلة تنتظرني هناك.. ولكن، لا أحد يعرف ماذا ينتظرني سواك.. أبانا الذي في السماء.. في يدي جوازي الأزرق.. وفي قلبي شيء من إيمان أخشى ألا أحافظ عليه.. أعنّي على الإيمان بك.. وابق معي في سفري.. وأرشدني إلى ما فيه الخير وبدّد شكوكي. أبانا الذي في السماء.. هل أنت حقا في السماء؟ أجبني.. بحق ملائكتك.. بحق ابنك المسيح والعذراء.

* * *

من الكاتدرائية، راجلا، ذهبت ناحية مانيلا تشاينا تاون، متجاوزا إياه إلى معبد سينغ-غوان. وصلت بعد ساعتين قضيت معظمهما في المشي، ليس لشيء سوى رغبتي في السير بين الناس هناك لمرة أخيرة،

178

مستنشقا عوادم السيارات الكثيفة، محاولا التحديق في الشمس التي لا تشبه الشمس في المكان الآخر، ناظرا إلى الأشجار على الأرصفة، تتدلى أغصانها مثقلة بالثمار، أحصيها. أنظر في وجوه البشر من حولي، أشتاقهم قبل تركهم. بودّي أن أعتذر لهم جميعا: برغم السنوات التي قضيتها بينكم.. أنا لا أنتمي لكم.

توقفت بعد أن تجاوزت ثلاثة أرباع المسافة بين الكاتدرائية والمعبد. شعرت بالتعب. أوقفت سيّارة أجرة: "إلى معبد سينغ-غوان من فضلك". استغرب السائق. أشار بيده إلى مكان قريب: "انه قريب من هنا!"، قال. أجبته: "أعرف ذلك.. هل لك أن توصلني؟".

كان الزحام شديدا، وكنت سأصل في وقت أسرع لو مضيت في الذهاب راجلا إلى المعبد. كنت أدير رأسي بين النافذة عن يساري وزجاج سيارة الأجرة الأمامي. أنظر إلى الأشياء وكأني أراها لأول مرة. أشعر بالاختناق.. أبسبب الازدحام من حولي.. أم بسبب الإزدحام في نفسي؟ البؤس بشتّى صوره يُعرض أمامي على زجاج السيارة. الحزن على وجوه الباعة، الثياب المتسخة، المتسولون من الأطفال يتبعون أي إنسان يبدو نظيفا في مظهره. الصبية المسلمون، بطاقيات، كانت في يوم ما بيضاء، تعلو رؤوسهم، يعرضون أقراص الـ DVD المقرصنة لأشهر أفلام هوليوود وأفلام الجنس. باعة الموز ينتشرون بعرباتهم فوق الأرصفة. تشانغ أحدهم. يبدو سعيدا. يزدحم الناس حول عربته. كأنه في مهرجان. اللونان، الأصفر والأزرق، ينتشران من حوله. لون الموز، والأكياس البلاستيكية الزرقاء.

على المرآة المعلقة في الزجاج الأمامي لسيارة الأجرة، تتدلى سلسلة بها صليب خشبي يحمل مجسما للمسيح مصلوبا عليه. وخلف المقود مجسم صغير لـ بوذا مقرفصا يمسك مسبحته في يده. سألت سائق سيارة الأجرة:

179

- لماذا الصليب؟

التفت إليّ الرجل والريبة في عينيه. أجاب:

- لأنني مسيحي!

أشرت بنظري إلى مجسم بوذا. سألته.

- ولماذا الآخر؟

ابتسم، وقد فهم مغزى السؤال. أجاب:

- جلبا للرزق..

أمام معبد سينغ-غوان توقفت سيّارة الأجرة. هممت بالنزول. قال السائق:

- أراك تحمل حول رقبتك صليبا.. لماذا؟

فتحت باب السيارة. ترجلت. أجبته باسما:

- هذا ما اختارته لي خالتي..

أشار بسبّابته نحو بوابة المعبد. بابتسامة عريضة سألني:

- سينغ-غوان.. لماذا؟

بينما كان ينتظر إجابتي، أطبقت باب السيّارة. أدرت له ظهري، ولكن صوته جاءني من نافذة سيارته:

- هيي!.. أجبتك حين سألتني..

مضيت في السير باتجاه بوابة المعبد. صاح الرجل:

- هيا كُن عادلا.. لماذا؟

توقفت عند البوابة. استدرت مواجها سيارة الأجرة. كان لا يزال الرجل ينتظر إجابتي. نظرت إلى الأعلى. فركت رأسي بأصابعي في إشارة إلى انني أفكر في إجابة. قلت:

- جلبا لـ.. لشيء لستُ أدريه..

***

180

أمـام الغرفة الزجاجية الوسـطى توقفت، حيـث تمثال بوذا الذهبي ينتصب واقفا. على أحد المقاعد الأرضية يجلس رجل يحمل مسبحة، وأمام الغرفة الزجاجية الوسطى تقف امرأة عجوز تصلي بخشوع، وقفت إلى جانبها، أمام تمثال بوذا الأوسط.

ابن الـرب.. لسـت أدري كيـف أصلي لك.. ولكـن، ان كنت ابن الرب ومخلّص البشرية من مآسيها وآلامها، ومن يتحمل عن البشر جميع خطاياهم، كما يقولون.. ستسـمعني وتقبل صلاتي كما هي.. لا أعرف كيـف أصلي حامـلا المسـبحة بين يديّ كما يفعـل الرجل الذي يجلس هنـاك.. ولا أفهـم مـا الداعـي لأن أضـمّ كفيّ أهزهما أمـام تمثالك كما تفعل هذه العجوز إلى جانبي.. ولكنني أعرف كيف أشعل عود البخور وأغرسه في آنية الرمال الناعمة.. وان كنت أجهل لماذا أفعل ذلك.. ابن الـرب.. ساعدني على الإيمان بك ان كنت حقا كذلك.. بحق رسالتك.. بحـق تلاميـذك.. بحـق أمك العذراء مايـا، التي حملتك في أعماقها يوم شـعَّ رحمهـا نـورا، وأصبحتَ تُرى فيـه قبل مولدك.. إن كنت إلها.. نبيّا أو قدّيسا.. أرشدني.. وكن لي معينا.. أبصر بواسطتك النور.

***

تسلط البعض لا يمكن حدوثه إلا

عن طريق جبن الآخرين

خوسيه ريزال

الجزء الرابع

عيسى.. التيه الثاني

(1)

مطار كئيب ذلك الذي حطت به الطائرة يوم الأحد، الخامس عشر من يناير 2006. الوجوه تشبه مطارها، كئيبة، بشكل لم أجد له تبريرا. انتشر الناس في طوابير، أمام موظفي المطار، يختمون جوازاتهم. وفي مقدمة كل طابور، في الأعلى، لافتات، كتب على بعضها: "G.C.C CITIZENS"(19)، وكتب على بعضها الآخر: "مواطنو الدول الأخرى". وقفت في حيرة أمام هذه الطوابير. هل أتوجه للطوابير التي يقف فيها الفلبينيون الذين كانوا معي في الرحلة؟ أم تلك الطوابير التي يقف فيها أناس لا يشبهونني؟

أسفل لافتة تحمل علامة ممنوع التدخين، مثبتة إلى أحد الأعمدة في المطار، يقف رجل في زيه العسكري مستندا إلى العمود. توجهت إليه. "سيّدي!"، سألته لأعرف موقعي في هذه الطوابير: "هل الكويت ضمن دول الـ G.C.C؟". ألقى سيجارته على الأرض. سحقها بقدمه. باعد بين ذراعيه، ثم هزّ رأسه قائلا: "No English!". استدرت متجها إلى حيث تختم الجوازات، حاملا حقيبة وجودي، تلك التي تضم صور أبي القديمة وأوراقي الثبوتية. وقفت في أحد طوابير الـ G.C.C، خلف رجال يرتدون تلك الثياب الفضفاضة مع أغطية الرأس العربية.. لابد انهم، مثلي، كويتيون.

واحد تلو الآخر، يختم الموظف على جوازات سفرهم، إلى أن جاء دوري. دسست كفّي في جيب البنطلون، وقبل أن أخرج منه الجواز صرخ بي الرجل بطريقة فظة صعقتني. أشار بيديه نحو الطابور الآخر، حيث يقف الفلبينيون ومواطنو الدول الأخرى. قال كلاما لـم أفهمه. ذهبت

---

(19) مواطنو دول مجلس التعاون الخليجي (المترجم).

185

مسرعا إلى الطابور الآخر، في حين كان الموظف لا يزال يتحدث بصوت عال، ويوجّه سبّابته إلى اللافتة في الأعلى، ثم ينقل سبّابته باتجاهي. يتفوه بكلمات غاضبة. ثم يحرّك أصابعه بالقرب من رأسه ليُفهمني ما عجز عن ترجمته: "أنت مجنون!" . كنت أرتعش، والناس تنظر إليّ. هل هو محظور الوقوف في ذلك الطابور؟ أهي منطقة عسكرية؟

في الطابور الآخر، قال لي شابٌ فلبيني: "كنت تقف في المكان الخطأ.. ذلك الطابور خاص بالكويتيين ومواطني دول الخليج". هززت رأسي شاكرا وأنا أتمتم في نفسي: "رَفَضَ وجهي قبل أن يرى جواز سفري!".

تجاوزت الخط الأصفر المرسوم على الأرض، قدّمت جوازي الأزرق إلى الموظف أمامي. أمسك به يقلّب أوراقه ويتفحص وجهي. قال لي باسما: "أعتذر عما بدر من زميلي.. يمكنني أن أختم لك الجواز هنا، ولكن.. هل لك أن تعود إلى زميلي ثانية؟". نظرت إلى الموظف الأول ذي الوجه العبوس. هززت رأسي رافضا. قال: "أرجوك.. هذا حقك.. وان كان ذلك سيكلفك مزيدا من الوقت". مدّ إليّ يده بالجواز بغير ختم الدخول. قال بابتسامة كبيرة: "أهلا وسهلا بك في بلدك، ولكن ليس عبر مدخل الأجانب".

تجاوزت الخط الأصفر مرة ثالثة. قدمت جوازي للموظف الغاضب. زرقة جوازي أحالت لون وجهه إلى الأحمر. من دون أن يتفحص وجهي، ومن دون أن يعلق، ختم على الجواز. التفتُّ إلى زميله الباسم ما إن تجاوزت المدخل. كان ينظر إليّ والإبتسامة على وجهه لا تزال. غمز بعينه، مشيرا بقبضته رافعا إبهامه، ثم.. عاد لعمله يختم جوازات السفر الأجنبية، يدخل أصحابها إلى البلاد من المدخل المخصص لهم.

* * *

كانت المحال التجارية والمطاعم والمقاهي في المطار مغلقة. مطفئة أنوارها. كراسيها مقلوبة مثبتة إلى الطاولات. يالهذه الكآبة. أدرتُ رأسي باحثا بين وجوه الناس التي جاءت تستقبل العائدين من أسفارهم. ان لم تكن الوجوه حزينة، فهي صامتة، بلا تعابير. "ما الذي يدعوهم لاستقبال العائدين من السفر ما لم يكونوا بمزاج جيّد؟!"، سألت نفسي.

في الزحام، كان يقف. لم أكن لأعرفه لولا الورقة التي كان يحملها بين يديه تحمل اسمي العربي، أو، رقمي الفلبيني"Isa". كان يرتدي الثوب العربي بلون داكن، حاسر الرأس. شاربه، كما رأسه، فضّي. مزيج من الشعرات البيض والسود، تُصعِّبُ على من يشاهده تخمين عدد سنوات عمره. عيناه حزينتان بشكل لم أر له مثيلا. لو سُئلت يوما، كيف يبدو الحزن؟ سأجيب: "وجه غسان".

* * *

كان الطقس باردا في الخارج، ليس كما صوّرته لي أمي في أحاديثها عن الكويت. كنت أراقب الشوارع بعد خروجنا من المطار. كانت مزروعة بشكل جميل، وان تناقص اللون الأخضر شيئا فشيئا كلما ابتعدنا عن المطار، ليحل مكانه اللون الأصفر. بعد خروجنا من مطار الكويت الدولي، وقبل أن نجتاز دوّارا مزروعا بشكل جميل، تنتشر فوقه الأزهار بعناية. سألت غسان في حين كنت أنظر إلى الشوارع وراء زجاج النافذة:

- طريقتنا مختلفة في رفع الأعلام عن طريقتكم.
أشرت باتجاه الأعلام المثبتة إلى منتصف الساريات. واصلت:
- في الفلبين، يكون العلم في أعلى السارية.
هزَّ غسان رأسه، وبإنكليزية غريبة اللهجة قال:
- وفي الكويت كذلك، وفي كل مكان، ولكن الدولة في حالة حداد.

187

- حداد؟!

سألته منتظرا منه أن يوضح. قال:

- الأعلام منكَّسة.. مات أمير البلاد فجر اليوم.

* * *

(2)

كان من المفترض أن يذهب بي غسان، فور خروجنا من المطار، إلى منزل جدّتي غنيمة، هذا ما قاله لي، ولكن، والحالة حداد، والنفسيات مرهقة، والأهم من ذلك، مزاج جدّتي في ذلك الوقت. كيف ستتقبل مجيئي إلى الكويت في الوقت الذي توفي فيه الأمير؟ ألا يكفي ما سببناه أنا وأمي من قبل؟ وصول أمي وقت تفجيرات الموكب الأميري في منتصف الثمانينيات، ولادتي واختطاف الطائرة، سفرنا والافراج عن ركابها! "وجودك، في هذا الوقت تحديدا، يؤكد فكرة لعنة جوزافين التي تؤمن بها الخالة غنيمة"، قال غسان. ولهذا السبب، تأجل لقائي بجدّتي إلى الشهر الذي تلا وصولي.

ارتياحي لغسان وثقتي به لم يعيناني على الارتياح للمكان الذي يسكن. شقة صغيرة، في منطقة الجابرية، ذات الاسم تحمله الطائرة التي اختطفت قبل سنوات، والتي كان غسان على متنها ووليد، وكلا الاسمين يعود إلى جابر، الاسم الأول لأمير الكويت الذي بكاه الناس يوم وصولي.

لم نخرج من الشقة في الأيام الثلاثة الأولى، ولم يذهب غسان، خلال هذه الفترة، إلى العمل نظرا لتعطيل الدوائر الحكومية وأكثر الشركات والمؤسسات بسبب الحداد. كان غسان منصرفا إلى التلفاز. يحدثني قليلا، ثم يعود للمتابعة. يمسح دموعه بظاهر كفّه. وفي الشاشة يظهر الأمير محمولا على الأكتاف، مغطى بعلم الكويت، والناس من حوله بالآلاف في مقبرة صحراوية. صوت المذيع حزين، لا أفهم ما يقول، ولكنه كان يكفُّ عن التعليق إذا ما أوشك على البكاء. بقيت صامتا، يبدو غسان وكأنه يمارس طقسا دينيا، لم أرغب بمقاطعته. في

شاشـة التلفاز، تنتقل الكاميرا إلى مكان آخر يغص بالنسـاء المتشـحات بالسواد. يبكين بحسرة. فتيات صغيرات يحملن صورا لأميرهن الراحل. عجائـز يبكيـن فـوق الرصيف، وبعضهـن، يـاللغرابة، حضرن بكراسيهن المتحركة!

مـن أيـن للحزن أن يحتل كل شـيء؟ أن تـرى وجوها حزينة، أمر له تبرير في بعض المناسبات، أما أن تحزن الشوارع والبيوت والأرض والسماء لرحيل شخص ما!

الحزن مادة عديمة اللون، غير مرئية، يفرزها شخص ما، تنتقل منه إلى كل ما حوله، يُرى تأثيرها على كل شـيء تلامسـه، ولا تُرى. هكذا كانت الكويت في الأيام الأولى لوصولي، يفرز الناس أحزانهم، تتشربها الأرض والسماء والهواء و.. كل شيء.

اسـتمر التلفـاز يبـث صورا ولقطـات للأمير الراحل في مناسبات عدة، مع صوت رجل يغني من دون موسيقى، أو.. لعله كان يصلي أو يقرأ القرآن.. لست متأكدا.

لـو لم يخبرني غسان أن من يظهر على الشاشة هو الأمير الراحل لحسبته رمزا دينيا كبيرا. بسـاطته وتواضعه، والتفاف الناس من حوله، مشـاهد تشـي بعلاقـة حميمـة تربط النـاس بأميرهم بشـكل مغاير. يظهر على الشاشـة، مترجلا من سيارة مرسيدس سـوداء، بعباءة باللون ذاته، يصافح رجالا كبارا في السن، الفرحة على وجوههم. في لقطة أخرى، قـال غسـان انهـا تصوّر عودتـه إلى الكويت بعد تحرير بلاده، يظهر فيها بعبـاءة بنيـة اللـون، على سـلم الطائرة، رافعا كفيه كمـا يفعل المصلون في صلاة الجمعة، يلصق جبينه على الأرض يقبلها ما إن وطأت قدماه أرض وطنه. سقطت الحلقة السوداء المثبتة فوق غطاء رأسه الأبيض أثناء انحنائه. نَهَض، أعادها إلى رأسه، ثم قام بتقبيل كتاب أحمر اللون قدمه إليه بعض الرجال. يظهر في لقطة أخرى فوق سجادة حمراء يحيي

190

رجالا في الزيّ العسكري. وفي لقطة أخرى يظهر من دون عباءة، يجلس مع رجال كثيرين حول سفرة طعام مفروشة على الأرض. وفي لقطة أخيرة، يجلس في ساحة صحراوية، يدير وجهه يمينا ثم يسارا، ومن خلفه صف من الرجال يفعلون كما يفعل في صلاة جماعية. وفي لقطة بعيدة عما يُعرض في الشاشة، في غرفة الجلوس حيث كنت أجلس، كان غسان في عالم آخر.

* * *

- سيّدي! قلت لأمي في مكالمتك الأولى ان هناك ما يمنعك من السفر..

قلت لغسان ذات صباح عقب وصولي بأيام قليلة. قال مستنكرا:

- عيسى! ليس غسان اسم صعب.. ما بالك تصُّر على مناداتي بـ سيّدي؟!

صمت قليلا ثم قال:

- نعم، لست أستطيع السفر. فأنا لست كويتيا..

على كل ما سمعته من أمي عن غسان، لم تخبرني يوما انه ليس كويتيا، ثم انني لم أفهم ما العلاقة بين أن يكون الإنسان غير كويتي وعدم قدرته على السفر! سألته بفضول:

- من أين أنت إذن؟

أجاب على الفور:

- بدون..

قلت له والحيرة في رأسي:

- حقا؟! حسبتك كويتيا!

لم يتفاعل مع حيرتي. قلت:

- بدون.. لم أسمع بهذه الدولة من قبل!

بقي غسان على صمته. سألته بغبائي المعتاد:

- هل البدون ضمن دول الـ G.C.C؟

ضحك ضحكة تشبه البكاء.

* * *

تعرفت، من خلال غسان، على نوع جديد وفريد من البشر. فصيلة جديدة ونادرة. اكتشفت أناسا أغرب مـن قبائل الأمـازون، أو القبائل الأفريقية التي يتم اكتشافها بين حين وآخر. أناس ينتمون إلى مكان لا ينتمـون إليـه.. أو.. أنـاس لا ينتمون إلى مكان ينتمون إليه.. استعصت الفكرة على فهمي. أرهقت غسـان في طلب التوضيح. وبعد محاولات عدة لتبسيط الفكرة، تمكن عقلي من هضمها بصعوبة!

- ولكنك سافرت على تلك الطائرة التي تم اختطافها ذات يوم!

قلت له. أجاب بابتسامة لا أجد لها مبررا:

- كانت الأمور، نوعا ما، أقل تعقيدا مما هي عليه الآن..

احتشدت كل المعلومات التي سمعتها من أمي عن غسان:

- ولكنك عسكري!

قلت له حاثا إياه على التوضيح. أجاب:

- كنت.. في يوم ما..

* * *

ألححت بالأسئلة. حاصرته إلى أن عرفت عنه كل شيء، ومعرفتي بكل شيء لا تعني، بالضرورة، فهمي لكل شيء. ذلك الحزن الذي على وجهه بسبب صفة لصيقة به لم يستطع أن يتخلص منها. هو بدون، أكره هذه التسمية التي لا أفهمها رغم ترجمة غسان لها، هو بلا جنسية، خُلق هكذا. لو كان سـمكة سـردين منشأها المحيط الأطلسي لأصبح سمكة أطلسية. لو كان طائرا في إحدى غابات الأمازون لأصبح طائرا أمازونيا.

أما أن يولد أبواه في الكويت، ويولد هو الآخر حيث وُلدا، لا يعرف أرضا سواها، يعمل في سلكها العسكري، ويدافع عنها زمن الإحتلال.. فهو.. بدون!

بدون.. له خمسة إخوة كويتيين.. فلتوا هم، وسقط هو في ثغرة القانون.

– من أجل الرب.. ما هذا التعقيد غسان؟!

سألته. ضحك وكأن ما يعيشه لا يستحق البكاء. واصلت:

– وُلدت وأبواك هنا.. أخوتك، كلهم، كويتيون.. شغلت وظيفة في الجيش.. شاركتَ أبي، الكويتي، بالدفاع عن الكويت.. وبالأمس، عذرا على التطفل، كنت أراقبك تبكي وفاة أميرها.. ورغم كل هذا.. قاطعني:

– عيسى!.. صرفتك أسئلتك هذه عن السؤال عن أبيك..

لم أفه بكلمة. لم أكن أحمل لأبي أي مشاعر لأهتم. قال غسان:

– كان راشد يحبك يا عيسى.. كان دائم الحديث عنك..

شعور غريب، تجاه أبي، تحرك في أعماقي:

– هل كان أبي كذلك حقا؟

– أكثر مما تتصور..

ترددت قبل أن ألقي بسؤالي:

– لماذا لم يبقني إلى جانبه إذن؟ لماذا تخلى عني؟

ابتسم غسان. غريب وجه هذا الرجل. أن تصاحب الإبتسامة وجها حزينا، تجعل التكهن بما ينوي قوله أمرا مستحيلا. قال:

– حسنا..

ابتسامته لا تزال. صاحبتها زفرة طويلة:

– هناك شخص ما، يهمك أمره، تحبه وتخشى عليه، يواجه

مصيرين. ولسبب ما، هو لا يملك حق الإختيار..

التفت إليّ مشيرا بسبّابته:

- أنت، وحدك، صاحب القرار..

هززت رأسي. أردف غسان:

- إما أن يُلقى في النار.. أو.. في الشوك. أيهما تختار له؟

من دون تفكير أجبت:

- الشوك طبعا..

وكمن كسب رهانا، قال غسان رافعا إبهام قبضته:

- هذا ما فعله راشد..

* * *

(3)

توطدت علاقتي بغسان خلال الشهر الـذي قضيته في شـقته الصغيرة. تلك الشقة التي كنت أشعر بالاختناق بداخلها. لم أعتد على هذا النوع من السكن. في غرفة تشانغ، كنت أستعين بالنافذة المطلة على معبد سينغ-غوان على ضيق المكان وصمته، أما نوافذ شقة غسان، على كثرتها، فلم أجد من بينها نافذة أشاهد من خلالها ما يثير الاهتمام سوى ذلك الشعور المرير بالغربة تجاه الأرض والناس.

يخرج غسان كل صباح إلى العمل، في حين أبقى أنا في الشقة باحثا عن شيء أقتل بواسطته الوقت. كل الكتب على أرفف الجدران باللغة العربية. الصحف والمجلات التي يحتفظ بها غسان باللغة ذاتها. أخـذت أتصفحها ذات صباح أشاهد الصـور. وفي كل مجلـة، وكل صحيفة، كان لابد أن تكون هناك صورة أو أكثر لغسان. لهذا السبب كان يحتفظ بهـذه المطبوعات. كلام كثير أسفل صـوره. تُرى ماذا كان يقـول، أو مـاذا كُتب عنـه؟ كنت أتسـاءل. أخبرني في مـا بعد ان تلك الصحف والمجلات بمثابـة ارشيفه الخاص، يضم بعضا من قصائده وقراءات النقاد لها، أو لقاءات صحفية، أو تغطيات لندوات وأمسيات كان هو أحد المشاركين فيها.

طلبت منه ذات مساء أن يقرأ لي شيئا مما كتب. نظر إلى وجهي باهتمـام: "أقرأ إحـدى قصائـدي؟ بالإنكليزيـة؟!.. لـم أفكر بهـذا من قبـل..". طـرت فرحـا حيـن استل ورقة مـن مكتبه وقام بتثبيت نظارته الطبيـة علـى طـرف أنفه. "تبـدو فكرة جميلة.. أمهلني قليلا من الوقت عيسى.. سأقوم بترجمة فقرة صغيرة.."، قال، ثم أخذ يكتب على الورقة بالقلم الرصاص. لم يلبث طويلا. أشعل سيجارة: "لا يمكنني الحديث

195

من دون أن يصاحب الدخان كلماتي"، قال مازحا. تنحنح ثم شرع في القراءة بالإنكليزية، بصوت جميل، ينخفض تارة ويعلو تارة أخرى. كان يحرك ذراعه بطريقة تمثيلية مدهشة، وعلى وجهه إيماءات تعبيرية مؤثرة.

تأثرت كثيرا لأداء غسان التعبيري، حتى أوشكت الدموع أن تفرّ من عينيّ. فرغ من قراءته. نظر إليّ قائلا:

- ما رأيك؟

تملكني الخجل، فقد كانت كلمات غسان إنكليزية بالفعل، ولكنها لم تشكل جملة واحدة مفيدة.

- بصراحة..

قلت مترددا. أتممت جملتي:

- لم أفهم شيئا!

هزّ غسان رأسه قائلا:

- لو كانت إجابتك غير تلك لعرفت انك كاذب..

صمت قليلا قبل أن يردف:

- لأنني لم أفهم شيئا مما كنت أقول!

أخذ يقهقه نافثا دخان سيجارته من فمه ومنخريه. وضحكت أنا بالمثل، متأملا وجهه.

تمنيت لو انني استطيع قراءة كلمات غسان، أو فهمها استماعا، بالسهولة التي قرأت بها وجهه.

* * *

"في هذا الدُرج الكثير من الصور لأبيك"، قال غسان ذات صباح، وهو يشير إلى درج المكتب، قبل أن يخرج للعمل، ثم أخرج من جيبه عشرة دنانير أعطاني إياها: "على سطح المكتب، هناك أرقام بعض المطاعم.. إن كان ما في مطبخي لا يعجبك". لم أفكر يوما بطعام

196

يعجبني أو لا، وظيفة الطعام، بالنسبة لي، هي سدّ الجوع وحسب. الرز الأبيض وصلصة الصويا يفيان بالغرض. كانت مشكلتي في ذلك الوقت مع الماء وحسب. كان ذا طعم مغاير لذلك الذي اعتدت شربه في الفلبين. ضحك غسان ذات يوم حين أخبرته أن: "الماء هناك أحلى". اشترى لي قناني مياه معدنية، ولكن، ماء الشرب الذي اعتدته كان لا يزال.. أحلى.

خرج غسان، في حين أخذت أراقب درج مكتبه حيث أشار إلى صور أبي.

قبل سنوات، حين كنت أشاهد الصور، كانت أمي تحاول أن تعرفني إلى ذلك الرجل الذي سألتقيه يوما، أما والرجل قد فارق الحياة، فقد تملكني شعور غريب تجاه مشاهدة صوره. ترددت كثيرا قبل فتح الدُرج، خصوصا بعد أن أخبرني غسان أن أبي كان دائم الحديث عني، ما خلق بداخلي شيئا من الحنين. لا أريد أن أحب هذا الرجل بعد أن أصبح لقاؤه أمرا مستحيلا. ولكن، هل تمكنت بالفعل من الانصراف عن ذلك الدُرج؟

على زحام الأشياء في غرفة الجلوس كان ذلك الدُرج يلفت انتباهي. يستفزني. الصور التي أحملها لأبي في حقيبة أوراقي الثبوتية لم تكن كافية على ما يبدو. كنت أشغل نفسي بمتابعة التلفاز، القنوات الناطقة بالإنكليزية، ولا شيء في شقة غسان يمكنني قتل الوقت بواسطته سوى التلفاز. أطل من النافذة بين حين وآخر، ولا أجد وراء النافذة ما يحفزني على الخروج. وعلى ذلك خرجت ذات صباح باكر، بتحفيز من الداخل، بعد أن تملكني الملل في شقة غسان.

***

لا يمكنني السير في شوارع الكويت من دون أن ألاحظ السيارات. أرخصها وأبسطها يُعد حلما لا يتحقق للمواطن العادي في الفلبين.

البيوت كذلك، أصغرها يُعد قصرا في تلك المناطق التي جئت منها.

كان الطقس باردا إلى درجة انني، ولأول مرة في حياتي، أشاهد الهواء الخارج من رئتيّ يتكثف أمام وجهي. أخذت أسير في الطرقات مرتعش الأطراف، فاغرا فمي على اتساعه أراقب زفيري أثناء تحوله ضبابا أمام وجهي، مأخوذا بذلك الشعور الغريب، الشعور بطقس جديد، شتاء لا يشبه الشتاء الذي عرفته من قبل.

بمحاذاة الرصيف في شارع داخلي، حيث كنت أمشي، توقفت سيارة. ترجل منها رجل يرتدي الثوب التقليدي مع غطاء الرأس، مدَّ كفه أمام وجهي يريني هويته. تشبه الهوية التي أحملها. قال:

- شرطة..

ارتبكت. عقدت الدهشة لساني. واصل الرجل بنبرة غاضبة:

- أرني بطاقة الهوية..

دسست كفّي في جيب البنطلون الخلفي. أخرجت المحفظة. سحبها من يدي قبل أن أخرج له البطاقة. وقفت من دون حراك أراقبه. أخذ يفتش فيها. سحب الدنانير العشرة، ووضعها في جيبه. رمى المحفظة في وجهي من دون أن يرى بطاقة الهوية. ركب سيارته وانطلق بسرعة. وقفت في حيرة من أمري، والمحفظة بين قدميّ. "إن كان الشرطي سارقا.. ماذا يفعل اللصوص إذن؟!".

شرطي؟! بدون سيارة الشرطة.. أو حتى زيِّهم؟!
أنا لا أفهم شيئا!

* * *

198

(4)

ذات مساء، بعد وجبة العشاء، قلت لغسان: "لم أرك تعزف على الآلة كما أخبرتني أمي". نظر إلى وجهي والدهشة على وجهه. "هل تعني العود؟"، سألني. أجبته: "نعم". صمت قليلا، وكأنه يفكر في شيء ما. غاب عن غرفة الجلوس دقائق ثم عاد حاملا آلة العود داخل حقيبة جلدية سوداء لها شكل الآلة نفسه. وفي يده الأخرى قطعة قماش مبلولة بالماء.

قرفص غسان على الأرض، مسندا ظهره إلى الأريكة خلفه. وجدت نفسي بتصرف تلقائي أترك الأريكة لأجلس كما يجلس، على الأرض. أخذ يزيل الغبار المتراكم فوق الحقيبة الجلدية بقطعة القماش المبلولة. وفي حين كان مشغولا بعمله، قال:

- يبدو ان جوزافين أخبرتك بكل شيء..

أسنَد غسان الآلة إلى ساقيه من دون أن يخرجها من الحقيبة السوداء.

- هل تعرف يا عيسى..

الحزن.. مع الدماء تصاعد إلى وجهه.

- عزفت على هذه الآلة آخر مرة في نشاطنا أثناء الإحتلال..

- كنت أحسبكم تقاومون الجيش المحتل بالسلاح!

قلت له مستنكرا. أجاب:

- كنا نقاوم.. كلٌ بطريقته.. ولكلٍ سلاحه..

* * *

في الوقت الذي انضم فيه أبي إلى مجموعة "أبي الفهود"، بصحبة

إسماعيل الكويتي وآخرون، قاوم غسان المحتل في مكان آخر.. بطريقة أخرى. كان يقوم بكتابة القصائد الوطنية وتلحينها أثناء الاحتلال، وقد قام بتسجيل تلك الأغنيات لتوزيعها على الناس، تبثُّ فيهم الحماس للمقاومة. لم يلبث غسان طويلا في هذا النشاط، حتى توقف عن الكتابة والتلحين، لينضم فيما بعد للعمل مع أبي فارس[20] الذي كان يكتب أوبريتا وطنيا أثناء الاحتلال اشتهر باسم الصمود[21]. شارك فيه غسان بصوته كـ كورال مع شباب المقاومة. كما شارك في توزيع ونشر هذا العمل بين الناس في أشرطة كاسيت اشتهرت أيام الاحتلال.

يقول غسان أنه بعد تلك الاجتماعات السرية في التحضير للعمل الغنائي الوطني، بعيدا عن أعين المحتل، لم يعد يملك أي رغبة للعزف على آلة العود، خصوصا بعد وقوع أبي فارس وملحن الأوبريت[22] في أسر قوات الاحتلال.

* * *

أخرج غسان آلة العود من الحقيبة الجلدية. لون الخشب ولمعانه وكأن الآلة جديدة لم تُمس. أمسك بالشريحة البلاستيكية الصغيرة يمررها على الأوتار. نظر إليّ باسما. تحفزتُ لسماع عزفه. مدّ كفّه إلى مفاتيح الأوتار يعالجها. أدار أحد المفاتيح شادّا على الوتر مختبرا نغمته بواسطة الشريحة البلاستيكية.. لم يلبث طويلا.. انقطع الوتر.

(20) الشاعر الكويتي فايق عبدالجليل، مواليد 1948. تم أسره في الثالث من يناير 1991، وفي عام 2006 تم العثور على رفاته في إحدى المقابر الجماعية بالقرب من مدينة كربلاء في العراق. تم دفن رفاته في الكويت في العشرين من يونيو 2006.

(21) أوبريت (الصمود)، قام بكتابته الشاعر فايق عبدالجليل أثناء الغزو، وقام بتلحينه رفيق دربه عبدالله الراشد، وقام بغنائه مجموعة من شباب المقاومة الكويتية بالإضافة إلى الطفلة ميّ صبيح العيدان.

(22) الملحن عبدالله الراشد، ملحن كويتي. تم اعتقاله أثناء الغزو، وتم التعرف على رفاته في الخامس والعشرين من يوليو 2007.

- أرأيت.. حتى الأوتار ترفض..

قال غسان وهو يعيد آلته إلى داخل الحقيبة.

***

ذهب غسان إلى غرفة نومه، في حين بقيت أنا في غرفة الجلوس. التفتُّ نحو الدُرج الذي يضم صور أبي مترددا في فتحه. لم يطل ترددي. جلست إلى المقعد أمام المكتب.. سحبت الدُرج برفق..

عشرات الصور لمراحل مختلفة من عمره. صور بشارب خفيف، وأخرى بشارب كث. صور بنظارة طبية وأخرى من دونها. صور في الكويت.. لندن.. تايلاند ودول أخرى. لو كان يبدو حزينا في الصور لكان أمر موته أخف وطأة، ولكنه في الصور، كل الصور، كان يبدو سعيدا بحيث جعلني أشعر بالغصة لموته في هذه السن الصغيرة. مات عن تسعة وعشرين عاما. كل صورة تقول بأن أبي كان مليئا بالحياة. صورة في الشاليه، على الشاطئ، رافعا ذراعه للأعلى يحمل سمكة كبيرة، يطوي ذراعه الأخرى يبرز عضلته وكأنه يقول: "أنا من اصطادها!"، وإلى جانبه يقف وليد رافعا ذراعه هو الآخر، يحمل سمكة بحجم الإصبع، يطوي ذراعه الأخرى كما يفعل أبي.. صورة أخرى في لندن، يقف فيها أبي تحت ساعة بِغ-بِن ببذلة رمادية أنيقة وربطة عنق حمراء قانية، وإلى جانبه فتاة تبدو كويتية، ترتدي معطفا طويلا بني اللون، وتنورة قصيرة بخطوط متداخلة، تنتعل حذاء ذا عنق يصل إلى ركبتيها، تعلو رأسها قبعة أنيقة جعلت لها مظهر الأميرات الإنكليزيات.. صورة أخرى له ولوليد في تايلاند، يرتديان قميصين بلا أكمام، ينحني فيها أبي مقوسا ظهره، كما تفعل فتاة كانت تقف إلى جانبه في الصورة، ضامّا كفيه أسفل ذقنه يُحيي على الطريقة التايلاندية، ووليد يظهر خلفهما في الصورة، مادّا لسانه كما هو دائما، يشير بإصبعين في كل كفٍ خلف رأسيهما، علامة السلام، ولكن وليد لم يكن يعني السلام حتما.. صورة

لأبي مع غسان، يرتدي فيها الأخير زيّ حارس مرمى، في حين ينتصب أبي واقفا والكرة بين قدميه، شعره طويل، يبدو كشجرة، يرتدي شورت أسود وتي-شيرت أصفر يتوسطه رقم تسعة، يقول غسان انه رقم لاعب أبي المفضل[23].. صورة أخرى يظهر فيها أبي حليق الرأس، يلف حول جسده قماشا أبيض، كاشفا عن كتفه الأيمن وجزء من صدره، وفي زاوية الصورة يظهر وليد بالقماش الأبيض ذاته، مستسلما لرجل يزيل شعره بموس الحلاقة.. وفي صورة أخرى لم أتعرف على أبي فيها بسهولة.. له لحية طويلة، يرتدي ثوبا أبيض، واضعا على رأسه غطاء الرأس التقليدي كيفما اتفق، من دون الحلقة السوداء. عرفت فيما بعد انها آخر صورة التقطت له في زمن الحرب.

هل أقول بأنني أحببته، من خلال صوره فقط؟ لا، فقد تجاوز شعوري ذلك، لم أشعر بمحبة تجاهه وحسب، بل أحببته واشتقته وافتقدته وأنا الذي ما رأيته قط. شعرت برغبة شديدة في معانقته وسماع صوته. بكيت كثيرا من دون صوت، وانتبهت لأول مرة بأنني لم أقل في حياتي كلمة: "بابا".

فهمت لماذا كان ميندوزا، تحت تأثير الـ توبا، يردد: "أنا وحيد.. أنا ضعيف!". مثلك أنا يا ميندوزا، ومن دون توبا، أعترف.. أنا وحيد.. أنا ضعيف..

***

(23) جاسم يعقوب، لاعب نادي القادسية ومنتخب الكويت الوطني، لُقِّبَ بالمرعب، وهو أحد أبرز اللاعبين في الحقبة الذهبية للكرة الكويتية في فترة السبعينات من القرن العشرين.

(5)

جميلة هي الكويت، هذا ما كنت أراه حين يصطحبني غسان إلى المجمعات التجارية والمطاعم. الشوارع نظيفة بشكل ملفت، لابد أن تكون كذلك، فليست السيارات التي تسير فوقها عادية. المباني والبيوت، واحدها يختلف عن الآخر، وكل يجذبك فيه شيء، الألوان والتصاميم والـ.. سيارات المصفوفة أمامها.. أوه! ما أجملها.

لفت انتباهي بشدة تبادل القبلات هنا بين الرجال حين يحيّون بعضهم البعض. في الحقيقة هي ليست قُبلة تماما، ولكنها توشك أن تكون. يلامس الرجل بخدِّه خدَّ الآخر في حين يصافحان بعضهما البعض. فهمت من غسان أنها طريقة التحية التقليدية هنا ليس بين الرجال وحسب، بل إن النساء أيضا يفعلن فيما بينهن.

يمر أحدهم أمامنا، يهمس: "السلام عليكم"، ثم يواصل سيره في حين يرد غسان: "وعليكم السلام". ألتفت إليه مستفسرا: "هل تعرفه؟"، يهز رأسه نافيا. وقبل أن أواصل أسئلتي، يبادر هو بالتحية: "السلام عليكم"، إلى أحد الرجال عند باب المصعد في المجمع التجاري. أسأله مجددا: "هل تعرفه؟". يهز رأسه نافيا: "لا". إذن لماذا يتبادلون التحايا فيما بينهم؟! كنت أسألني.

الوجوه والأشكال والملابس تختلف إلى حد التناقض. يثير انتباهي بعض الأشخاص بأشكالهم. أشير إلى أحدهم موجها سؤالي لغسان: "ماذا يكون؟"، يجيب: "كويتي".

وهذا؟.. كويتي.. لا لا، لست أعني هذا بل ذاك.. كلاهما كويتي.. والذي يقف هناك؟.. كويتي.. والفتاة التي ترتدي.. كويتية.. والـ.. كويتي أيضا.

البعض يرتدي ثيابا تحاكي آخر صيحات الموضة، والبعض بالثياب التقليدية، أناس بالشورت والتي-شيرت، وآخرون يرتدون الجينز.. شباب بشعور طويلة تظهر من تحت غطاء الرأس.. ثياب ضيّقة جدا رغم نحافة مرتديها.. شباب يسرحون شعورهم بطريقة مجنونة أعجبتني، وآخرون يعتمرون قبعات، والبعض بغطاء رأس أبيض.. آخرون بغطاء أحمر.. أجساد رياضية منفوخة.. أخرى نحيلة جدا.. فتيات كثيرات.. تصفيفات شعر مختلفة.. ملابس جذابة.. تنانير قصيرة.. أخرى طويلة.. ألوان زاهية.. وأخريات يغطين رؤوسهن بالحجاب.. تختلف أشكاله.. حجاب منفوخ.. حجاب يظهر غرة صاحبته.. حجاب يغطي الشعر كاملا.. وآخر لا يخفي الشعر وحسب بل يغطي جزءا من الذقن.. ثياب سوداء.. بعضها ضيق يُبرز تفاصيل الجسد.. بعضها الآخر فضفاض.. فتيات تشبهن نجمات هوليوود.. أخريات بمساحيق تجميلية تظهرهن كفتيات الغيشا اليابانيات.. أنوف دقيقة وشفاه مكتنزة بشكل غير طبيعي.. نساء يغطين وجوههن بقماش أسود لا يُظهر سوى أعينهن.. شعور سوداء.. شقراء.. أناس سُمر.. أناس بيض.. أناس سود..

مع كل هذه الاختلافات، كنت أمنّي نفسي: "سوف أذوب بين هؤلاء".

* * *

تجاوزت فترة بقائي في استضافة غسان مدة الشهر. استعادت الكويت، خلال هذه الفترة، فرحها شيئا فشيئا. ففي نهاية يناير تولى الأمير الجديد مقاليد الحكم. صوره بدأت تنتشر في الصحف والشوارع والسيارات. وما إن جاء الأسبوع الأخير من فبراير حتى تغيرت الكويت تماما. لا أبالغ إن قلت انني رأيت الكويت ترقص فرحا في الخامس والعشرين من فبراير.

أخذني غسان في جولة عبر محبوبته، كما يسميها، سيارته الـ لانسر البيضاء، إلى الشوارع جهة البحر. الهواء بارد رغم ان الطقس كان

204

مشمسـا. بدأ الإزدحام يزداد مع اقترابنا من المنطقة الساحلية. الأعلام، بأحجام مختلفة، ترفرف فوق السيارات. صوت الأغنيات الوطنية يتعالى مـن النوافذ. أبواق السـيارات يحاكي بعضهـا الآخر. تصفيق وهتافات.. والفرح على الوجوه. مسدس الماء وبخاخ الرغوة، في الأعياد الوطنية، يحيلان الكويت إلى غسالة كبيرة. هذا ما شعرت به. الناس تغني وترقص مبللة بالماء، مضمخة بالرغوة، وكأنها تغتسل في حمام جماعي. غسان يتأكد من قفل جميع أبواب السيارة، فالبعض، كما يقول، لا يتورع عن فتح أبواب السيارات ورش الركاب بالماء والرغوة.

تذكرت المجانين الذين كنت أشـاهدهم في بوراكاي، واكتشـفت أنهم ما كانوا سوى عيّنة صغيرة من هؤلاء الذين يرقصون في الشوارع في العيد الوطني.

أخـذت أحـدق في الوجوه أتأمل ملامحها. هذا المزيج المنسـجم رغم تناقضاته، لابد وأن يشملني.

قطـع تأملاتي صـوت غريـب. امرأة تضع كفّهـا بالقرب من فمها، تحرك لسـانها بسـرعة، تصدر صوتا يشبه ذلك الذي يصاحب هتافات وأهازيج الهنود الحمر.

لفتني تفاعل الناس. الحزن المرير يوم وصولي.. استحال، خلال زمن قياسي، إلى أفراح غامرة.

- هل كنتم، أنت وأبي ووليد، تحتفلون هكذا؟

- إطلاقا!

قال نافيا وكأنني كنت أوجه لهم اتهاما. واصل:

- كنا نحتفل بحبنا للكويت..

وجّه سبّابته إلى صدره. أتم:

- هنا..

* * *

205

(6)

- هل أنت مستعد للقاء جدّتك في الغد؟

سألني غسان مساء اليوم الذي اصطحبني فيه إلى حيث الاحتفالات الوطنية. ترددت في الإجابة. قلت:

- لست أدري.. فقد كانت تكرهني..

صمتُ قليلا أراقب وجه غسان، أنتظر منه تشجيعا، ولكنه ظل صامتا. أردفت:

- أتراها لا تزال تحمل الشعور ذاته؟

- لا تصور لدي يا عيسى.. ولكن..

تردد قبل أن يضيف:

- لا تحسب ان الأمر سهلا..

في صباح اليوم التالي، بعد الحادية عشرة والنصف بقليل. مرتعش الجسد كنت، والعرق يتصبب من جسدي. في محبوبة غسان أجلس إلى جانبه. نظر إليّ ما إن أوقف السيّارة أمام بيت جدّتي:

- عيسى!.. ما بك؟

- عد بي إلى الجابرية أرجوك!

سحب منديلا ورقيا من علبة المناديل أمامه. ناولني إياها:

- عيسى.. على مهلك.. لا تكن..

كرهت نفسي حين عجزت عن ردعها من أن تبدو بهذا الضعف. بكيت كما طفل يوشك أن يُلقى في حفرة مظلمة. ارتبك غسان. أخذ يربت على كتفي:

- هوّن عليك.. هوّن عليك..

فتح باب السيارة قائلا:

- ابقَ أنت هنا.. سأقابل الخالة غنيمة لوحدي..

أطبق باب السيارة، ثم أسند مرفقيه حاشرا رأسه وكتفيه في النافذة. قال:

- سأتحدث إليها بشأنك.. وسوف آتي لأدعوك للدخول..

ابتسم ابتسامة واسعة. أتم:

- كُن قويا..

مسحت دموعي بالمنديل وأخذت أراقبه وهو يدق جرس الباب. تحدث إلى خادمة تبدو هندية. تركته قليلا ثم عادت لتأذن له بالدخول. اختفى غسان داخل البيت في حين بقي الباب مفتوحا.

"من أي باب سوف يخرج يا تُرى؟.. من باب المرآب حاملا خيبته كما حملني أبي قبل سنوات.. أم..؟". أخذت أراقب البيت الكبير وأتخيل أمي في داخله. كيف كانت تتدبر شؤون منزل كبير كهذا لوحدها؟

"اللّٰه أكبر.. اللّٰه أكبر".. صوت نداء الصلاة انطلق من مسجد صغير يبعد حوالي خمسين مترا عن بيت جدّتي، تبعته نداءات أخرى بعضها قريب والآخر بعيد. "اللّٰه أكبر.. اللّٰه أكبر".. لأول مرة أستمع إلى هذا النداء بهذا القرب والوضوح. شعور غريب لامس روحي في تلك الأثناء. شيء بث الطمأنينة في نفسي. تبدو كلمات النداء مألوفة لدي رغم عدم فهمي للغتها. شيء ساكن بداخلي أخذ يتحرك. هو النداء ذاته الذي همس به أبي في أذني اليمنى فور ولادتي.. هو الصوت الأول.. أتراه لامس همسات أبي الساكنة في داخلي؟ صوت حفَّز فضولي لدخول المسجد القريب من منزل جدّتي، ذلك الفضول الذي لم أشعر

به قط إذا ما مررت بجانب المسجد الذهبي أو المسجد الأخضر في كويابو في الفلبين.

صورة غريبة مبهمة تلك التي أحملها في داخلي للإسلام. والإسلام، بالنسبة لي، كأي دين، يرتبط برمز أو رموز عدة، كأي حضارة أو حكاية أو فكرة. إن صَلُح الرمز كان خير ممثل لرسالته، وإن فسد أفسدها في عيون الآخرين.

كنت أرى الإسلام، عندما كنت صغيرا، بشيء من دهشة يخالطها احترام إذا ما توقفت عند هيبة لاپو- لاپو، سلطان ماكتان الشهير الذي يعتبره الفلبينيون أحد أهم الأبطال القوميين. أول من قاوم الاستعمار في القرن السادس عشر. نُصُبه التذكارية وتماثيله العملاقة، التي تصوّره بشعر طويل عاري الصدر غارسا سيفه في الأرض مسندا إليه كفّيه، تحتل أهم الساحات في الفلبين. حفظت كل ما يتعلق بهذا السلطان المسلم. تجاوز زملائي في الفصل هذا الدرس إلى الدروس التي تليه، أما أنا فقد بقيت عالقا في جزيرة ماكتان حتى صبيحة السابع والعشرين من أبريل 1512، عندما خرج لاپو- لاپو يقود ألفا وخمسمئة محارب مسلحين بالـ بارونغ والرماح والـ كامبيلان والـ كالاساغ[24] في معركة ماكتان الشهيرة ضد الفاتح والمستكشف البرتغالي فريناند ماجلان، أول من دار حول الكرة الأرضية، والذي أبحر إلى جزيرة ماكتان على رأس قوة قوامها 549 محاربا مسيحيا مسلحين بالبنادق، راغبا بتنصير سلطان الجزيرة بعد أن تمكن من تنصير سكان الجزر الأخرى المجاورة. رفض لاپو- لاپو أن يحقق رغبة ماجلان، وهبَّ مع رجاله للدفاع عن دينهم ومعتقدهم

(24) أسلحة تقليدية استخدمتها القبائل المسلمة في جنوب الفلبين:

Barong: بارونغ، سكينة سميكة لها شكل ورقة الشجر بمقبض خشبي.

Kampilan: كامبيلان، سيف طويل، يبدأ دقيقا من عند المقبض ثم يتسع عند نهايته.

Kalasag: كالاساغ، درع مستطيلة تُصنع من الخشب الصلب (المترجم).

وجزيرتهم إلى أن تمكنوا من قتله بسهم بامبو مسموم في نهاية المعركة.

كان لاپـو- لاپـو هو الرمز المسـلم الوحيـد الذي كنت أعرفه في مـا مضـى، بطل أسـطوري كنت أراه هو ورجالـه، وكنت أعتبر والدي، المسـلم، ينحدر من سـلالته. صورة جميلة كنت أحملها للإسلام بسببه فـي مخيلتـي، ولكـن هذه الصـورة لم تقاوم كثيرا أمام رمز مسـلم آخر نسـف كل ما كنت أحمله في داخلي.. أبو سـيّاف أوجماعه أبو سـيّاف الذين يمولون نشـاطهم عن طريق السـلب والنهب والاغتيالات وابتزاز الشـركات ورجال الأعمال الأثرياء. سـمعت عنهم الكثير، عندما كنت فـي الفلبيـن، ولكنني لـم أعـر الأمر اهتمامـا، نظرا لصغر سـنّي وعدم اهتمامـي بتفاصيـل حركتهـم آنـذاك، إلـى أن جاءت حادثـة الاختطاف الشـهيرة في منتصف عام 2001. اهتم الجميع في الفلبين بمتابعة خبر اختطاف الرهائن الذين كان من بينهم ثلاثة مبشرين أميركيين، رجلان، أحدهما مع زوجته. كانت الأخبار مفزعة. قُتل أثناء الحادثة إثنى عشر فلبينيـا مـن الرهائـن، وعُثـر على جثة أحد الأميركييـن مقطوعة الرأس. تـم احتجـاز الرهائـن لمدة جاوزت العام، انتهت بتسـوية بين الخاطفين والحكومة. أطلق سراح بقية الرهائن بعد مقتل ممرضة فلبينية والمُبشّر الأميركـي أمـام زوجتـه. لابـد أن المسـلمين فـي مندنـاو طيبـون ككل الفقراء ومسـالمون، ولكن الناس في الخارج لا تعرفهم سـوى بجماعة أبو سيّاف.

بطولة السلطان المسلم لاپو- لاپو وسيرته وتقدير عموم الناس له في الفلبين، على اختلاف أديانهم، واعترافهم بدوره في مقاومة المحتل، صور جميلة قربتني إلى الإسلام كثيرا.. جماعة أبو سيّاف بقتلهم الأبرياء والمُبشرين، أبعدوني عن هذا الدين.. كثيرا.

***

انتهـى نـداء الصـلاة. عم السـكون مـن جديد، في حيـن كنت في

السيارة أراقب منزل جدّتي لا أزال. الستارة خلف إحدى النوافذ العلوية تتحرك. أمعنت النظر، وإذ بفتاة تنظر إليّ من الأعلى. اختفت بعد بضع ثوان خلف الستارة. هبطت بنظري إلى الباب حيث خرج غسان بوجهه الذي لا يترك مجالا للتخمين.

أطبق باب السيارة. شدّ حزام الأمان ثم أشعل سيجارة، ومن دون أن يلتفت إليّ قال:

– لا بأس.. سوف نكرر المحاولة..

لم أفه بكلمة. كما فعلت أمي تماما، قبل سنوات طويلة، حين خرج والدي من البيت ذاته حاملا إياي بين يديه. آثرت الصمت، وهيأت نفسي للعودة إلى أرض ميندوزا مرة أخرى.

"يبدو أن حتى سيقان البامبو لا تضرب جذورها هنا"، قلت في نفسي؟

* * *

– ما فائدة المحاولة مرة أخرى غسان؟

قلت له ما إن وصلنا شقته. أجاب:

– لأن الخالة غنيمة، حتما، ستغيّر رأيها..

أطرق وكأنه يستذكر شيئا ما. قال:

– هي في حيرة من أمرها..

نظر إلى وجهي يتفحصه. قال:

– سوف يكون الأمر أسهل لولا خشيتها من كلام الناس.

سألته ببلاهة:

– وما شـأن النـاس بقبولي عنـد أهلي؟ وكيف سـيعرف النـاس بحكايتي؟!

هزّ رأسه بخيبة:

210

- كلام الناس هنا سُلطة.. ثم أنها ليست حكايتك، هي حكاية عائلة الطاروف. الكل سيعلم بالأمر، فالكويت صغيرة.

أكدت كلامه بأسف:

- صغيرة إلى درجة أنها ضاقت بي..

* * *

مات جدّي، عيسى، تاركا لجدّتي ثلاث بنات وولدًا واحدًا، الذي هو راشد، أبي. كانت جدّتي تميّزه عن بناتها لأنه الولد الوحيد، ورجل البيت، هـذا مـا كنـت أعرفه من أمي. أما ما لم أكن أعرفه، وهو الأهم، هو ان أبي كان الوحيد الذي سيورث أبناءه اسم العائلة. كانت تتمنى أن ترى ذرية راشد، الذكور تحديدا، أولئك الذين من شأنهم أن يضمنوا استمرار لقب الطاروف، خصوصا ان عيسى الكبير، جدّي، كان آخر من يحمل اللقب بعد وفاة شقيقه شاهين. أنجب جدّي والدي ليحمل لقب العائلة من بعده. أما وقد استشهد أبي أثناء الاحتلال من دون أن ينجب ذكـرا، علـى اعتبار انني مجرد "شيء" كما قالـت جدّتي ذات يوم، فقد أصبح أمر استمرار لقب الطاروف أمرا مستحيلا، ولكن، ومع ظهوري المفاجئ فكرت جدّتي في ذلك "الشيء" الذي ليس بيد أحد غيره أن يضمن استمرار اسم أبيه وجدّه، وتوريث لقب العائلة لذريته.

- كيف تبدو ملامح ابن الفلبينية؟

سألت جدّتي غسان في ذلك اللقاء. أجابها:

- فلبينية..

"لها هيبة هذه العجوز" قال غسان رغم انني لم أسأل عن تفاصيل اللقاء، استطرد: "أنت لا تعرف ماذا كان يعني راشد للخالة غنيمة. وانت، رغم وجهك، ولده الوحيد. هل تفهم ذلك؟"

- كلا.. لا أفهم..

هزّ غسان رأسه قائلا:

- حسنا.. ناولني علبة السجائر لأتمكن من الشرح.

ناولته العلبة. استل منها سيجارة. أشعلها. قال نافثا دخانها:

- اسمع.. خولة هي آخر من ينتهي اسمها بلقب الطاروف، وفي يوم ما سوف تتزوج، وسوف يحمل أبناؤها اسم زوجها..

فكر قليلا ثم أردف:

- للخالة غنيمة حفيدان يحملان إسم جدهما، عيسى، ولكنهما لا يحملان لقب العائلة، فكلاهما يحمل لقب أبيه.

أشار بسبّابته نحوي قائلا:

- أما بعد عودتك، فلا أحد سواك، بمقدوره أن يضمن استمرار لقب الطاروف.

كالأبله كنت أنظر إليه. لم أعر اهتماما لكل ما قاله. سألته:

- من تكون خولة؟

* * *

وُلدت خولة بعد انتهاء حرب الخليج الثانية بستة أشهر، من دون أن يراها أبي. لم يحالفها الحظ هي الأخرى لتنادي: "بابا". أي شعور هـذا الـذي باغتني وأنـا أملك ميـزة لا تملكها أختي! فأنـا، رغم كل ما حدث، حُمِلتُ ذات يوم بين يدي راشد. اختار لي أن أحمل اسم أبيه. تأمـل وجهـي وقبّلني وإن لـم أتذكر شـيئا من ذلك. مسكينة خولة. لم يهمـس أبي في أذنها اليمنى بعـد ولادتها بنداء الصلاة. لم يحملها بين يديه. لم يُقبّلها أو يختر لها أن تكون.. خولة.

تـزوج أبي، في منتصف العام 1990، من إيمان. لم يستمر معها طويلا بسـبب وقوعه في أسر قوات الاحتلال. أنجبت زوجته في سنة

212

التحرير أختي، خولة. واستقرت، الاثنتان، في بيت جدّتي إلى أن تزوجت إيمان برجل آخر بعد سنوات، لتنتقل إلى بيته تاركة خولة في رعاية جدّتي غنيمة التي وضعتها في منزلة أعلى من عمّاتي الثلاث.. عواطف.. نورية وهند.

كانت أختي، في بيت جدّتي غنيمة، خولة.. ابنة راشد.. التي لا يرد لها طلبا. غالية غنيمة ومحبوبتها. كانت تخشى عليها من الإنس والجن. يقول غسان ان جدّتي، في كل ليلة، تضع كفها على جبين حفيدتها، تتلو آيات من القرآن. تدعو اللّٰه أن يحميها ويبعد عنها الحاسدين. وفي الصباح، تسقيها ماء تقدسه بقراءة آيات قرآنية.

حدثني غسان عن خولة كثيرا. هو يحبها، وهي بالمثل، تعتبره بديلا لأبي الذي لم تره. يقول غسان عن خولة: "فتاة رائعة. ذكية. كن قريبا منها يا عيسى، هي بحاجة إلى أخ كما أنك بحاجة إلى أخت".

خولة، لها مشاكلها هي الأخرى. يتيمة الأب، ضحية الأم بعد أن تخلت عنها من أجل زوجها الجديد. رغم ذلك لا يبدو ان تلك الأمور قد أثرت بها سلبا، فهي لا تشبه بنات جيلها. تكاد تكون نسخة عن أبي بسبب الانكباب على قراءة كتبه في غرفة مكتبه. لديها حلم تصبو إلى تحقيقه في يوم ما، وهو أن تكمل الرواية التي شرع أبي بكتابتها ومات قبل أن ينهيها. ليس لديها صداقات كثيرة. فهي تتخذ من غسان وعمتها هند أقرب صديقين.

"أنا فخور بها، كما لو أنها ابنتي"، يقول غسان.

حديث غسان، حول أنني الوحيد الذي يضمن استمرار لقب الطاروف، جعلني أشعر وكأنني ملكا شرعيا عاد لتوّه من رحلة طويلة ليعتلي عرش مملكته. ولكن، الشرعية وحدها ليست كافية للإعتراف بي. هل أحارب من أجلها؟ الملوك، يفقدون شرعيتهم متى ما رفضهم

الناس. وأنا مرفوض، كما أنني لست ملكا.

لم أفهم ماذا يعني استمرار لقب العائلة. وما الذي سوف يحصل إذا ما استمر هذا اللقب. وما دخل ملامح وجهي في ذلك.

عاشت جدّتي ليلة لقائها بغسان في حيرة، كما عرفت لاحقا. فأنا حفيدها، عيسى راشد عيسى الطاروف، اسم يجلب الشرف.. وجه يجلب العار. أنا عيسى ابن الشهيد راشد.. وفي الوقت نفسه أنا.. عيسى ابن الخادمة الفلبينية!

***

(7)

بسبب خولة، مُدللة غنيمة، كان قبولي في منزل الطاروف. وان كان قبولا مغتصبا. ألحّت أختي على جدّتي لقبول زيارتي.

- مجرد زيارة ماما غنيمة.. أرجوكِ.. ولكِ أن تقرري بعدها..

رضخت جدّتي لتوسلات خولة. "لا أدري ما هو سبب إلحاحي على ماما غنيمة للسماح لك بدخول بيتنا.. أهو الفضول.. أم السعادة التي غمرتني لمعرفة أمر الأخ الجديد الذي ظهر في حياتي فجأة"، قالت لي خولة في لقائنا الأول.

كنت وغسان في صالون شقته عندما رن جرس الهاتف. حمل غسان السماعة، وبعد حديث لم يستمر طويلا أعاد السماعة قائلا:

- محظوظ.. لك أخت شجاعة!

* * *

كل شيء يحدث بسبب ولسبب. يعجبني إيمان أمي، ويثبت لي قولها يوما بعد يوم أن لا مكان للصدفة في أقدارنا. تزوج أبي من إيمان ليمهد لحضور خولة، شفيعتي لدى بيت الطاروف. لولاها لما سنحت لي الفرصة للاقتراب من ذلك البيت قط. ولكن، ماذا لو جاءت خولة ذكرا؟ يحمل الاسم ذاته، عيسى، اسم جده. يحمل لقب العائلة الذي أوشك على الانقراض، يهبه إلى ذريته، يتكاثرون، ويصبحون امتدادا لأجيال حملت الاسم ذاته قبل سنوات طويلة. أناس شيّدوا سورا حول مدينتهم القديمة، سورًا لا يقل اعتزازهم ببنائه عن اعتزاز الصينيين ببناء سورهم العظيم.

حمدا للّه على.. خولة.

* * *

بعد مغيب شمس اليوم التالي لاتصال خولة، دق غسان جرس باب بيت جدّتي، في حين كنت أقف وراءه يتملكني الخوف.. الخوف من الطرد.. من الإهانة وعدم القبول.

فُتح الباب: "أهلا سيّدي"، صوت نسائي رحب بغسان. الصوت واللهجة أثارا فضولي. وقفت على أطراف أصابعي أنظر من خلف كتف غسان، وإذ بخادمة فلبينية شابة يكسوها البياض من رأسها إلى قدميها.. غطاء الرأس.. اليونيفورم.. المريلة والحذاء.. تبدو وكأنها ممرضة. ضغطت على كتف غسان بكفّي. طرت فرحا حين رأيت وجها يشبهني. سألتها بفرح:

- فلبينية؟

استدار غسان. رمقني بنظرة استنكار:

- عيسى!.. انها خادمة!

جاء صوت من الداخل يسأل الخادمة بإنكليزية متقنة:

- لوزا.. لوزا.. من هناك؟

- انه السيّد غسان..

أجابت الخادمة، ثم أشارت لنا بالدخول. ما إن تجاوزنا الباب حتى استقبلنا أحدهم بالترحيب:

- سلامووو عليكووووم..

التفت إلى مصدر الصوت وإذ ببغاء في قفص ذهبي جميل مثبت إلى الحائط مقابل الباب. ضحك غسان. ثم رفع الببغاء صوته مرددا اسم الخادمة: "لوزااا.. لوزااا"، ثم صاح بكلمة لم أفهمها. تقدمت الخادمة نحو القفص تضرب الهواء أمامه: "هششششـ". سكت الببغاء، في حين واصل غسان ضحكه.

"تفضلا"، قالت خولة التي كانت بانتظارنا. عرفتها منذ الوهلة

الأولى. تبدو أكبر من سنواتها الستة عشرة. سمراء، تتجاوزني طولا، تغطي شعرها بحجاب أسود، لها أنف دقيق بارز، شفتان دقيقتان وأسنان بيضاء مصفوفة بشكل ملفت. جميلة، ولكنها تصبح فاتنة إذا ما ابتسمت. تحدثت مع غسان بالعربية، ثم التفتت إليّ تقول بوجه ملؤه السعادة:

- أنت عيسى!

ابتسمت لها هازّا رأسي إيجابا. واصلت:

- تفضلا.. تفضلا..

تبعناها، في حين كانت تلتفت إليّ بابتسامة واسعة تشي بحجم سعادتها. دعتنا إلى الداخل. طلبت منا الجلوس. استأذنت، ثم ارتقت السُلم وهي تدير رأسها تنظر إليّ بفرح أثناء صعودها. "جميل هذا البيت"، قلت في نفسي. كيف يعتني الناس بالتفاصيل بهذه الطريقة؟ تناسق الألوان.. الأثاث.. رخام الأرضيات وقطع السجاد الفاخر.. النقوش على الجدران.. الثريات المتدلية من السقف.. الستائر المخملية الفخمة.. الطاولات الخشبية الصغيرة تغطيها مفارش مرصعة بقطع صغيرة تشبه اللآلئ والأحجار الكريمة.. مزهريات بأحجام مختلفة تحمل سيقان البامبو.. أحببت المكان رغم انكماشي في جلستي خوفا من أن أتلف شيئا من دون قصد. الوجه الفلبيني الذي استقبلنا عند الباب، وسيقان البامبو في المزهريات المنتشرة في صالون المنزل، بثوا في داخلي شعورا بالألفة، وان بدا البامبو في غير محله في تلك المزهريات الفاخرة، مثلي تماما في بيت الطاروف.

دخلت خادمة أخرى كبيرة في السن، باليونيفورم الأبيض ذاته، تبدو هندية، قدمت لنا العصير، ثم انسحبت في حين نزلت امرأة، من الدور العلوي، تبدو في أواخر الثلاثينات من عمرها. ملامحها جادة. عملية. شعرها أسود قصير كشعر ولد. مدّت كفها لغسان تصافحه، ثم صافحتني قبل أن تجلس أمامنا واضعة ساقا فوق أخرى.

217

- هذه عمّتك الصغرى.. هند..

قال غسان يعرّفني إليها. هززت رأسي قائلا:

- سررت بلقائك سيّدتي..

هزّت رأسها مع شيء لا يشبه الابتسامة. تحدثا هي وغسان بالعربية، في حين كنت أراقب تعبيرات وجهها الجادة. حاجباها مرفوعان للأعلى في حين كانت تتحدث إلى غسان. ترمقني بنظرة خاطفة، تعيد تثبيت نظارتها الطبية بإصبعها، ثم تعاود الحديث إلى غسان. لاحظت أنه لا ينظر إليها أثناء حديثهما. كنت صامتا. أنقل نظري بينهما. كأنني أشاهد فيلما بلغة أجهلها، من دون ترجمة، ورغم الملامح والتعابير السلبية على وجهيّ عمتي وغسان فإنني كنت أترجم حديثهما كما أشتهي: "سوف نَعُد له غرفة خاصة ليعيش معنا هنا".. "نحن سعداء جدا بعودته إلى بلاده وأهله".

أعلى السُلم، ظهرت إمرأة عجوز، تسند مرفقها إلى ذراع خولة. تمسك في يدها الأخرى خشب الدرابزين. لابد انها جدّتي غنيمة. لم تكن تنظر إلينا في غرفة الجلوس. كانت عيناها موجهتين نحو درجات السُلم أسفل قدميها. تثني ساقيها بصعوبة. تنزل ببطء. كانت تغطي شعرها بشال أسود خفيف بشكل غير محكم، بطريقة تختلف عن حجاب خولة. أجزاء من شعرها تظهر من تحت الشال. انشغالها بموضع قدميها على درجات السُلم أتاح لي فرصة التفرّس في ملامح وجهها من دون أن تراني. مع كل خطوة تخطوها أكتشف شيئا جديدا في وجهها. كبيرة في السن، التجاعيد في بشرتها السمراء تشي بذلك. شفتاها دقيقتان، أو، ليس لها شفتان إن أمكنني القول، هو شقٌّ أفقي أسفل أنفها. لها حاجبان عريضان، ينبت من بينهما أنف بارز كبير معقوف عند نهايته. عيناها صغيرتان لامعتان، ببؤبؤين أسودين كبيرين، لا يكاد بياض عينيها يظهر من حولهما. نظرتها حادة كأنها تكشف ما خلف الأشياء. أنفها

المعقوف ولمعان عينيها جعلا لها شكل نسر منغولي.

ما إن اقتربت جدّتي، مستندة إلى ذراع خولة، حتى وقف لها كل مـن غسـان وعمتي هنـد احتراما. وقفت أنا بالمثل. هزّت رأسها تحيي غسان. ارتبكتُ. لست أدري ما هو دوري، أو ما الذي يجب علي فعله. هل أنحني أمسك بكفِّها ألصقها بجبيني! أمام هيبتها وقفت حائرا كأني أمام زعيم قبيلة أجهل بروتوكول التعامل معه. التفت غسـان إليّ: "قبّل جبيـن جدّتـك". تسـارعت دقات قلبي. أمعنـت النظر في جبينها وكأنني أوشـك على تقبيل صفيح سـاخن. لـم تكن تنظر إليّ. تقدمت نحوها تدعمني ابتسـامة غسـان والسـعادة على وجه خولة. وقفت أمامها، وما إن قرّبت وجهي مـن جبينها حتى وضعت باطن كفها المصبوغ باللون البني الداكن على كتفي، تمنعني من الاقتراب أكثر. تراجعت عن تقبيل جبينهـا. نظـرت إلى عينيّ مباشرة. شـفتاي أخذتـا بالارتعاش. طأطأت رأسي. أزاحت كفّها عن كتفي، وبحركة لا إرادية نظرتُ إلى منبت كُمّ القميـص أتفحصـه، لعـل زعيم القبيلة ترك على قميصي بقعة لها شكل كفّه في مراسـم الاعتراف بي عضوا ينتمي إلى القبيلة، إلا أن شـيئا من خيالاتي لم يتحقق. رفعت نظري إلى وجهها. كانت تحدّق في وجهي لا تـزال. لمعـان عينيهـا.. علامة ذكاء أم إشـارة إلى تجمع الدموع قبل فيضانها؟ طأطأتُ مـرة أخرى. كرر غسـان: "قبّل جبينها يا عيسـى". الصفيـح السـاخن تشـتد حرارته. رعشـة شـفتيّ تزداد. قرّبت وجهي إلى الصفيـح أقبله، ولكن جدّتي أشـاحت بوجهها نحـو إحدى الأرائك في الزاوية تطلب من خولة مسـاعدتها في الوصول إليها. جلست جدّتي، بعد أن أسـندت كفّيها على ركبتيها وأثنت سـاقيها بصعوبة. أحضرت خولة طاولـة صغيـرة، لتمد جدّتي سـاقيها. جلس الجميع. وبصوت متحمس قالت خولة: "تفضل بالجلوس".

دخلت الخادمة الفلبينية تحمل بين يديها صينية فوقها كؤوس شاي

صغيرة جـدا، تشبه كؤوس الـ تكيـلا لولا مقابضها والآنيـات الصغيرة التي تحملها. لـم ألتفت إلى الخادمة. لـم أبتسـم. لـم أتفوه بأي كلمة. حتى عندما قدّمت لي كأس الشـاي الصغيرة محمولة على آنية زجاجية تحتـوي، إلى جانب الكـأس، على ملعقـة ذهبية قزمة ومكعبي سكر، وجدتني غير قادر على شكرها رغم ان الجميع فعل. كانت جدّتي تنقل نظراتها بيني وبين الخادمة تارة، وتارة أخرى بين غسان وعمتي هند. تفحص وجوهنا بنظراتها الحادة. مريبة كانت. لم أشعر بالارتياح في حضرتها. الجلوس أمام محقق بصفتك متهما، يبعث في النفس شعورا بعدم الارتياح، وان كنت بريئا، فكيف وأنت جُرذ في حضرة نسر؟!

"سلامووو عليكوووم"، صاح الببغاء، ثم دخلت امرأتان، إحداهما بالحجاب والأخـرى مـن دونـه. ألقتا التحية على غسـان وقبّلتا كلاً من عمتي هند وخولة، ثم انحنتا تقبّلان جبين جدّتي. عرفتني خولة إليهما: "عمتي عواطف وعمتي نورية". جلست الاثنتان إلى جانب بعضهما على أريكة في زاوية غرفة الجلوس الكبيرة. لا وجه للشبه بين الشـقيقتين. عمتي عواطف، الكبرى، ترتـدي عبـاءة سـوداء. تشبـك أصابـع كفيها حـول حقيبـة يدهـا. ساقاها مضمومتان. وجهها يخلو من المساحيق تمامـا، ملامحها مريحـة، رغم انها ليست جميلة كخولـة وعمتي هند. باسـمة طيلة الوقت، تبـدو ودودة. لها عينان كبيرتـان متباعدتان وجبهة عريضة بارزة. ملامحها، إلى جانب وجهها البشوش، جعلت منها صورة آدمية عن الدلفين. أما نورية فقد كانت على النقيض تماما. تسند سـاقا فوق الأخرى. تبدو واثقة جدا. تزيّن وجهها بقدر معقول من مسـاحيق التجميل. أنيقة بشكل لافت. حادة الملامح. ترفع ذقنها وحاجبيها حين تتحـدث. تبـدو متعالية. نقلت نظراتي بينهما في مقارنة سـريعة: "كيف يخرج الدلفين وسمكة القرش من رحم واحد؟!".

كانوا يتحدثون، كل بطريقته، في حين كانت جدّتي تراقبهم بهدوء.

تنظر إلى عمتي هند إذا ما تحدث غسان، وتنتقل بنظرها إلى غسان إذا ما تحدثت عمتي هند. تتعالى الأصوات. يقاطعون بعضهم البعض. ينظرون إليّ تارة، وتارة يشـيرون بأيديهم نحوي. أما خولة فقد كانت تنظر إليّ بابتسامتها التي لم تفارقها منذ دخلتُ بصحبة غسان. طال نقاشهم حتى جاوز الساعة. غسان يهز رأسه إيجابا.. عمتي هند متوترة، تحرك إحدى ساقيها فوق الأخرى وتتحدث بهدوء.. الدلفين يبتسم بسذاجة.. سمكة القرش تتحدث بعصبية.. والنسر المنغولي العجوز يُخرس الجميع بإشارة من رأسه.. في حين بقي الجرذ الذي هو أنا أخرس ينقل نظراته مرتبكا من دون أن يفهم شيئا مما يدور حوله سوى نظرات حانية من عصفورة وديعة اسمها.. خولة.

* * *

(8)

في شقة غسان، بعد عودتنا من بيت جدّتي، عرفت ما دار في تلك الجلسة. غسان كان أمام خيارين، أولهما أن يُسلم الأمانة، التي هي أنا، إلى بيت الطاروف، ويحقق بذلك رغبة أبي. وثانيهما هو الترتيب لسفري مرة أخرى إلى بلاد أمي. خولة سعيدة باكتشاف أمر الأخ الجديد. ولأن، على حد قولها، لو أنجبت أمها من زوجها الثاني فلن يكون الاخوة قريبين في السن منها كما هي الحال معي، فهي مصرة على بقائي: "سأعلمه العربية، وسأهتم بكل شؤونه. لا تحملي همّه ماما غنيمة"، قالت لجدتي.

عمتي عواطف، الكبرى، سعيدة جدا. لا مشكلة لديها، وهي متحمسة لبقائي في منزل جدّتي لأنني كما تقول: "هذا ولدنا". ورغم تجاهل الآخرين لرأيها أصرت على الاعتراف بي: "انه ابن أخي، واللّه لا يرضى أن نتنكر له". أسعدني غسان حين أخبرني بما قالت، فرحت لوجود اللّه في تلك الجلسة يسمع ما يدور، وان لم أره فوجوده في قلب عمتي عواطف يطمئنني، فهو قريب. صليت للّه أن يسكن قلبي أنا الآخر. نورية رفضت رفضا قاطعا وجودي بينهم، غضبت من عمتي عواطف، محذرة إياها مما قد يحصل لو علم أحمد زوجها بهذا الأمر. ترددت عمتي عواطف حين مسّ الأمر زوجها، ولكنها تداركت: "أحمد زوجي رجل يخاف الله، ولن يكون ذا موقف سلبي لو علم بالأمر". ازداد حنق أختها نورية، ارتفع صوتها، وطالبت، إن كان الأمر لابد منه، بالإبقاء على اسمي الثلاثي، عيسى راشد عيسى، والغاء اللقب، الطاروف، من أوراقي الثبوتية، والبحث عن مكان يأويني بعيدا عن بيت العائلة، أو تسوية الأمر ماليا وإرسالي إلى بلاد أمي من جديد.

فقدت أعصابها: "الكويت صغيرة والكلام ينتشر بسرعة. لو علم فيصل، زوجي، وأهله بأمر هذا الولد ستهتز صورتي أمامه.. أفقد احترامي في بيت العادل، وأصبح أضحوكة لأخوات فيصل وزوجات اخوته"، حملت حقيبتها غاضبة تاركة المكان. قالت قبل أن تخرج من بيت جدّتي: "لدي ابن وابنة في سن الزواج، لن أسمح لهذا الفلبيني أن يعرقل زواجهما". لم أستوعب ماقاله غسان نقلا عن نورية. لماذا كل ذلك؟ ما الذي يهز صورتها ويجعلها أضحوكة أمام أهل زوجها، وما الذي يعطله وجودي في أمر زواج ابنها وابنتها؟! هي الكلمات ذاتها التي قالتها جدّتي غنيمة لأبي قبل سنوات عندما اكتشفت حمل أمي: "وأخواتك يا أناني؟ يا حقير! من سيتزوجهن بعد فعلتك؟!". هذه أمور لست أفهمها، ولم يكن بوسع أمي، عندما كنت هناك، أن تشرحها لي. سألت غسان عن معنى ذلك. أجاب: "مثل هذه الأمور لا يمكنني شرحها لك يا عيسى.. ويصعب عليك فهمها". كان وضعي صعبا، بين وقوف خولة وعمتي عواطف إلى جانبي، والرفض القاطع من قبل نورية.

عمتي هند كانت في حيرة من أمرها. هي هند الطاروف، الناشطة المعروفة في حقوق الإنسان. "مصداقيتي، أمام الناس، على المحك.. واسمي كذلك". كانت تقول. وكان لا بد أن تضحي بأحدهما، مصداقيتها أو اسمها. أن تتمسك بحقي كإنسان، يعني أن تضحي بنظرة الناس لاسمها البرّاق إذا ما عرفوا بأمر زواج أخيها الشهيد راشد الطاروف من الخادمة الفلبينية. الأمر الآخر.. أن تضحي بمبادئها لتقف ضد حقي كإنسان يعني محافظتها على بريق اسمها ونظرة المجتمع لها.. أو.. أن تحافظ على الإثنين، مبادئها أمام الناس واسمها عن طريق التضحية بوجودي بينهم قبل أن يُكشف أمري، ولكن، هل في عدم قبولي بينهم وطردي أي تضحية بالنسبة لهم؟ لو كان الأمر كذلك لأسعدني الأمر. فاختيارها التضحية بي يعني بأني شيء ذو قيمة بالنسبة لهم. فالتضحية

223

الحقيقية هي أن نتخلى عن الأشياء التي لها قيمة لدينا لصالح الآخر، أشياء لا تعوَّض. أما أنا، فلا قيمة لدي على ما أظن. لا حاجة لهم بي. ليس في ابتعادي عنهم خسارة لهم، ولا هم بحاجة لما يعوض غيابي إن أنا غبت.

"وجدّتي.. جدّتي يا غسان.. ماذا كان رأيها؟". سألته بعدما أخبرني بما دار من حديث لم أفهمه حينما كنت بينهم. نفث دخان سيجارته قائلا: "الخالة غنيمة.. بيدها القرار الأول والأخير". ثم أطرق يفكر. نظرت إلى وجهه باهتمام. سألته: "وماذا كان قرارها؟".

- هل سمعت لها صوتا في تلك الجلسة؟

سألني غسان. أجبته:

- كلا.. فقد كانت صامتة تراقب الوجوه طيلة الوقت..

سحق سيجارته في المنفضة. نظر إليّ قائلا:

- لماذا تسألني رأيها إذن؟.. لعلها تحتاج وقتا لتفكر..

سكت قليلا، ثم ابتسم يطمئنني:

- اترك الأمور لخولة.

* * *

أمور كثيرة لم تخبرني بها أمي عن الجنة التي وُعدتُ بها. حدثتني كثيرا عن تحقيق الأحلام وضمان مستقبل آمن وفرص كثيرة لا تتوفر لأي شخص في بلادها. سنوات عدة عشتها في أرض ميندوزا أستمع فيها إلى حديث أمي: "يوما ما ستعود إلى بلاد أبيك"، وحين عدت إلى بلاد أبي وجدتهم متورطين بي، يريدونني ولا يريدونني، بعضهم سعيد بعودتي، بعضهم في حيرة، والبعض يطلب تسوية الأمر ماديا ويطلب مني العودة: "إلى بلاد أمك". وأنا، أقف على أرض لست أعرفها، باحثا عن أرض تأويني بين بلاد أبي وبلاد أمي!

ماكدت أقبل اسمي الجديد، عيسى الطاروف، متحررا من أسمائي وألقابي القديمة، هوزيه والـ Arabo وابن العاهرة حتى وجدت من يسيئه أن أحمل اسمه. أنا لست ميندوزا الذي ليس له أب. أنا عيسى، ولي أب اسمه راشد الطاروف.

* * *

(9)

ثلاثة أيام مضت على اجتماع العائلة. كنت في شقة غسان، أشعر بالبرد رغم اعتدال الجو بالنسبة إليه، أحكم قبضتيّ على كوب قهوة، مسندا قدميَّ بجوربيهما السميكين على مدفأة كهربائية أشاهد إحدى قنوات الأفلام الأجنبية، في حين كان غسان يقرأ كتابا. رنَّ جرس هاتفه النقال. أسند الكتاب مقلوبا على ركبتيه. نظر إلى شاشة الهاتف قائلا:

- اتصال من أهلك..

بقفزة واحدة وجدتني على الأريكة حيث يجلس. سألت بلهفة:

- أمي؟ أم ماما آيدا؟

لم يُجب. وضع السماعة على أذنه: "وعليكم السلام". استمرت المكالمة لمدة جاوزت الدقائق العشر. لم يفُه خلالها غسان بحرف سوى غمغمة يهزّ خلالها رأسه: "ممم.. ممممم.. ممـ". انتهت المكالمة.

"اسمع يا عيسى.."، قال باهتمام. واصل: "سوف تذهب لتعيش في منزل جدّتك". ما إن قال تلك الكلمات حتى وجدتني أقفز عاليا في منتصف غرفة الجلوس ملوحا بقبضتيّ: "Yes Yes Yes!". شعرت أن الأرض تهتز أسفل قدميّ.

- عيسى!

قال غسان منفعلا. أردف:

- كفّ عن القفز بهذه الطريقة.. نحن في الدور الرابع.. هناك أناس يعيشون في الأسفل!

عدت إلى الأريكة حيث يجلس. نظرت إلى عينيه مباشرة:

- في الأسفل؟!

سألته، ثم هززت رأسي نافيا أقول:

– لا أحد سوانا، أنت وأنا، يعيش في الأسفل.. لا أحد..

ضحك غسان.. اهتز جسده من فرط الضحك. قال:

– سأفتقدك يا مجنون..

ليست الجابرية بعيدة عن قرطبة حيث منزل جدّتي. ولكن، باغتني شعور بالأسف تجاه غسان، رغم انه عاش طيلة حياته وحيدا، فقد شعرت وكأنني، برحيلي إلى بيت جدّتي، قـد تخليت عنه. تذكرت أبي ووليدًا حينما كانا معه، وحكايات أمي عن الأصدقاء الثلاثة. عالمهم الخاص.. أحاديثهم.. غناءهم.. سـفرهم وخروجهم إلى البحر. أي وحدة يعيشها هذا الرجل في شقة صغيرة خانقة، في مبنى يغص بخليط من الوافدين العرب والأجانب.. مصريون.. سوريون.. هنود وباكستانيون.

– غسان!

توقف عن الضحك ينظر إليّ. سألته:

– لِمَ لم تتزوج إلى الآن؟

عاد وجه غسان كما هو وجه غسان الذي أعرف. أزاح الكتاب عن ركبتيه واضعا إياه على الأريكة إلى جانبه. كاد أن يقول شيئا ولكنه آثر الصمت. أمسكت بعلبة سـجائره. استللت سـيجارة. وضعتها في فمي. أشعلتها ثم قدمتها إليه. قلت:

– هيا.. انفث كلماتك مع دخانها..

سـحب نفسا عميقا. توهجت الجمرة تتسـاقط منها ذرات الرماد. قال وهو ينفث الدخان:

– لا أريد أن أنجب أبناء يلعنونني بعد موتي يا عيسى..

أسـند ظهره إلى الأريكة شـابكا أصابعه خلف رأسـه. والسـيجارة تتدلى من بين شفتيه. أتم:

227

- ما الذي يمكنني توريثه لأبنائي سوى صفة ظلت لصيقة بي طيلة حياتي..

صمت قليلا. نظر إليّ ثم أردف:

- البـدون، يا عيسى، جينة مشوّهة. تتعطل بعـض الجينات ولا تصل إلى الأبناء، أو تتجاوزهم لتظهر في الأجيال اللاحقة من ذريتهم، إلا هـذه الجينـة الخبيثـة، فإنهـا لا تخطئ أبدا. تنتقـل من جيل إلى آخر محطمة آمال حامليها.

سحق غسان عقب سيجارته في منفضة السجائر، ثم انسحب إلى غرفته.

* * *

في سـاعة متأخرة من الليل، بينما كنت في غرفة الجلوس، خرج غسـان مـن غرفتـه بوجه متورم وعينين نصف مغمضتين. مدّ إليّ هاتفه النقال قائلا: "إتصال مِن..."، فتح فمه على اتساعه يتثاءب، أتم: "..أختك خولة". تناولت الهاتف. أدار لي ظهره يمشي كرجل آليّ نحو غرفته.

- ألو..
- أهلا عيسى.. أتمنى ألا أكون قد أيقظتك من نومك..
- لا لا.. لم أنم بعد.

أخبرتني أنهـم قامـوا بتجهيـز غرفة لي بجميـع لوازمها في ملحق المنزل. تسارعت دقات قلبي فرحا. قالت: "ستجد كل ما تحتاجه في الغرفة"، ثـم أخـذت تعدد لي ما تتضمنه غرفتي. قاطعتها: "هذا كثير.. كثير جدا يا خولة!". صمتت. نظرت إلى شاشة الهاتف أتأكد من استمرار المكالمة. قلت:

- ألو!.. خولة!

228

- نعم.. أنا على الخط..
- شكرا لكِ على كل ما تفعلينه من أجلي..
- ولكن..

عادت لصمتها.. تلكأت قليلا ثم قالت:

- هل أنت متأكد أنك سعيد؟
- جدا.. أكثر مما كنت أحلم به.
- أليس في بقائك في ملحق المنزل أي..

أخذت تغمغم كأنها تبحث عن مفردة مناسبة:

- ممم.. انظر.. لقد حاولت بقدر ما أستطيع أن يكون بقاؤك معنا بشكل أفضل.. ولكن.. لننتظر.. لربما تغيّر ماما غنيمة رأيها لتعيش معنا داخل البيت.

فهمت أن قبول جدتي لي كان قبولا منقوصا. ملحق البيت ليس البيت ذاته. هو مكان مفصول في فناء البيت الداخلي، يسكنه الطباخ والسائق. لا يسكن في البيت سوى أصحاب البيت، والخادمات في الطابق الأخير. تقبلت الأمر برحابة صدر، ليس لشيء سوى أن غرفتي في ملحق المنزل كانت، ذات يوم، الديوانية التي يجتمع بها أبي بأصدقائه.

- ألو.. عيسى.. هل أنت على الخط؟
- نعم.. نعم اني أسمعك..
- ثم ان هناك أمورًا أخرى أود أن تعرفها قبل مجيئك..

* * *

قبل انتقالي إلى بيت جدّتي كان من الضروري أن أعرف أمورا عدة. يجب ألا أتحدث إلى الخدم، خصوصا الطباخ والسائق، بحقيقة

أمري، لأن لبيت جدّتي جيرانًا كثرًا، وفي كل بيت هناك طباخ أو سائق، أو ربما الإثنان معا. الخدم، بشكل عام، لا يؤتمنون على أسرار البيوت، يتناقلون الأخبار فيما بينهم، ما يجعل أسرار البيت عرضة للانكشاف في البيوت المجاورة. كلام كثير قالته خولة في تلك المكالمة بهذا الشأن، خرجتُ منه بفكرة واحدة هي انني سـأعيش في بيت جدتي، أو ملحق بيتها، بصفتي سرّا لا يجب أن يُكشف للآخرين.

"إذا ما سألك أحد الجيران أو خدمهم.. أنت الطباخ الجديد.. هذا مؤقتا.. لحين أن نجد مخرجا لهذه المشكلة".

* * *

(10)

- هل سنلتقي مرة أخرى؟

كان سؤالي لغسان ما إن ترجلت من سيارته حاملا حقيبتيَّ أمام بيت جدّتي. أجاب:

- مرات أخرى يا مجنون..

أدرت ظهري متجها نحو الباب. "عيسى!"، ناداني غسان، "خذ هذا". كانت يده ممدودة إليّ من نافذة سيارته. تقدمتُ إليه تاركا حقيبة ملابسي، حاملا حقيبة أوراقي الثبوتية في يدي. سألته:

- ما هذا؟

- هذا مفتاح شقتي.. في أي وقت يمكنك المجيء.. ولربما لا أكون موجودا.. لديك المفتاح.

"حتى أنت غير واثق من بقائي في بيت جدّتي يا غسان"، قلت في نفسي. شكرته وعدت إلى جانب حقيبة الملابس عند الباب. وقبل أن أضغط مكبس الجرس: "أهلا عيسى"، قالت خولة التي كانت تنتظر خلف الباب. ودّعنا غسان ببوق سيارته، ثم انطلق بمحبوبته الـ لانسر تاركا إياي بصحبة أختي. "سلامووو عليكوووم"، صاح الببغاء كعادته كلما فُتح الباب. هممت بالدخول. أوقفتني خولة مترددة. التفتت إلى البيوت المجاورة، ثم قالت: "مِن هناك". كانت تشير إلى باب جانبي: "هناك غرفتك يا عيسى.. ومن هناك يمكنك الدخول إلى المنزل عبر الفناء الداخلي".

دخلت من الباب الجانبي، الباب الذي طُرِدنا منه أنا وأبي قبل سنوات. باب يفضي إلى ملحق المنزل. كانت خولة تنتظرني هناك. طلبت مني أن أتبعها. توقفت أمام باب ألمنيوم. أشارت نحو الباب

تقول: "كانت هذه ديوانية أبي.. يجتمع فيها مع المقربين من أصدقائه". فتحت باب الديوانية: "تفضل.. هذه غرفتك".

كل هذا لي أنا؟! غرفة فوق مستوى أحلامي. لا حاجة لي بالخروج من هنا. لم أصدق ما رأيته. غرفة ضعف حجم غرفتي القديمة. سجادة كبيرة تغطي كامل أرضية الغرفة. سرير كبير يكفي لشخصين. وسادتان وغطاء أبيض أنيق. تلفاز بشاشة كبيرة. طاولة صغيرة تحمل لابتوب. ثلاجة. مدفأة ومكيّف هواء. "هل أنت سعيد بها؟"، سألتني خولة. أجبتها في حين كنت أقارن بينها وبين غرفتي البائسة في الفلبين: "أكثر مما تتصورين".

طلبت مني أن أترك حقيبتي وأتبعها. في الفناء الداخلي للمنزل، أشارت إلى باب ألمنيوم يحاذي باب غرفتي: "هذه غرفة بابو وراجو.. الطباخ والسائق".. أشارت إلى باب زجاجي بإطار حديدي مقابل باب غرفتي مباشرة: "هذا الباب يفضي إلى غرفة الجلوس الكبيرة، حيث كانت جلستنا في المرة السابقة.. لن تضطر للقاء الببغاء إذا ما دخلت من هذا الباب"، قالت ضاحكة. أشارت إلى نافذة في الدور العلوي، أعلى الباب الزجاجي: "هذه نافذة غرفة ماما غنيمة". نظرت إلى الساعة في معصمها. قالت:

- الساعة تقترب من العاشرة.. هل أتركك لتنام؟
- لا.. لا يزال الوقت باكرا.
- غيّر ملابسك الآن.. وسوف أزورك لاحقا.
- ألن يُسمح لي بدخول البيت؟

ما أجمل ابتسامتها. أهي تبتسم أم أن لشفتيها شكل الإبتسامة. هزّت رأسها إيجابا. قالت:

- بلى.. لا تكن عجولا يا عيسى.

* * *

بكامل ملابسي، ومن دون أن أنزع حذائي، استلقيت فوق سريري الكبير. لم ألبث طويلا حتى سمعت طرقات خفيفة على الباب. اعتدلت في جلستي، وقبل أن أذهب لفتح الباب، قامت عمتي هند بفتحه. من دون أن تتقدم خطوة إلى الداخل. مررت نظرها داخل الغرفة تتفحصها:

- هل كل شيء على ما يرام؟

كنت واقفا أمام السرير. من دون أن أنظر إلى عينيها أجبت:

- نعم سيّدتي.

خيم الصمت لثوان قبل أن تتغير نبرتها في الحديث. قالت:

- غريب..

نظرتُ إليها أنتظر تفسيرا لما هو غريب. أردفت:

- لك صوت راشد.. كأنك هو يلبس وجها غير وجهه..

- حقا سيّدتي؟

قلت لها والسعادة في صوتي. قالت:

- لماذا تناديني سيّدتي. أنا عمتك!

ابتسمت. هززت رأسي من دون أن أفه بكلمة. هزّت رأسها تقول:

- ان احتجت شيئا..

دسّت يدها في حقيبتها الصغيرة. ناولتني هاتفا نقالا:

- هذا لك.. تجد فيه بعض الأرقام التي قد تهمك.. رقم هاتف غسان.. هاتف خولة.. هاتف بيتنا.

أدارت لي ظهرها. وبينما كانت تمشي باتجاه الباب الزجاجي، الذي يفضي إلى غرفة الجلوس، التفتت نحوي تقول:

- ورقم هاتفي..

* * *

بعد حوالي ساعة عادت خولة. فتحت لها الباب. "تفضلي"، قلت

233

لها، ولكنها هزّت رأسها رافضة: "اتبعني.. سوف أريك شيئا". تبعتها، وعند الباب الزجاجي وجدتني غير قادر على المضي في السير. "إلى أين نحن ذاهبان؟". التفتت إليّ وسبابتها على شفتيها تطلب مني التزام الهدوء. تبعتها. عبرنا غرفة الجلوس إلى ممر قصير. مررنا أمام قفص الببغاء. كان مغطى بقطعة قماش. وجدت نفسي في آخر الممر أمام باب خشبي. دفعته خولة إلى الداخل: "تفضل".

غرفة صغيرة. تغطي أرفف الكتب أغلب المساحات في جدرانها. مكتب خشبي في إحدى الزوايا. وبضع صور بإطارات ذهبية تنتشر على المساحات الشاغرة في الجدران. "هذه غرفة مكتب أبي"، قالت خولة. وأمام الأعداد الهائلة من الكتب سألتها: "وهل قرأ أبي كل هذه الكتب؟". ابتسمت أختي. احتشدت كل أحاديث أمي التي قالتها لي عن هذه الغرفة. هنا كانا يتبادلان الحديث إذا ما ذهبت جدّتي وعماتي إلى النوم. هنا كانت تدخل أمي تحمل إلى أبي القهوة. شعور غريب انتابني وكأنني في متحف يضم مخلفات تاريخية لأسلافي.

تقدمت نحو صورة على أحد الجدران. صورة بالأسود والأبيض لرجل عجوز بجبهة عريضة جدا وشعر غير مهذب وحاجبين كثين وشارب أبيض ولحية طويلة بيضاء متشعبة تصل إلى منتصف صدره. التفت إلى خولة:

- أظنني عرفت هذا الرجل..

تقدمت إليّ أمام الصورة. قالت:

- يجب أن تعرفه يا عيسى.

نظرت إليها بابتسامة واسعة:

- هذا جدّي عيسى.. صحيح؟

كتمت ضحكاتها، ثم اندفعت نحو باب الغرفة توصده. انفجرت ضاحكة:

234

- هذا تولستوي يا عيسى.. أعظم روائي روسي..

ضحكت معها مداراة لخجلي. ولأصحح غلطتي أشرت نحو صورة أخرى، يظهر فيها رجل بغطاء الرأس التقليدي. الحلقة السوداء أعلى الرأس تبدو سميكة بشكل مبالغ به. يرتدي معطفا أخضر داكنا، له شارب أسود كشارب هتلر، ويحجب عينيه خلف نظارة سوداء بعدستين دائريتين. نظرت إلى خولة:

- هذا الرجل لا يبدو روسيا على الإطلاق، وان كان يرتدي معطف جنرال روسي.. أهو جدّي؟

كممت فمها بكفيها تكتم ضحكاتها وهي تهز رأسها بأني لم أصب في هذه أيضا:

- كلا.. هذا شاعر كويتي قديم[25].. شاعر عظيم..

برغم سعادتي لضحكها كنت أشعر بالخجل. حسمت الأمر قائلا:

- لن أخمن.. قولي لي أنتِ من يكون هؤلاء في الصور؟

أشرت نحو صورة لرجل ممتلئ، يظهر في لقطة جانبية، يرتدي الزي التقليدي مع عباءة بنية، له لحية صغيرة بيضاء في منتصف ذقنه: "من يكون؟"، أجابت: "أمير الكويت.. أبو الدستور"[26]. انتقلت إلى الصورة التي تليها علني أعثر على جدّي أو أحد أفراد عائلتي التي لا أعرف شيئا عن ماضيها. على سطح المكتب وجدت صورة صغيرة بإطار خشبي. التقطتها بيدي. وبينما كنت أتفحصها قالت خولة:

- سأحكي لك قصة صاحب الصورة.. هذا الشاب..

قاطعتها:

- أعرفه يا خولة.. أحببته من دون أن ألتقيه.. شاهدت له صورا

---

(25) فهد العسكر 1917-1951، شاعر كويتي يعد من الشعراء الرواد في الكويت.

(26) الشيخ عبدالله السالم الصباح 1895-1965، أمير الكويت الحادي عشر. حصلت الكويت على استقلالها في عهده.

كثيرة.. وأعرف كيف كانت نهايته في الطائرة المخطوفة.. انه وليد.

– يبدو انك تعرف الكثير..

– بعض الأشياء حكتها لي والدتي.

أشرت نحو صورة لامرأة بالنظارة الشمسية فاغرة فمها تغني أمام مايكروفون، تباعد بين ذراعيها وتحمل في إحدى كفيها منديلا. "من تكون؟"، سألت أختي. لـم تعر اهتماما لسؤالي. انطلقت نحو أحد الرفوف تقول: "إن كنت ترغب بمشاهدة صـورة لعيسى الطاروف، جدنا". مـدّت إليّ كفهـا بكتاب ضخم استلته من بين الكتـب. تناولته بين يـديّ أنظر في صورة الغلاف. صورة لرجلين قديمة جدا، أظنها كانت بالأسود والأبيض، تلوينها تم بعد ذلك يدويا. يظهر أحد الرجلين بلحية صغيرة تشبه لحية أمير الكويت الذي توفي يوم وصولي، إلا انه لا يملك ابتسامته. الآخر بلا لحية ولا شـارب. يرتدي ذو اللحية الصغيرة الثيـاب التقليديـة تحت العباءة، أما الآخر فقد ارتدى فوق ثوبه الأبيض صديريا أسـود تتدلى منه سلسـلة صغيرة تبدو أنها لسـاعة تختفي داخل جيبه. الحلقتان اللتان تعلوان رأسيهما لتثبيت غطاء الرأس لا تشبهان حلقة الرأس السـوداء المعروفة الآن، بل هي عبارة عن مربعات سـوداء تتصل بخيوط صفراء عريضة تربط بينها، تبدو في شكلها كالتاج. أشارت خولة بإصبعها نحو الرجل ذي اللحية الصغيرة: "هذا بابا عيسى.. جدنا". انتقلت بإصبعها إلى الرجل الآخر: "وهذا شقيقه الأصغر شاهين". كان كتابا ضخمـا، بـأوراق فاخرة، يضم صورا كثيرة لخرائط قديمة وسفن خشـبية وبيـوت طينيـة. "مـاذا يقول الكتاب عن جدّي وأخيه؟"، سـألت أختي، وقبـل أن تجيب فُتح باب غرفة المكتب بعنف. ارتطم بالجدار. ارتعدتُ حين شـاهدتُ جدّتي غنيمة تسند ذراعا إلى الخادمة الهندية، وذراعهـا الأخرى إلى إطـار البـاب الخشـبي، بحاجبيـن مقطبين، ومن دون أن تنظر إليّ وبّخت خولة بكلمات أجهلها. أحمرّ وجه أختي، ثم

236

أمسكت بذراع جدّتي تسندها بعد انصراف الخادمة. التفتت إليّ محرجة:
"عُد إلى غرفتك يا عيسى".

في وقت لاحق أخبرتني خولة ان جدّتي لا تثق بي، وانها لامتها
على وجودها معي في غرفة المكتب لوحدنا والباب موصد. قالت لها:
"لا يصح أن تبقيا معا.. أنتما الإثنان.. ثالثكما الشيطان".

انصرفت خولة مع جدّتي. خرجت أنا الآخر عائدا إلى غرفتي،
تاركا الشيطان وحيدا في غرفة المكتب.

* * *

(11)

صباح اليوم التالي. استيقظت باكرا على صوت ينادي: "ميري.. لوزا.. ميري.. لوزا".. لم أستمع لصوت أي من الخادمتين. ذات الصوت المنادي أخذ ينادي اسما آخر لم أتبين حروفه. صاحبة الصوت كانت غاضبة. ذهبت إلى الحمام، بين غرفتي وغرفة راجو وبابو. من نافذة المطبخ كان بابو العجوز ينظر إليّ. تجاهلت نظراته. وفي الفناء الداخلي للبيت، كان راجو يحمل في يده خرطوما يرش بواسطته الماء على الأرض يغسلها. كان ينظر إليّ هو الآخر. الريبة في أعينهما تقول: "من هذا المتطفل؟". الثقة في نفسي تقول: "أنا أحد أفراد هذه العائلة"، باب الحمام المشترك يقول: "تعال يا متطفل!". أحدهما لم يقترب للحديث معي، ولا أنا بادرت بذلك. يبدو أن الشرط بعدم مخالطتهم قد وصل إليهم بشأني أنا أيضا. غسلت وجهي ونظفت أسناني، وفي ذلك الوقت الباكر من الصباح، وجدتني غير قادر على الاستحمام مع درجة الحرارة المنخفضة في الخارج. في غرفتي وجدتني في حيرة من أمري: "وماذا بعد؟". أخذت أغيّر قنوات التلفاز. لا شيء يثير الاهتمام. جلست أمام اللابتوب أتصفح الانترنت. نبهني جوعي إلى فراغ معدتي. كنت جائعا. لم يقدموا لي شيئا على العشاء ليلة البارحة. تراهم جهزوا لي هذه الغرفة المتكاملة ونسوا حاجتي للطعام؟ فتحت الثلاجة الصغيرة في زاوية الغرفة. علب حليب. عصير برتقال.. مانجو ومشروبات غازية. قناني مياه معدنية. فواكه.. تفاح.. برتقال وأناناس! أطبقت باب الثلاجة ما إن وقع نظري على ثمرة الأناناس، مسترجعا حكاية پينيا وهذيان ميندوزا.

أمسكت بالهاتف الذي أعطتني إياه عمتي هند. هاتف نوكيا جديد

بكاميرا أمامية وأخرى خلفية. ترددت بالاتصال بخولة أطلب منها شيئا آكله. هممت أتصل بغسان أسأله ماذا أفعل، إلا أن طرقات على باب غرفتي أوقفت اتصالي. فتحت الباب. كان بابو واقفا بوجه صارم الملامح. قال: "تعال"، ثم أدار لي ظهره يمشي باتجاه المطبخ. الكلمة ليست جديدة على الإطلاق. تا-آل، اسم البركان الشهير في باتانغاس. وقفت عند باب غرفتي غير مدرك إلام كان يرمي الهندي العجوز، أتراه بالفعل كان يعني بركان باتانغاس؟ عاد إلى مطبخه من دون أن يلتفت وراءه. بقيت واقفا في مكاني. أنظر إلى المطبخ المتصل بملحق البيت. أطل بابو من النافذة. أشار لي بيده وهو يصرخ: "تعال!". يبدو أن البركان يوشك أن يلفظ حممه! ذهبت إلى حيث أشار. سحب كرسيا أمام طاولة صغيرة، ثم وضع كوب حليب بين أطباق عدة.. بيض مقلي.. مسلوق.. جبن.. زيتون.. شرائح طماطم وخيار. أشار لي بالجلوس، ثم أدار ظهره مواجها موقد الطبخ معاودا عمله. أخذت آكل بصمت. "لو أن خولة تشاركني الطعام"، قلت في نفسي. دخلت الخادمة الفلبينية، قبل أن أفرغ من طعامي، تحمل صينية كبيرة مستديرة بأطباق تحتوي على بقايا طعام، لا يختلف كثيرا عما قُدّم لي. ابتسمت لي الخادمة. "كيف أنت؟"، سألتني بلغتي التي افتقدها. أجبتها: "أنا بخير". التفت بابو إلينا يخفي ابتسامته، وكأنه ليس ذلك الذي دعاني إلى الطعام بوجه عبوس. أشار نحوي ثم خاطب الخادمة بالعربية. انفجرت ضاحكة. سألتها: "ماذا قال؟". أجابت: "يقول بابو ان السيّدة الكبيرة كانت تسخر منهم إذا ما شاهدتهم يتابعون الأفلام الهندية، كيف تصدقون تلك القصص، كانت تقول لهم، وها هو اليوم حفيدها يعود بقصة مشابهة للأفلام الهندية!".

باغتتني بقولها: "حفيدها"! هذا كلام يخالف ما أخبرتني به خولة عن جهل الخدم بحقيقة أمري!

- وكيف عرفتِ ذلك؟!

239

سحبت كرسيا لتجلس أمامي عند الطاولة. قالت:

- لا تكن مثلهم أنت أيضا!.. انهم يعاملوننا على اننا لا نشعر ولا نفهم.

- تعنين أن شعورا بداخلكم هو الذي أوصلكم إلى هذه الحقيقة؟ هزّت رأسها نافية. وقبل أن تواصل حديثها دخلت الخادمة الهندية العجوز تبتسم. تحمل في يدها مكنسة وسلة بلاستيكية. أشارت الخادمة الفلبينية نحو الهندي العجوز تقول:

- اتهمت السيّدة الكبيرة بابو، قبل سنوات طويلة، بأنه هو المتسبب بحمل جوزافين.

شـلتني الصدمـة مسترجعا كل مـا حدثتني به أمي. أشـارت نحو الهندية العجوز. قالت تعرفني إليها:

- لاكشمي.. زوجة بابو، هي الخادمة البديلة لأمك بعد أن طُردت مـع أبيـك، وهـي أول مـن شـاهدك محمولا بين يـديّ والدك عندما جاء لزيارة السيّدة الكبيرة بعد أشهر قضاها خارج البيت.

كانت الابتسامات على وجوههم. سألتها:

- وهل يعلم أفراد البيت أنكم على علم بذلك؟

- كلا.. نحن لا نشعر ولا نفهم.

حمل بابو الأطباق من على الطاولة. "ميري.. لوزا.."، جاء الصوت مـن الخـارج. كانـت جدّتي تنـادي. انصرفت لاكشـمي وهمّت الخادمة الفلبينية تتبعها. قلت لها:

- شكرا لوزا.

استدركت. قلت لها:

- بالمناسبة.. اسمك غريب!

عند باب المطبخ توقفت. التفتت إليّ:

240

- اسـمي لوزڤيميندا، لم يعجب السـيّدة الكبيرة، استبعدت بعض الحروف وأبقت على بعضها.

"لوزاااا.. لوزاااا"، كررت جدّتي نداءها، ثم ألحقته بكلمة تشـبه الكلمة التي يصيح بها الببغاء كلما نادى على الإسم ذاته.

"حاضر سيّدتي"، أجابت لوزڤيميندا، ثم خرجت مسرعة. عدت بكرسـيي إلى الوراء أهمّ بالوقوف. أطلت لوزڤيميندا من باب المطبخ، في حين كان جسدها في الخارج، تقول:

- ولاكشمي أيضا، لم يعجب السيّدة العجوز، يمكنك أن تناديها ميري كما تفعل جدّتك.

ضحكـت ثـم انصرفـت مسـرعة. تركـتُ المطبخ بعد أن شـكرت العجـوز بابـو علـى إفطـاره الشـهي. تمـددتُ على سـريري فـي غرفتي مرددا بيني وبين نفسـي: "لوزڤيميندا، لوزڤيميندا، لوز..ڤيـ..ميندا"، هذا الاسـم الفلبيني الصِرف. لماذا لم تحمل تلك الخادمة أي اسـم إسـباني أو انجليزي مثل الكثير من الفلبينيات.. تريزا.. ميرسـيدس.. مارلين أو آنجلين؟

الفلبين، بأقسـامها الجغرافية الثلاثة، لوزون شـمالا، ڤيسـاياس في الوسط ومندناو جنوبا. بالعودة إلى الأحرف الأولى من كل قسم يتشكل الاسم.. لوز- ڤي- ميندا.

قـررت أن أناديهـا، كمـا اختـارت لهـا جدّتـي، لوزا، كـي لا تظهر خارطـة الفلبيـن أمامـي كلما ناديتها، وأنا فـي أمس الحاجة للتعرف إلى خارطة جديدة. تذكرت شتاتي مع الأسماء. أنّبني ضميري. تراجعت عن قراري واستبقيت اسم لوزڤيميندا كما هو.

* * *

(12)

على هذا النحو قضيت الأشهر الأولى في منزل جدّتي غنيمة. أتناول وجباتي الثلاث في المطبخ. يتجنبني الخدم في فناء البيت ولا يتحدثون إليّ، ويتغيرون تماما إذا ما اجتمعنا في المطبخ بعيدا عن أعين الآخرين. يتحدثون معي ويعاملونني معاملة طيبة باستثناء راجو السائق الذي كان يتجنبني. هو الوحيد الذي لم يكن يعرف شيئا من أمري، كما أن علاقته لم تكن طيبة مع بقية الخدم الذين طالما حذروني منه. بدأت بالتقاط السهل من الكلمات العربية، أفهم بعضها وأستخدمه أحيانا على الطريقة التي يتفاهم بها الخدم مع أفراد البيت أو فيما بينهم، خليط من إنكليزية وعربية ركيكة.

في غرفتي كنت أقضي وقتي متابعا التلفاز وأفلام الـ DVD أو بتصفح الانترنت. كنت قد قمت بفتح حساب بالبريد الإلكتروني لـ ميرلا. أرسلت لها عبر الهاتف عنوان بريدها الإلكتروني والرقم السري الخاص لفتحه، ما سهّل من تواصلي معها. كم كنت أشتاق إليها.. ميرلا.. الحب الممنوع. كنت أقضي كثيرا من الوقت في الكتابة لها أو الرد على رسائلها.

أخرج مع مغيب الشمس أمشي في المنطقة، أصل إلى السوق المركزي، أتسكع بين المحال التجارية التي تحيط به، ثم أقضي حوالي ساعة في شارع المشاة المطل على الشارع الرئيسي. شارع المشاة طويل، لا يميزه شيء. تصطف البيوت الكبيرة على أحد جانبيه، وفي الجانب الآخر يمتد الشارع الرئيسي. في مكان ما، في شارع المشاة، لا يتجاوز طوله مائتي متر، تنتشر الأشجار بشكل جميل على الجانبين. كان هذا مكاني المفضل. تحت لافتة زرقاء كبيرة مكتوب عليها "شارع دمشق"

كنت أجلس. أدير ظهري لبرادة ماء من تلك البرادات التي تنتشر بكثرة في شارع المشاة، يتبرع بها الأهالي لتسد عطش المشاة أو العمال في النهارات المشمسة. كنت أجلس على الأرض مواجها الشارع الرئيسي، وورائي مساحة ترابية تخلو من البيوت. السيارات في الشارع الرئيسي تنطلق بسرعة. أصواتها مزعجة، ولكنني مضطر لتحمل ضجيجها من أجل بقائي قرب الأشجار. هو المكان الأفضل مقارنة مع غيره. كنت أنظر إلى المساحة الترابية ورائي وأحادثني: "لو كانت لي.. لزرعتها بالمانجو والجاكفروت والأناناس والموز وجميع الأشجار التي تنبت في أرض ميندوزا".

خولة كانت تزورني كل يوم، ولكنها لا تدخل غرفتي، تكتفي بالوقوف عند الباب، نتبادل الحديث لساعات أحيانا على هذه الحال، من دون أن يقترب أحدنا من الآخر. أثناء أحاديثنا أنا وخولة، كنت أستمع بين حين وآخر إلى صوت انزلاق النافذة العلوية في مجرى إطارها. كانت جدّتي غنيمة تطل من غرفتها، تراقبنا وتطمئن إلى أن خولة لا تدخل غرفتي. خولة لا تخرج كثيرا. تذهب إلى المدرسة صباحا. تخرج مع عمتي هند أحيانا إلى السوق أو المقاهي. نادرا ما تلتقي والدتها، لأن ماما غنيمة لا تطمئن لبقاء حفيدتها في بيت رجل غريب. كما أن زوج إيمان يرفض أن تزور زوجته بيت زوجها السابق. أما خولة فليس لها سوى الهاتف أو اللقاءات السريعة التي تجمعها بأمها في الخارج.

تنازلت لي عمتي هند عن حصتها من راتب والدي الشهيد الموّزع عليها هي وجدّتي وأختي. ورغم أن لي حصة في هذا الراتب فإنني لم أطالب به. أصبحت عمتي ترسل الخدم في أوقات مختلفة ببعض الهدايا والملابس وبطاقات تعبئة الهاتف النقال كي أتمكن من التواصل مع أهلي في الفلبين. كنت أرسل لها رسالة عبر الهاتف كلما جاءني الخدم بهداياها: "شكرا عمتي هند"، وكانت ترد بكلمة واحدة:

"عفوا". اصطحبتني ذات يوم إلى جهة حكومية خاصة بالوثائق الرسمية. قدّمتْ لهم أوراقا وتسلمتْ أخرى. في زيارة لاحقة للمكان ذاته خرجنا بشهادة جنسية. دفتر صغير بأربع صفحات. غلافه أسود يحمل كلمات عربية باللون الذهبي، يتوسطه شعار كالذي تحمله الأوراق النقدية. على الصفحة الثانية صورة شخصية لي، أسفلها كلمات عربية. "بصفة رسمية.. أنت كويتي"، قالت عمتي هند من دون أن تلتفت نحوي في حين كانت تقود سيارتها إلى البيت. قلت في نفسي: "وبصفة عائلية.. ماذا أكون؟". لم ألتق عمتي هند سوى مرات قليلة جدا، أغلبها مصادفة في فناء البيت الداخلي، وعلى ذلك فقد كنت أشاهدها بين حين وآخر على شاشة التلفاز تتحدث في أمور لا أفهمها.

عمتي عواطف ونورية تزوران جدّتي كل أسبوع مع زوجيهما وأبنائهما، وفي وقت الزيارة كان يمنع عليّ الخروج من الغرفة خشية أن يعلم كل من أحمد وفيصل، زوجا عمتيّ، بأمري. رغم ان عمتي عواطف أبدت تعاطفها معي، إلا انها انصاعت لأختها نورية: "أحمد وفيصل صديقان، إذا علم أحمد زوجك بأمر الفلبيني قد يصل الأمر إلى زوجي فيصل.. لن تلومي إلا نفسك إذا حدث ذلك". ضعيفة كانت عمتي عواطف. أهدتني ذات يوم، عبر خولة، نسخة من القرآن باللغة الإنكليزية وسجادة صلاة، اختفت بعدها انصياعا لأمر نورية، ولكنها كانت تسأل عني باستمرار كما فهمت من خولة: "هل يُصلي؟". لم أقترب منهم. كان الحل في خروجي من المنزل يوم الزيارة، حيث أصبحت الزيارة العائلية تتزامن مع زيارتي لغسان. يأتي ليأخذني من البيت. نتناول طعامنا في الخارج أو في شقته أحيانا.

في فصل الصيف، تقضي جدّتي عطلات نهاية الأسبوع، الخميس والجمعة، في الشاليه بصحبة عمتي وأختي. كانت جدّتي تسمح لي بمرافقتهن إذا ما علمت أن أحدا من أحفادها لن يقضي العطلة في الشاليه.

لم تكن جدّتي لتوافق على احتكاكي ببقية أحفادها، ولا أن يعرفوا شيئا من أمري، لأن السمكة الفاسدة، كما تقول، تُفسد بقية الأسماك. لست أدري، هل ألوم خولة على إخباري بكل ما تقوله جدّتي عني أم أشكرها؟ كانت صريحة معي، وكانت صراحتها رغم كل شيء قاتلة.

خصصت لي عائلتي غرفة ملحقة بالشاليه، في الاتجاه المعاكس للبحر. لم يكن مسموحا لي بدخول الشاليه أو الاقتراب من البحر خصوصا إذا ما كانت نورية موجودة. كانت رحلتي الأسبوعية إلى الشاليه تشبه الذهاب إلى السجن. ننطلق في سيارتين. الأولى لجدّتي وأختي تقودها عمتي هند، والثانية لبابو ولاكشمي ولوزڤيميندا يقودها راجو. وليس من الضروري أن أشير في أي من السيارتين كنت أذهب.

البحر جميل في الليل، وفي الحقيقة لم أره في وقت آخر كي تتسنى لي المقارنة، لأنني كنت طيلة النهار حبيسا في الغرفة الكئيبة أقتل الوقت بواسطة اللابتوب. ذات ليلة من ليالي عطلات نهاية الأسبوع تركت غرفتي متجها إلى البحر. مررت على مظلات ثلاث كبيرة. أسفل الأولى مولد كهرباء كبير يُستخدم إذا ما انقطع التيار الكهربائي عن الشاليه. أسفل المظلة الثانية سيارة جيب قديمة غطاها الغبار إلى درجة تجعل من تمييز لونها أمرا مستحيلا. أما المظلة الثالثة فقد كانت لمركب صغير. وقفت أمامه أتفحصه. "لابد أن يكون هو!"، قلت في نفسي. كم من حكايات شهدها هذا المركب القديم وكم من شخص حمل.. أبي وغسان ووليد.. أسماك كثيرة.. أمعاء الدجاج و.. أمي.

أدرت ظهري للمركب هاربا من ذكريات لم أساهم في صنعها. إلى الشاطئ حثثت الخطى. رغم رطوبة الجو كانت رمال الشاطئ باردة. مياه البحر تنحسر في الجزر، تاركة الرمال نظيفة على مستوى واحد. لولا المدّ والجزر لربما بقيت آثار خطوات أمي هنا شاهدة على بداية مأساتي.

جلست على الرمال الرطبة. الهدوء والظلام وصوت الأمواج

البعيدة ورطوبة الجو أحالوني إلى بوراكاي. كان ينقصني اللون الأزرق، ولكن الظلام يحيل كل شيء إلى لونه.. أسود. يبدو زمنا طويلا يفصلني عن تلك الأيام. للمسافات المكانية أبعاد أخرى نجهلها، يتمدد خلالها الزمن، كلما ابتعدنا بالمسافة يوغل الزمن في البُعد، أو هكذا نشعر. لم أكد أصدق، في ذلك الوقت، أنني كنت منذ أقل من سنة في بوراكاي. أطلقت نظري في عمق الظلام حيث لا خط يفصل بين البحر والسماء، وكأنني أبحث عن ويليز-روك، صخرة بوراكاي الشهيرة، ولكن لاشيء يستفز الظلام هناك سوى وميض أحمر كان والديّ يبحران باتجاهه ذات يوم. تركت الشاطئ عائدا إلى الغرفة.

* * *

(13)

ذات يوم، طرقت خولة باب غرفتي في ملحق البيت. قالت أن راجو أخبر جدّتي أنني كثير الكلام مع الخدم، لذا فهي غاضبة جدا. "كيف أتجنبهم وأنا أتناول طعامي في المطبخ؟"، قلت لها. أجابت باسمة: "لا داعي للاحتكاك بهم.. لهذا السبب قررت جدّتي أن تشاركنا الطعام في الداخل". ابتسمت. اتسعت ابتسامتي: "حمدا للّه على لؤمك يا راجو"، قلت في نفسي.

جُنّ راجو، يسأل بقية الخدم عن سبب وجودي في البيت، ولكنهم كانوا يتظاهرون بعدم المعرفة وبأنهم مثله يجهلون أمري.

في وجبة الغداء الأولى، مع جدّتي وعمتي وأختي، وجدتني غير قادر على وضع شيء في فمي. كانت خولة تقرّب الأطباق إليّ، تغرف من المائدة الكبيرة الرز الأصفر وتضعه في طبقي.. قطعة دجاج.. صلصة طماطم.. سلطة.. رقائق مثلثة الشكل محشوة بالجبن والخضار واللحم.. شيء يشبه الرز المهروس برتقالي اللون وأنواع أخرى من الأطعمة. جدّتي لا تنظر باتجاهي على الإطلاق، وكأنني لست موجودا. تكوّر الرز بأطراف أصابعها وتأكل بصمت. سرحتُ أفكر في ماما آيدا وأمي وأدريان، الرز الأبيض وصلصة الصويا والموز المشوي وأقدام الدجاج المقرمشة. طعام الفقراء كان لذيذا لأن ملحه وتوابله في الحميمية التي تجمعنا حوله. طعام الأغنياء لا طعم له مع الوجوه الصامتة. نبّهتني عمتي هند: "لماذا لا تأكل؟"، ارتبكت، فقد كنت أسأل نفسي السؤال ذاته، ما الذي يمنعني من الأكل وأنا أتضور جوعا؟.. "لا أشعر بالجوع عمّتي"، أجبتها. كانت هذه المرة الأولى التي أنطق فيها في حضرة جدّتي. من دون أن تلتفت إليّ، فتحت ماما غنيمة عينيها على اتساعهما. رفعت يدها

عن طبق الرز أمامها. حسبتها رأت حشـرة في طبقها. وضعت مرفقها على الطاولـة وأسـندت جبينهـا على ظهر كفّهـا. ارتبكت. نظرت خولة وعمتي هند إليّ. قلت لهما: "أتمنى ألا أكون قد قلت شيئا أزعجها!". لم أفرغ من كلماتي حتى وجدتُ جدّتي تمسك بطرف الشـال الملقى حـول رقبتهـا بإهمـال تغطي به وجهها. انخرطت تبكي من دون صوت. جسدها يهتز بقوة. رجعت عمتي هند بكرسيها إلى الوراء، وقفت تضع كفها على كتف جدّتي تحدثها بلطف والأخيرة تجيب وسط بكائها في حين كانت تستر وجهها بشالها لا تزال. ابتسمت عمتي هند. قبّلت رأس جدّتي وربّتت علـى ظهرها. خولة كانت تبتسـم وتمسح دموعها بظهر كفهـا. التفتت عمتي هنـد إليّ، أنفهـا أحمر، وعيناها تلمعـان بالدموع. قالت: "أمي تقول.. لك صوت أبيك".

تعمدت خولة أن تتحدث إليّ لأجيبها وتسمع جدّتي صوت راشد يخرج من حنجرتي. أمسكت ماما غنيمة بكأس الماء تشرب وهي تستمع إليّ مـن دون أن تنظـر باتجاهي، ومن دون أن تفهم كلماتي الإنكليزية. عيناها تنظران إلى لا شيء، أو لعلها كانت تنظر إلى وجه ولدها الوحيد في مخيلتها. كأس الماء في يدها لا تزال. تهزّ رأسها بأسف والمرارة على وجهها. بكفها اليسـرى أخذت تمسـح دموعها. مسـحت كل شيء عدا شهقاتها المكتومة.

فـرغ الجميـع مـن الأكل. انصرفت ماما غنيمة إلى غرفة الجلوس تسندها عمتي هند. جلست إلى أريكتها في الزاوية بعد أن مدت ساقيها فوق طاولة صغيرة أمامها. كنت قد شـرعت في الأكل، وكان طعمه قد تغيّر في فمي. كـم كان لذيذا. كنت أراقب جدّتي في زاويتها. سـألت خولة: "لماذا تسند ساقيها إلى الطاولة هكذا؟"، أجابت بأسف: "مسكينة ماما غنيمة.. تعاني من خشونة ومشاكل في مفاصل الركبة".

* * *

بعد الغداء، وبعد عودتي إلى الغرفة. طلبت من لاكشمي أن تحضر لي منشفتين صغيرتين ووعاء مليئًا بالماء الساخن. اتصلت بخولة بعد الغداء بحوالي نصف ساعة أسألها أن تخبر جدّتي بأنني أريدها في أمر ما. استغربت أختي. فتحت لي الباب الزجاجي ثم وجدتني أقف أمامها حاملا وعاء الماء الساخن والمنشفة. "إن كنت تريد أن تغسل السيارات فهي تحت المظلات هناك!"، مجنونة خولة، سريعة البديهة، ذكية، مرحة. طلبت منها أن تحضر لي زيتا، "ماذا تريد أن تفعل يا عيسى؟!"، قالت باستغراب. "ستعرفين فيما بعد"، أجبتها. كانت تنظر إليّ والريبة في عينيها: "من أين أجيء إليك بالزيت؟"، صمتت قليلا ثم قالت: "زيت الطهي ينفع؟"، نظرت إليها محبطا، تداركت: "زيت الزيتون؟". وافقتها على اقتراحها الأخير. نادت خولة على الخادمة: "لوزاااا.. لوزاااا"، ومن آخر غرفة الجلوس، عند المدخل الرئيسي، جاءنا صوت الببغاء ما إن سمع اسم الخادمة، يصيح بالكلمة التي يلحقها دائما باسم لوزا. سألت خولة: "جدّتي والببغاء يصيحان بالكلمة ذاتها بعد أن يناديا على لوزڤيميندا، ماذا تعني هذه الكلمة؟". احمرّ وجهها. وضعت كفها خلف رأسها عاقدة حاجبيها. قالت والخجل يصبغ وجهها بالأحمر: "حمارة". كررتُ الكلمة كما قالتها بالعربية: "حمارة؟".

"نعم سيّدتي"، كانت لوزڤيميندا ورائي تسأل خولة حاجتها. طلبت منها أن تحضر من المطبخ زجاجة زيت الزيتون.

* * *

رفضت جدّتي في البدء، ولكن خولة ألحّت عليها. قبلت طلبي على مضض. كانت تمد ساقيها على الطاولة الصغيرة. جلستُ فوق الأرض على ركبتيّ. غطست المنشفتين في الماء الساخن ثم لففت ساقيها بهما. أخذت أضغط بكلتا يديّ فوق المنشفتين. كانت تنظر إليّ بنظرة عدم ارتياح. طلبت من خولة أن تضع إحدى الوسادات خلف

رأس جدّتي وأن تطلب منها أن تسند ظهرها إلى الوراء وتغمض عينيها. واصلت الضغط إلى أن سقطت آخر قطرة ماء من المنشفتين. أزحت الطاولة الصغيرة من أمامها. وضعتُ إحدى قدميها على ركبتي وأسندتُ الأخرى فوق كتفي مثل بازوكا. أمسكت ماما غنيمة بطرف شالها ثم رفعته تغطي به وجهها. "جدّتي تشعر بالخجل"، همست خولة في أذني وهي تكتم ضحكتها. أخرجتُ زجاجة الزيت من وعاء الماء الساخن. سكبت كمية كافية على ساقها المسندة إلى كتفي. شبكتُ أصابعي وأحطت ساقها بكفيّ أضغط برفق، بدءا من كاحلها، مرورا بساقها، وصولا إلى ركبتها الخشنة. أحيطها بأطراف أصابعي أدلكها برفق. أزحت ساقها عن كتفي مسندا إياها إلى ركبتي. أمسكت بقدمها بكفيّ، أضغط باطنها بإبهاميّ. تتخلل أصابع كفي أصابع قدمها. أحكم قبضتي. أواصل الضغط. تشرع جدّتي بشخير ناعم. قرّبتُ الطاولة أسند ساقها إليها. توقف شخيرها. قالت شيئا لم أفهمه. نظرتُ إلى خولة أستوضح الأمر. أوضحت: "ماما غنيمة تقول.. لا تنسَ ساقها الأخرى". هززت رأسي بسعادة: "بالطبع بالطبع".

لو كان تدليك ساقيها يقربني إليها لقضيت عمري كله في هذا العمل.

* * *

(14)

في العشـرين مـن يونيو 2006 هاتفني غسـان يطلـب مني مرافقته إلى مكان ما: "غيّر ملابسك.. سوف آتي لآخذك خلال دقائق". غيرت ملابسي على عجل وانتظرت وصوله في غرفتي. لم يتأخر. سمعت بوق محبوبته. ركبت السيّارة وانطلق بي إلى حيث أراد أن يأخذني. في الطريق سألني: "هل تتذكر أبا فارس الذي أخبرتك عنه؟". تذكرت الاسم على الفور، ذلك الشاعر الذي تم أسره زمن الحرب بسبب قصائده وأغنياته المحرِّضـة علـى المقاومـة والصمود. أخبرني غسـان انـه ذاهب ليودعه الوداع الأخير حيث سيتم دفن رفاته في الكويت بعد أن عُثر عليها في مقبـرة جماعيـة بالقـرب من كربلاء في العراق. لم أتوصل لسبب واحد يدعو غسان لاصطحابي معه. لماذا؟ لم أسأله، ورغم ذلك أجاب على سؤالي الصامت من تلقاء نفسه: "أريدك أن ترى كيف استُقبل والدك قبل أشهر استقبال الأبطال.. وهي مناسبة أيضا لتزور قبره". شعرت بانقباض في صـدري. لمـاذا عليّ أن أتعلق بذكـرى هذا الرجل أكثر؟ لماذا عليّ أن أحبه أكثر؟ لماذا الآن وهو لم يعد هنا؟ لماذا أتعذب من أجل رجل شـاهدته في زمن ما قبل الذاكرة؟ فخور به أنا بلا شـك، ولكن حزني بدّد كل شعور آخر.

في مكان مشابه لذلك الـذي شـاهدت فيه جموع النـاس، عبر التلفـاز، تـودّع أميرهـا في اليوم التالي لوصولي إلى الكويت، كان مكان دفن رفات الأسـرى الشهداء. مساحة رملية كبيرة. تنتشـر ألواح القبور في خطوط أفقيـة. أناس كثيرون جاؤوا لتوديع أحبتهم. رجال ليس من بينهم امـرأة، بالـزي العسكري. شـخصيات مهمة، على مـا يبدو، تلك التي رأيتهـا بالثياب التقليدية والعباءات ذات الحواشـي الذهبية بألوانها

251

المختلفة.. سوداء.. بنية ورمادية. رفات الشهداء مغطاة بعلم الكويت كما في الصورة التي رأيتها عبر التلفاز للأمير الراحل يوم وصولي. سألت غسان إن كان والدي التحف بعلم بلاده مثلهم. هزّ رأسه إيجابا. أحببت العلم، ومنذ تلك اللحظة أصبح علم الكويت.. علمي.

وجه غسان الحزين، كما هو حزين، إلا أن دموعا زادت من حزنه حزنا انتقل إليّ كالعدوى. كثير من الناس كانوا ينظرون إليّ. يتهامسون. يستغربون وجودي على ما يبدو. تبًا لهذا الوجه. تعددت أسمائي وبقي وجهي صامدا كما هو يثير دهشة الناس من حولي.

أحدهم يمد كفه لغسان يصافحه. أحدهم يقبله. آخر يحضنه بجسد يهتز كاتما بكاءه. أبعد كل تلك السنوات يبكون موتاهم؟!

انتهت مراسم الدفن. انفضَّ الرجال واحدا تلو الآخر. أشار غسان نحو مكان ليس ببعيد: "سيكون راشد سعيدا بلقائك.. أقسم أنه يستمع إلى وقع أقدامنا الآن تقترب منه". اقشعر بدني. شيء كدبيب النمل أخذ يسري في رقبتي صعودا إلى صدغيّ. خطواتي إلى قبر أبي ثقيلة. عند القبر أقعى غسان يتلو صلاة. "سأذهب بالسيارة لزيارة قبر أمي وأبي.. لن أتأخر"، قال بعد أن فرغ من صلاته. ثم.. وحيدا وجدتني في حضرة أبي. التفتُّ ورائي حيث غسان يمشي بحذر بين القبور باتجاه سيارته. كيف لا يسكن الحزن وجهه وكل أحبته يسكنون القبور؟

جلست على التراب إلى جانب القبر. وضعت كفّي على سطحه. أطبقت قبضتي على حفنة تراب: "بابا..". لو أنني لم أبدأ بهذه الكلمة لما انفجرت باكيا. وجدتني اختنق بالكلمات. مرَّت أمامي صوره التي شاهدتها في درج غسان وفي حقيبة أمي. كل السعادة والجنون والحب والشجاعة في قلب هذا القبر. ارتعشت شفتاي. كررت: "بابا". ولأن لي صوت أبي، وجدتني من دون قصد أجيبني: "هذا أنت يا عيسى؟". هززت رأسي باكيا: "نعم.. هذا أنا.. لقد عدت إلى الكويت بابا". "انني

أرقد الآن بسـلام يا ولدي". الدموع انسـابت من عينيّ بسـخاء. مسحتها بكفّي المتربة. استحالت دموعي طينا على وجهي. نشيجي غلب قدرتي على الكلام. لم أقوَ على قول شيء. لم أقل له أنني أحبه وأحتاجه.. أنا منبوذ.. جدّتي متورطة بي وعمّاتي لا يعترفن بوجودي.. أنا وحيد.. أنا ضعيف.. لم أقوَ على قول ذلك، أو انني أردته أن ينعم بالسلام ما دام غير قادر على فعل شيء.

محبوبـة غسـان تنـادي. انتصبت واقفا. أدرت ظهـري للقبر متجها إلى السيّارة مـن دون أن ألتفـت إلى الوراء. أثناء طريـق العودة، كنت أحاول عبثا أن أكتم شـهقاتي. غسـان لم يفُه بكلمة. عند وصولنا قرب منزل جدّتي سـألني: "هل أنت على ما يرام؟". "نعم أنا بخير"، أجبته. أشار بعينيه إلى يدي: "لماذا تحكم قبضتك هكذا؟". فتحت كفّي: "حفنة من تراب أبي".

مسح غسان بيده على رأسي مثل كلب أليف.

❊ ❊ ❊

(15)

"عيسى.. عيسى.. عيسى"

تتردد هذه النداءات كل يوم تقريبا. تخرج من نافذة ماما غنيمة في الدور العلوي، تعبر الفناء الداخلي، ثم تتسلل إلى غرفتي. أصبحت جدّتي تتقبلني أكثر مما مضى. يبدو أن قبولي لديها قد بدأ من الأسفل، من قدميها، مرورا بساقيها، وصولا إلى ركبتيها. "هذا جيّد إلى حد ما"، كنت أقول لنفسي، وعما قريب سأتجاوز ركبتيها صعودا إلى قلبها. ليتني أستطيع تدليكه، لعلّه يلين. لا أريد شيئا أكثر من ذلك. حصلت على مال كثير. كثير جدا، فقد خصصت لي جدّتي راتبا شهريا قدره مئتيّ دينار، هذا غير ما يصلني من عمتي هند عن طريق الخدم. أصبحت أرسل لأمي وماما آيدا المال كل شهر. أشترت أمي جهاز كمبيوتر سهّل من تواصلي معها عبر الإيميل والمحادثات الإلكترونية وعبر كاميرا الانترنت التي تنقل محادثاتنا بالصوت والصورة. كانت جدّتي سخية. تغدق علي المال من دون أن أطلب.

لماما غنيمة شخصية غير التي تظهر بها عادة. شاهدتها ذات يوم، صدفة، من دون ان تشعر بوجودي، بمنظر لن أنساه أبدا. هذه المرأة الجبارة الصارمة التي لا تعرف الإبتسامة طريقا إلى شفتيها، تعشق الموسيقى بشكل غريب، ليست الموسيقى التي أعرف. نوع من الفنون الشعبية له اسم يشبه الـ "ساموراي"[27]، حدثتني عنه خولة ذات يوم. ضَحِكتْ حين سألتها: "أهو فن ياباني؟"، سخرت من جهلي: "أنت لا تفهم شيئا!". ذات العبارة التي طالما رددتها ميرلا على مسمعي كلما

---

(27) السامري: فن غنائي شعبي من الشعر النبطي وهو من الفلكلورات القديمة في الجزيرة العربية، يعتمد على صوت الدفوف.

سألتها عن شيء أجهله.

كنت في طريقي إلى المطبخ. مررتُ أمام الباب الزجاجي. كان مواربا. شاهدت من خلاله جدّتي بوضع غريب. اقتربتُ من الباب أسترق النظر. كان التلفاز أمامها يبثُ أغنية من النوع إياه. يظهر في الشاشة رجل عجوز[28] يجلس مقرفصا على أرض مفروشة بقطع من السجاد الأحمر. وجهه أملس ناعم. يرتدي غطاء الرأس الأبيض مثبّتا إياه بحلقة سوداء دقيقة مع جاكيت أزرق فاقع فوق الثوب الأبيض التقليدي. يحمل بين يديه آلة العود. يغطي عينيه بنظارة شمسية رغم وجوده في أستوديو مغلق. عن يمينه رجل يعزف على الكمان، وعن يساره رجل يعزف على آلة تشبه الـ غوزهينغ. حوله يجلس رجال يرتدون الثياب البيضاء، ونساء يرتدين أثوابا غريبة الشكل، لكل ثوب لون مختلف، تتشابه ثيابهن في اللون الذهبي الذي يحيط صدورهن. نساء أخريات يرتدين عباءات سوداء تشبه تلك التي ترتديها ماما غنيمة عند الخروج. عزف جماعي وغناء متناغم. بعضهم يصفق، والبعض يغني خلف الرجل ذي الجاكيت الأزرق، والبعض الآخر يحمل طبولا لها أشكال غريبة. كانت ماما غنيمة مستسلمة تماما للأغنية. تمسك بشالها الأسود، تغطي نصف وجهها الأسفل. تتمايل بجزئها العلوي على إيقاع الأغنية بشكل منسجم في حين بقي جزءها السفلي ثابتا. ساقاها ممدودتان إلى الطاولة الصغيرة كما هما دائما. رأسها يميل إلى الأمام بحركة متناغمة مع كتفيها، والشال لا يزال أمام وجهها، تثبت طرفه بين إصبعيها. تميل بجذعها جانبا، ثم تعود بحركة بطيئة تميل إلى الجانب الآخر، مستسلمة تماما للأغنية مثل أفعى كوبرا تتمايل أمام عازف مزمار. يالها من امرأة، حتى في رقصها هيبة رهيبة. لم أملك

(28) محمود عبد الرزاق النقي 1982-1904، فنان شعبي شهير، معروف باسم محمود الكويتي. من أشهر أغانيه (البوشية) و(العيد هلّ هلاله).

سوى أن أحبس أنفاسي وأنا أشاهدها تمارس طقسها.

* * *

بعد أن كان دخولي إلى البيت مقتصرا على غرفة الجلوس وغرفة الطعام المفتوحة عليها، أصبحت أدخل إلى غرفة ماما غنيمة، كل يوم. تغطي وجهها بشالها الأسود ممددة على سريرها تاركة لي مهمة تدليك ساقيها. أقضي ما لا يجاوز الساعة. تبدأ وصلة شخيرها. أنسحب. أمضي بقية الوقت مع خولة في غرفة الجلوس.

أعلى السُلم، كنت أهمّ بالنزول. خولة مستلقية في غرفة الجلوس تتحدث في الهاتف، بالإنكليزية، كعادتها في الحديث مع صديقاتها. لأول مرة أشاهدها من دون حجاب يغطي شعرها الأسود الطويل. جميلة أختي. تشبه إلى حد كبير عمتي هند. نزلت درجات السُلم بهدوء، وما إن وطأت قدماي أرض الطابق الأرضي حتى انتبهت خولة لوجودي. صرخت. حملت وسادة، كانت إلى جانبها فوق الأريكة، تحجب بها رأسها. "عيسى!.. انتظر انتظر!". أدرتُ لها ظهري وكأنني قد اقتحمت غرفة نومها في حين كانت تغيّر ثيابها: "حسنا.. تفضل الآن"، قالت بعد أن ارتدت حجابها. جلستُ إلى جانبها على الأريكة:

- هل يمنع الإسلام أن أراكِ حاسرة الرأس؟

شبكت أصابع كفّيها وأخذت تحرّك ساقيها في الهواء كطفلة. قالت:

- في الحقيقة، الإسلام لا يمنع ذلك مع المحرم.

- محرم؟

- نعم محرم. الزوج، أو الأشخاص الذين لا يصح لي الزواج بهم. الأب.. الجد.. الأخ والإبن.. وبعض الحالات الأخرى.

شبكت أصابعي، وأخذت أحرّك ساقي في الهواء كما تفعل:

- إذن!.. لا داعي لحجابك هذا لأنني أخوكِ!

توقفت عن هزّ ساقيها. مطّت شفتيها. قالت:

- ليس بعد.. لا يزال الوقت مبكرا لأشعر بهذه الأخوّة..

توقفت عن هزّ ساقيّ. التفتت إليّ. واصلت:

- حتى لو كان والدنا على قيد الحياة.. سوف يحتاج إلى وقت ليتقبلك ولدا.

أزعجتني كلماتها. قلت نافيا:

- هذا غير صحيح..

هزّت رأسها إيجابا تقول:

- يقول ماركيز.. ان حب الأولاد ليس نابعا من كونهم أبناء، وانما منشؤه صداقة التربية.

نظرتُ إليها كالأبله:

- من هو ماركيز؟

فتحت عينيها على اتساعهما. سخرت، كعادتها، من جهلي:

- أنت لا تفهم شيئا!

* * *

عندما كنت صغيرا، كنت أتعلم الكثير من ميرلا، وكنت أعزو ذلك للسنوات الأربع التي تكبرني بها. أما وقد كبرتُ، فما الذي جعلني أتعلم من خولة رغم أنها تصغرني بعامين. ألهذه الدرجة أنا لا أفهم شيئا؟! حينما أعجب بكلامها أو إجاباتها على أسئلتي كنت أستفسر: "خولة!.. من أين تجيئين بهذه الردود؟"، تشير إلى مكتبة أبي. تجيب بثقة: "من هنا". أجبتها بأسف: "لو أنني أقرأ العربية". رنّ هاتفها النقال. وضعت السماعة على أذنها وشرعت تتحدث بالإنكليزية. قلت لها حين فرغت من مكالمتها: "لماذا تتحدثين بالإنكليزية؟"، أجابت على الفور: "أحبها،

257

في المحادثة، أكثر من العربية". انتهزت الفرصة لاستعراض معلوماتي:

- يقول خوسيه ريزال.. إن الذي لا يحب لغته الأم هو أسوأ من سمكة نتنة.

عقدت حاجبيها. سألت بفضول:

- من يكون خوسيه ريزال؟

هززت رأسي بأسف مفتعل:

- أنتِ لا تفهمين شيئا!

* * *

لم تتركني خولة في ذلك اليوم إلا بعدما أخبرتها بكل شيء يخص بطل الفلبين القومي. "قال كلمته تلك حين لاحظ أن الفلبينيين بدأوا بالتخلي عن لغتهم والتأثر بلغة المحتل". أبدت اهتماما شجعني على المواصلة: "كان طبيبا، أديبا رسّاما ومفكرا عظيما. ملمّا بإثنتين وعشرين لغة. كان مؤمنا بأن الحرية هي الحياة. انتقد الإستعمار الإسباني. طالب بالإصلاحات. حرّض على الثورة ضد المحتل. كتب روايته الشهيرة (لا تمسني)، فضح من خلالها ممارسات الإسبان وانتهاكاتهم الشنيعة بحق الشعب الفلبيني. تبعها برواية (المخرب). أراد أن يوقظ الفلبينيين من خضوعهم لإسبانيا. تفاعل معها الناس. ثارت حفيظة الإسبان. اعتقلوه. لم يلبث في السجن طويلا حتى تم إعدامه. ثار الشعب ونجح الفلبينيون في طرد المستعمر بعد عامين ليعلنوا الاستقلال. للحرية ثمن، وقد كان ثمنها.. ريزال. نظرت إلى خولة باعتزاز. اردفتُ: "في الفلبين كنت أحمل اسمه الأول".

كانت خولة مسحورة بالشخصية. تنصت لحديثي باهتمام. قالت بعدما أخبرتها بما لدي:

- لم يكن أبي مجنونا، كما تقول جدّتي، عندما أراد أن يغيّر الواقع

258

بالكتابة.

أطرقت مستطردة:

- لو أنه أنجز روايته قبل اعتقاله..

نظرت إلى وجهي ساهمة. أتمت:

- لو أن الناس هنا.. يقرأون..

* * *

علاقتي الجيّدة بخولة وغسـان لم تُبدد إحساسي بالوحدة. شيء
يشبه الحاجز ينتصب في ما بيننا، وإن كان حاجزا مليئا بالثغرات. خولة
لديها الشعور نفسه. هي وحيدة بالرغم من انها محاطة بجدّتي وعماتي.
حين سألتها ذات يوم كيف تقاوم شعورها هذا، أذهلتني بإجابتها:

- كلما شعرت بالحاجة إلى شخص يحدثني.. فتحت كتابا.

فكرتُ قليلا ثم قلت لها:

- ولكن الكتاب لا يسمع.

أجابت:

- عندما كنت صغيرة، كانت ميري هي الأقرب بالنسبة لي. تستمع
إليّ دائما وإن لم تتمكن من فعل شيء.

أردفت مطأطئة:

- لم يستمر ذلك طويلا.. علاقتي بـ ميري أزعجت ماما غنيمة..
منعتني من التحدث إليها.

استعادت ابتسامتها تقول:

- ولكنني وجدتُ بديلا..

نظرتُ إليها مستفهما أحثها على المواصلة. قالت:

- إذا مـا احتجـت إلى التحدث لشـخص ما بكل مـا أخجل من
البوح به..

259

سكتت قليلا. ابتسمت. غمزت بعينها قبل أن تستطرد:

- عزيزة.. خير من ينصت لي.

- عزيزة؟!.. من تكون؟

سألتها في حيرة. ذهبت خولة باتجاه الباب الزجاجي. قالت:

- انتظر قليلا.. انها فرصة جيّدة لأعرفك إليها.

عادت بعد دقيقة تحمل في يدها ورقة خس. وضعتها على السجادة في منتصف غرفة الجلوس، ثم جلست إلى الأريكة تقول:

- فلننتظر قليلا.. هي بطيئة بعض الشيء.

لـم يسـتمر انتظارنـا أكثـر من ثلاث دقائق حتـى ظهرت من تحت إحـدى الأرائـك فـي الزاويـة سـلحفاة بريـة بحجم وعاء طعام متوسـط الحجـم. تتقـدم ببـطء نحـو ورقة الخس في منتصف السـجادة. التفتت خولـة إلـيّ وهـي تشـير نحو السـلحفاة تقـول: "عزيزة". هززت رأسـي إعجابا: "تشرفنا!".

* * *

(16)

في الرابع والعشرين مـن سبتمبر 2006 بدأ شـهر رمضان. وأي معاناة واجهتها في هذه الشهر. الجوع والعطش و.. الناس.

على اعتبار انني مسلم أمـام أهلي، كان عليّ أن أصوم. ولأنني أريد أن أمارس أي طقس يقرّبني من الله، وإن كنت أجهل ما هو ديني، كان عليّ أن أصوم. حسـدت المسـلمين على هـذه القدرة على تحمل الجوع والعطش. انه أمر يثير الإعجاب. كان الأمر مستحيلا بالنسبة إليّ. تمكنت من الصيام خمس سـاعات في اليوم الأول. ست سـاعات في اليوم الثاني. ثمانية في الثالث ثم صُمت الرابع كاملا. طرت فرحا حين شرعت النداءات تنطلق من مساجد المنطقة وعبر التلفزيون "اللّه أكبر.. اللّه أكبر" وقت غروب الشمس معلنة انتهاء فترة الصوم.

فـوق سـريري كنت أغـط في نـوم يشبه الغيبوبة بعد إفطار أول يوم صيام. في الداخل لا أحد يتحدث. أختي وعمتي وجدّتي يجلسـن أمـام التلفـاز بالسـاعات لا يتزحزحـن من أمامـه إلا للصلاة. لم ألاحظ اهتمامهن بالتلفاز سوى في شـهر رمضان. الصلاة أيضا، تكثر في هذا الشهر. حتى وقت متأخر من الليل كنت أشاهد النور ينبعث من نافذة ماما غنيمة. خولة تقول ان جدّتي تصلي طوال الليل.

غسان له طقوس غريبة في هذا الشهر. هو لا يحب البقاء في شقته نهارا. يهاتفني بعد خروجه من عمله: "غيّر ملابسك.. أنا في طريقي إليك". كنـا نقضي وقت ما قبل الإفطار، كل يوم، في مكان ما. سـوق المباركيـة.. سـوق السـمك.. سـوق اللحم والفواكه والخضار.. سـوق الجمعة.. سوق الطيور والحيوانات الأليفة.. سوق السلع الإيرانية.

أراقب الوجـوه، كعادتي أرصـد تعابيرها. في نهار رمضان الوجوه

261

تختلف. الناس تقود سيارتها متوترة. أبواق السيارات تشرع بالزعيق لأتفه الأسباب. الأذرع تمتد خارج نوافذ السيارات تلوّح بغضب. الوجوه مكفهرة. "غسان!" أنبهه، يلتفت إليّ. أسأله: "هل الإبتسامة في نهار رمضان تُبطل الصوم؟".

قبل غروب الشمس بقليل، كنت وغسان في سوق الطيور والحيوانات الأليفة. هناك، شاهدت سلحفاة تشبه عزيزة. دفعت ثمنها من دون تفكير. حملتها بين يديّ ممهدا لصداقة جديدة. غريبة حاجتي للحيوان في ذلك الوقت. ما أكثر الحيوانات في أرض ميندوزا. الكلب العجوز وايتي، الديوك، القطط، العصافير والضفادع والسحالي، ولكنني لم أشعر بأهمية هذه الكائنات من قبل.

في البيت. كنت مع السلحفاة في غرفتي. "اللّه أكبر.. اللّه أكبر". نسيت جوعي ووقت الإفطار. طرقت خولة الباب: "ألست صائما؟ انه وقت الإفطار"، قالت بعد أن دفعت باب غرفتي. فغرت فمها دهشة حين شاهدت السلحفاة:

- كيف وصلت عزيزة إلى غرفتك؟!

هززت رأسي نافيا. صححت:

- هذه ليست عزيزة..

كان لابد أن يكون لسلحفاتي إسم. أتممت جملتي موضحا:

- هذه إينانغ تشولينغ.

* * *

إذا ما أصابني الضجر في بيت جدّتي، وكثيرا ما يفعل، كنت ألتقي الخدم، خلسة، في المطبخ نتبادل الحديث بحذر.

إذا ما نظرت إلى حال الخدم في البيت أشفق على أمي كيف احتملت كل ذلك قبل سنوات. ولكن، مقابل مصير كان ينتظرها في

بلادها لابد أن قسوة العمل في بلاد أبي تعد ترفا. الخدم يعملون منذ السادسة صباحا وحتى العاشرة ليلا. يقول بابو ان البعض، في البيوت المجاورة، لا يوجد لديهم وقت محدد للعمل. ساعات العمل مرتبطة بحاجات أفراد البيت. في أي وقت يحتاج أحدهم شيئا لابد أن يكون الخادم على أهبة الاستعداد. راجو اللئيم أقلّهم عملا. فهو لا يقوم بشيء سوى قيادة السيارة لتوصيل ماما غنيمة إذا ما اضطرت للخروج، وقليلا ما يحدث، يخرج أحيانا لشراء حاجيات من السوق المركزي، أما في الصباح فهو يقوم بغسيل السيارات والفناء الداخلي وريّ الأشجار في المساحة المقابلة للبيت. لاحظت أن راجو يتمتع بإجازة أسبوعية. بابو وزوجته لاكشمي يتمتعان بيوم راحة كل شهر. أما لوزڤيميندا فلا تتمتع بشيء من هذا. في أحد لقاءاتي بهم، خلسة، في المطبخ، سألت لوزڤيميندا عن سبب عملها المتواصل كالآلة من دون يوم راحة تقضيه بعيدا عن البيت. أجابت: حين طلبت من السيّدة الكبيرة ذلك جاءت حجتها بــ: "من أين لي أن أضمن، إذا ما تركتك تخرجين، ألا ينتفخ بطنك بعد أشهر؟!"، هي لا تعرف أنني لو أردت لفعلت ذلك هنا.. في بيتها". ثم شرعت تنتقد جدّتي. بابو لم تعجبه انتقادات لوزڤيميندا، لاكشمي أيضا. يقول بابو: "ماما غنيمة امرأة كبيرة.. مثل أمي.. لو كانت بذلك السوء لما بقيت في بيتها قرابة العشرين عاما". وافقته زوجته في حين اكتفت لوزڤيميندا بالصمت.

* * *

263

(17)

في أحد أيام رمضان، قبل منتصفه بقليل، اجتمعت العائلة في بيت جدّتي لتناول وجبة رمضانية خاصة، تأتي بعد وجبة الإفطار وقبل وجبة السحور. يطلقون عليها اسما غريبا[29]. كنت في غرفتي مع إينانغ تشولينغ. ومن خلف ستارة النافذة كنت أراقب الأطفال في الفناء الداخلي، أبناء عمتي عواطف ونورية. في حين كان الجميع في الداخل، عمتي عواطف وزوجها أحمد، نورية وزوجها فيصل، عمتي هند وخولة وماما غنيمة وأحفادها الكبار. جرس البيت يدق بين حين وآخر. أطفال كثيرون يجتمعون عند الباب. يرتدون ثيابا مميزة. الأولاد بالثياب التقليدية البيضاء مع جاكيت بلا أكمام، تعلو رؤوس البعض طاقيات والبعض الآخر يرتدي غطاء الرأس الأبيض مثل الرجال. ترتدي البنات ثيابا مختلفة. قطعة قماش خفيفة بنقوش ذهبية تغطي رؤوسهن وتمتد إلى منتصف أجسادهن. والجميع، أولادا وبنات، يعلقون على رقابهم أكياسا من القماش. تقف عمتي هند عند الباب، وإلى جانبها كل من لاكشمي ولوزڤيميندا تحملان كيسا كبيرا من المكسرات وقطع الحلوى. يغني الأطفال عند الباب بصوت واحد ويصفقون. تنتهي أغنياتهم بحصيلة كبيرة من المكسرات والحلوى تملأ أكياسهم القماشية. تكررت زيارات الأطفال عند باب بيت جدّتي لثلاثة أيام، في مناسبة تقليدية معروفة في الكويت[30].

شاب وسيم، في مثل سني أو أصغر بقليل، يرتدي ثوبا أبيض،

---

(29) غبقة.

(30) قرقيعان: تقليد سنوي في الليالي الثلاث التي تسبق منتصف شهر رمضان. يطوف الأطفال على البيوت يرددون الأهازيج ويتم توزيع الحلوى عليهم من قبل أصحاب البيوت.

تجاوز الأطفال عند الباب، قبّل عمتي هند وحيّا خولة في فناء المنزل الخارجي، ثم تجاوزهما إلى الداخل. ما إن تجاوز الباب الخشبي حتى انفجرت الـ كولولولوووش! ذلك الصوت الغريب الذي يصاحب أهازيج الهنود الحمر. صوت حاد مرتفع كصافرة الحكم. أخبرتني خولة لاحقا انه الإبن البكر لنورية، أول حفيد ذكر لماما غنيمة. تحتفي بزيارته كل مرة وهي تصدر تلك الأصوات[31]، وتدعو اللّٰه أن يمدّ في عمرها لتراه متزوجا.

اختفى أفراد العائلة في الداخل. كنت خلف الستارة لا أزال. إينانغ تشولينغ بين يديّ. حمدا للّٰه أن لها صَدَفة قوية، لم تتهشم بفعل الضغط بين كفيّ في حين كنت أنظر إلى عائلتي من منفاي في ملحق المنزل، والحسرة تملأ قلبي. لو أنني كنت معهم لكفاني ذلك. أصواتهم، على بعدها، ترتفع، تصم آذاني الضحكات والكلمات التي أجهل والـ.. كولولولوووش!

فُتح الباب الزجاجي المقابل لباب غرفتي. كانت نورية بزيٍّ غريب، لعله يخص المناسبة، ثوب من قطعة واحدة، له أكمام واسعة، أحمر بلون الدم بنقوش صفراء لامعة. أخذت تنادي:

"عيسى.. عيسى..". أفلتُّ إينانغ تشولينغ من قبضتيّ. لم أبالِ بارتطامها على الأرض بين قدميّ. ختمت نورية نداءها بـ: "تعال" قبل أن تعود إلى الداخل. أعرف هذه الكلمة جيدا، وكيف لي أن أنساها؟ هي تدعوني للدخول إلى غرفة الجلوس ومشاركتهم المناسبة. نورية التي تكرهني تناديني بإسمي وتدعوني لمشاركتهم! طرت فرحا. لا أتذكر باب غرفتي الألمنيوم ولا الفناء الداخلي للمنزل ولا حتى الباب الزجاجي المفضي إلى غرفة الجلوس. وجدتني أقف في الداخل والباب وراء ظهري. أصواتهم العالية استحالت سكونا مفاجئا وكأنني أصبت بالصمم. الأعين، كلها، كانت تخترقني. ماما غنيمة أمسكت بشالها

(31) زغاريد

الملقى على كتفيها بإهمال، ألقته على رأسها. عمتي هند وخولة تنظران إلى بعضهما والدهشة في أعينهما. عمتي عواطف مذعورة. زوجها أحمد ذو الذقن الطويلة هبّ واقفا ينظر إليّ والشـرر يتطاير من عينيه. فيصل ينظر إلى زوجته نورية بنظرة من يطلب تفسيرا لما يحدث. "سـلامووو عليكوووم"، قال الببغاء. ومن باب المدخل الرئيسي جاءت خادمة نورية تحمل صبيّا صغيرا: "ها هو عيسى.. سيّدتي"، قالت لعمتي. وقف فيصل يحمـل ابنـه. نوريـة تداركت الموقـف مرتبكة. ناولتنـي أواني فضّية، ثم مـدّت يدهـا بمفتـاح سـيارة فيصل، وطلبت مني، بصفتـي الخادم: "ضع هذه الأواني في السيارة". حملت الأغراض بين يديّ المرتجفتين. وقبل أن أخرج انفجر أحمد يصرخ بي بكلمات لم أفهمها. يلوّح بيديه غاضبا ويشير نحو عماتي، وأنا لا أفهم من صراخه شيئا. خولة ركضت باتجاه السـلم. عمتي عواطف، بوجه مذعور، وبكلمات إنكليزية غير واضحة، فهمـت بعضهـا، تقـول: "لا يجـب أن تدخل على النسـاء.. اطرق الباب وانتظـر فـي الخـارج مـرة أخرى.. هـذا لا يجوز..هل تفهـم؟". هززت رأسي موافقا: "حاضر سيّدتي". خرجت إلى الفناء الداخلي أحمل أواني نوريـة، فـي حيـن كان بابو ولاكشـمي ولوزڤيميندا ينظرون إليّ من وراء زجاج نافذة المطبخ بنظرات أسى. طأطأت مبتلعا بكائي.

عند سيارة فيصل، في حين كنت أضع الأواني في صندوق السيارة، جـاءت نوريـة بحاجبيهـا المرفوعين للأعلى، بوجـه تجمعت فيه الدماء. التفتـت وراءهـا نحـو بـاب المدخـل الكبير. لا أحد. أمسـكت بقميصي تشدّه. ضغطت على أسنانها تقول: "اسمع.. هذه المرة أنقذتك بجعلك خادما.. في المرة المقبلة سأتركك لزوج عواطف يحزّ عنقك". ازدردت ريقي بصعوبة. كنت أرتجف. الستارة في النافذة العلوية المقابلة للشارع تتحـرك. كانـت خولـة تراقبنا مـن الأعلى. أحكمت نوريـة قبضتها على قميصي. هزّتني. بذلت جهدا لأقول: "ولكن.. أنتِ من ناداني عمتي..".

- اخرس!.. لست عمّتك..

تلقى عقلي الأمر. سقطت كلمة "عمتي" التي تسبق اسم نورية منذ ذلك اليوم على الرصيف أمام بيت جدّتي، أو لعلها وقعت في صندوق السيارة المفتوح قبل أن أطبقه على أوانيها. التفتت نورية إلى الوراء. اطمأنت لعدم وجود أحد. أتمت:

- كنت أنادي عيسى ولدي يا غبي..

أفلتت قميصي. وقبل أن تنصرف عائدة إلى الداخل. قالت:

- إذا ما ناديتك يا فلبيني.. عندها فقط يمكنك أن تجيب!

* * *

انطلت الحيلة على أحمد وفيصل، رغم استغرابهما لجلب ماما غنيمة خادما من الفلبين، والعادة هنا أن يجلب الناس الخدم، الرجال تحديدا، من الهند أو بنغلاديش.

في غرفتي، احتضنت إينانغ تشولينغ. بكيت كما يبكي الأطفال أمام زجاجة صغيرة ملأت نصفها بتراب أبي الذي حملته معي يوم زيارتي إلى المقبرة. أنظر إلى الزجاجة وكأني أطلب من التراب فيها أن يشهد على ما يجري. ارتميت على سريري.غفوت. لا أتذكر كم استمرت إغفاءتي، ولكنني أتذكر انني صحوت على صوت نداء صلاة الفجر، أيقظني من موتي في حلم أفزعني. كنتُ في مندناو. ذراعاي مقيدتان إلى ظهري. وجهي إلى الأرض. نورية وعمتي عواطف تمسكان بكتفيّ تثبتانني إلى الأرض. ماما غنيمة تجلس في مكان بعيد بين الأشجار الاستوائية، بعينين دامعتين، لا تحرك ساكنا. هممت أناديها.. أستنجد بها: "ماما غنـ..". أحدهم شدّ شعري إلى الوراء. التقت عيناي بعينيه مباشرة. كان أحمد زوج عمتي عواطف يُمسك سكينا.. صرخت: "ماما غنـ..". حزّ أحمد عنقي قبل أن أتم اسم جدتي.

* * *

(18)

"اللّه أكبر.. اللّه أكبر"

إلى جانب موعد الصلاة، يعلن هذا النداء عن بدء الصيام. استيقظت مفزوعا أردد: "ماما غنيمة.. ماما غنيمة". رغبتي في شرب الماء كانت عارمة. ريقي جاف. نبضات قلبي في صدغيّ، وكفّي حول عنقي أتحسسه بأصابعي. لا أثر للدم. كان كابوسا في المنام، لحق بكابوس خارج إطار نومي، جرت أحداثه في صالة البيت بعد اقتحامي إياها من دون إذن. تناولت قنينة المياه المعدنية من على الطاولة الملاصقة للسرير وأخذت أعب منها من دون توقف حتى فرغت القنينة.

"اللّه أكبر.. اللّه أكبر"

في ترجمتها لأولى كلمات نداء الصلاة، قالت خولة ان اللّه أكبر تعني ان اللّه أكبر من كل شيء في الوجود، وأعظم من كل ما يخطر على بال. ومادام اللّه كذلك، ما حاجتي للبكاء في حضرة إينانغ تشولينغ؟ حملت سلحفاتي من على السرير واضعا إياها على الأرض. أردت أن أقترب من الله، لا بد أن أقترب من الله، واللّه كما كنت أعرف، يسكن في قلب عمتي عواطف، وعمتي عواطف، في ذلك الوقت، بعيدة في بيتها مع زوجها أحمد، فهل يكون اللّه بعيدا؟ "كيف أفتح قلبي لله؟"، سألت نفسي. "اللّه أكبر.. اللّه أكبر"، تكررت العبارة قبل أن يُختم النداء. أمسكت بهاتفي النقال أجري اتصالا مع خولة. "أريد أن أذهب إلى المسجد"، قلت. كانت خولة قد استيقظت لتوِّها لتصلي هي الأخرى. "انه على بعد خطوات من البيت.. اذهب قبل إقامة الصلاة". سألتها قبل أن أنهي المكالمة: "وهل أحتاج إلى ذلك الثوب الذي ترتدونه أثناء الصلاة أنتِ وماما غنيمة وعمتي هند!". انفجرت

خولة تقهقه. "إذهب يا رجل كما أنت.. احرص ان تكون طاهرا".

لا أعرف كيف أغتسل قبل الصلاة، بل انني لا أعرف كيف أصلي صلاة المسلمين. عند سور البيت وقفت أنظر إلى المسجد. مسجد صغير في فناء خارجي أمام مبنى كبير يشبه مدرسة. كانت السيارات كثيرة جدا تصطف أمامه. الناس تصلي في شهر رمضان أكثر من أي وقت آخر. "سأنتظر إلى أن يخف الزحام". ولأنني لا أعرف كيف أغتسل للصلاة، فقد قمت بالاستحمام. حرصت أن أكون طاهرا كما طلبت مني خولة. خرجت من الحمام بجسد طاهر.. ماذا عن روحي؟

كانت الباحة المقابلة للمسجد قد خلت من السيارات، ما عدا واحدة او اثنتين. تقدمت ببطء نحو الباب. أحذية وأنعل فوق بعضها البعض أسفل الباب، وأخرى مصفوفة بانتظام على أرفف خاصة. أطللت برأسي من الباب. الناس في الداخل حفاة. نزعت حذائيّ ووضعتهما في الرفوف المخصصة لأحذية المصلين. الهواء البارد، فور دخولي المسجد، داعب قدميّ العاريتين. شعرت بأنني أخف من أي وقت مضى. كدت أطير. "أهذا هو المسجد؟!"، تساءلت في حيرة. الأرض مفروشة بالسجاد بالكامل. سجاد أخضر فاتح بخطوط أفقية خضراء داكنة. ثرية كبيرة تتدلى من السقف، ورغم أن المسجد كان مكيّفا بأجهزة التبريد، فإن المراوح تنتشر على الجدران. وقفت في منتصف المكان أنظر حولي. أمامي محراب عبارة عن تجويف يشبه الباب المقوّس في صدر المسجد. تنتشر أعلاه نقوش وزخارف، لعلها حروف عربية. لا يتميز المسجد بتفاصيل كثيرة كالتي في الكاتدرائية أو المعبد البوذي، فقد كان بسيطا إلى درجة لفتتني. البعض يجلس في حلقة، يتحدثون بصوت خفيض. البعض يصلي.. ينحني.. يلصق جبينه على الأرض كأنه يقبّلها. والبعض الآخر يقرأ القرآن. في إحدى الزوايا شاب يجلس على ركبتيه، يمدُّ كفّيه مبسوطتين أمام وجهه المائل إلى الأسفل. الشعور

الذي داعب قدميّ فور دخولي، تكرر في حين كنت أتجه نحو المحراب، ولكن في قلبي.. أحسسته عاريا.. متحررا من كل شيء.

داخل تجويف المحراب وقفت. قريبا من الجدار. أستمع إلى صوت أنفاسي بوضوح. ضممت كفيّ أسفل ذقني. ثم تذكرت الشاب في الزاوية. مددتُ كفّي أمام وجهي كما كان يفعل. أغمضت عينيّ: "اللّه أكبر.. اللّه أكبر.. لأنك أكبر من كل شيء وأعظم، استمع لكلماتي.. لست متأكدا من طهارة جسدي بالطريقة التي أخبرتني بها خولة.. ولكن.. لأنها زيارتي الأولى إلى بيتك.. تجاوز جهلي واقبل صلاتي.. اللّه الأكبر.. الأعظم.. يبدو بيتك بسيطا ليس كما تصورت.. غرفتي، في ملحق البيت القريب من بيتك، تحمل تفاصيل وأشياء أكثر.. بيتك على بساطته جميل ونظيف.. اجعل قلبي يطمئن إلى وجودك فيه، فإن قلبي بسيط أيضا، وأعدك أن يكون نظيفا.. فهل لك أن تسكنه مثلما سكنت قلب عمتي عواطف؟

اللّه الأكبر.. أشعر بقربك كما لم أشعر به من قبل.. لأننا، أنت وأنا، هنا وحدنا.. لا شيء في بيتك يدعو للتأمل سوى روحك التي تسكن المكان.. لا صور للنبي محمد بإطارات مذهبة ولا تماثيل.. نحن لسنا بحاجة إلى ذلك.. لأننا في حضرتك.. ولأنك اللّه.. الأكبر".

كفٌّ أحدهم تلامس كتفي. التفتُ إلى الوراء. شاب فلبيني يبدو في أوائل الثلاثينات. سألني بالعربية. هززت رأسي أومئ بعدم فهمي. "أنت فلبيني؟" كرر سؤاله بالفلبينية. هززت رأسي إيجابا، من دون تفكير، مؤكدا بأنني فلبيني. قال يعرّف نفسه: "اسمي إبراهيم سلام"، أجبته تلقائيا: "وعليكم السلام". انفجر ضاحكا ثم كتم ضحكته منتبها لوجودنا في المسجد. "ماذا تفعل داخل المحراب؟!"، سألني والدهشة على وجهه. بثقة تامة أجبته: "كنت أصلي". ضحك الشاب. أمسك بكفّي يقودني إلى إحدى زوايا المسجد. لم يكن في المكان سوانا أنا

وإياه ورجل كبير في السن يقرأ القرآن في إحدى الزوايا.

* * *

شاب فلبيني في الثلاثين من عمره. عاش في الكويت طويلا. درس في المعهد الديني الذي يحتل المسجد، حيث كنا، جزءا من مساحته. أنهى دراسته الجامعية في الكويت. ورغم انه لم يعد يسكن في سكن الطلبة، في الجانب القريب من المسجد، ورغم انتقاله للسكن في منطقة أخرى، فإنه ما زال يصلي في مسجد المعهد الديني حيث اعتاد أن يلتقي بطلبة المعهد من الفلبينين والإندونيسيين والأفارقة بعد الصلاة. له نشاطات عدة في التعريف بالإسلام، ويعمل مترجما في سفارة الفلبين لدى الكويت بالإضافة إلى عمله كمراسل لبعض الصحف الفلبينية حيث يزودها بالأخبار التي تنشرها الصحف الكويتية عن الجالية الفلبينية.

جلس معي فجر ذلك اليوم طويلا. اهتم لأمري. عرّفني إليه، ومن دون أن أفكر في تحذيرات عائلتي، وجدتني ابوح له بكل شيء يخصني. طمأنني: "الكويت جميلة.. الناس هنا طيبون". توقفت عند كلماته كثيرا. كدتُ أقول له: "لأنك لست كويتيا بوجه فلبيني!"، ولكنني آثرت الصمت. أخبرني، بعد شروق الشمس، أنه مضطر للذهاب إلى العمل. وطلب مني أن نلتقي مجددا، في المكان نفسه. ترك الأرض واقفا. مد يده مصافحا. مددت له كفّي، وبينما كنت أهم بالوقوف تدلت السلسلة من ياقة قميصي كاشفة عن أيقونة الصليب. ارتبكت. امسكت بها بقبضتي أخفيها. ابتسم إبراهيم: "لا بأس.. أنت تتلمس الطريق إلى الله.. في يوم ما سوف تتخلى عن هذه الأشياء". أجبته: "ولكنني أحب المسيح"، فاجأني بردِّه التلقائي: "ونحن نحبه.. ونؤمن به وبمريم العذراء". أسعدني قوله. فاجأني. سألته:

- وهل تصلون له وللسيّدة العذراء كما تصلون لمحمد النبي؟

هزّ رأسه نافيا:

– نحن لا نصلي لمحمد صلى الله عليه وسلم، نحن نصلي لله مباشرة.

نظر إلى الساعة في معصمه. ثم أمسك بهاتفه النقال، وقبل أن يجري اتصاله قال:

– قبل أن أذهب.. سأعيرك شيئا.

تحدث، عبر الهاتف، مع أحد أصدقائه ممن يسكنون في سكن المعهد الديني. خلال خمس دقائق دخل صديقه. شاب فلبيني في بداية العشرينات كما يبدو. شعره منكوش، وجهه متورم إثر النوم. ناوله علبة صغيرة ثم انصرف. بينما كنا نتجه إلى الباب المفضي إلى الخارج، ناولني إبراهيم العلبة. كانت علبة DVD تحمل صورة للممثل أنتوني كوين تعلو رأسه عمامة سوداء، وفي الأعلى اسم الفيلم "الرسالة". ما كدنا نصل إلى الباب حتى طلب منا أحدهم الانتظار. كان الرجل العجوز الذي يقرأ القرآن في الزاوية. تقدم إلينا بخطوات سريعة، قال غاضبا: "المسجد للصلاة وليس لتبادل الأفلام.. هذا حرام!". سحب الفيلم من بين يديّ بطريقة فظة. أخذ يتفحصه ويقلبه بين يديه. أعاده إليّ من دون أن يفُه بكلمة. ربّت على كتفي ثم أدار لنا ظهره تاركا المسجد.

* * *

أحببت الفيلم كثيرا. أعدت مشاهدته أكثر من مرة. أحببت النبي محمد رغم انه لم يظهر في الفيلم.. أحببت حمزة عمّ النبي.. وأحببت الصحابة وحوارهم مع النجاشي ملك الحبشة. في حديثهم إلى النجاشي إجابات عدّة لأسئلة كانت تدور في رأسي. ورغم ذلك، لم يكن الفيلم كافيا، فقد زاد من شغفي للبحث أكثر ومعرفة المزيد. شرعت في البحث في الإنترنت. كان أول ما قرأت عنه هو فيلم الرسالة.. طاقم العمل وظروف تصويره وأصداؤه لدى الجمهور. توقفت كثيرا عند مُخرج هذا

العمل. شاهدت له صورة على أحد المواقع يبدو فيها أنيقا ببدلة وربطة عنق سوداء. صُعقت عند قراءة الخبر أسفل الصورة. وفاة مصطفى العقاد، قبل مجيئي إلى الكويت بحوالي شهرين، توفيَّ مع ابنته في أحد فنادق عمّان متأثرا بجراحه إثر عملية تفجير نفذتها إحدى الجماعات الإسلامية!

تركت جهاز اللابتوب على الطاولة متجها إلى سريري والحيرة في رأسي. أيهما الإسلام؟ أهو الذي شاهدته في "الرسالة"، أم الذي قضى على حياة مُخرج فيلم الرسالة؟ أهو إسلام لاپو- لاپو سلطان جزيرة ماكتان؟ أم إسلام جماعة أبو سيّاف في مندناو؟ الحيرة.. الخوف والشك يملأونني. تُرى، هل استوطن الشيطان عقلي في الوقت الذي كنت أهيئ فيه قلبي بيتا لله؟

أدريان.. أخي الصغير.. ليت بمقدورنا أن نتبادل الأدمغة.. أكفّر عن ذنب لا أتذكر زمن حدوثه، وأريح قلبي من حيرة تسكن عقلي.

* * *

(19)

انتهى شهر رمضان. جاء عيد الفطر. يومٌ أول أمضيته خلف الستارة في غرفتي أتلصص على زوّار عائلتي المتورطة بي. لم يسأل عني أحد، ولم أتلق تهنئة من شخص سوى غسان عبر رسالة هاتفية يقول فيها: "عيد مبارك". النساء بثيابهن وتصفيفات شعورهن يظهرن بأجمل صورة. يدخلن عبر الفناء الداخلي إلى المنزل. الرجال، كل الرجال، بالزيّ التقليدي إياه، ينتعلون أحذية برّاقة. حتى الصبية الصغار من أحفاد ماما غنيمة، أبناء عمتيّ، كانوا يرتدون الثياب التقليدية مع أغطية الرأس مثل الرجال تماما. رائحة البخور والعطور العربية تنتشر في الجو. الخدم أيضا كانوا يحتفلون بالمناسبة بارتداء الجديد من الملابس. من الباب الزجاجي الموارب رأيت ماما غنيمة تجلس ممدودة الساقين كعادتها. يقبّلها الأطفال على جبينها. تدّس يدها في حقيبتها توزع عليهم الأموال. يخرجون إلى الفناء الداخلي فرحين. يعدّون الأوراق النقدية التي حصلوا عليها من الكبار. الخدم أيضا لهم نصيب من هدية العيد، كم هم سعداء بها. كنت في غرفتي وحيدا. أراني في خيالي مرتديا الثياب البيضاء. أقبّل رأس جدّتي أهنئها بالعيد. طردت الصورة من رأسي بعد أن مللت ممارسة الخيال الكاذب. أدرت ظهري للستارة أمرر نظري في أرجاء الغرفة باحثا عن إينانغ تشولينغ. أسفل السرير وجدتها منكمشة داخل صَدَفتها. تمددت على بطني أسفل السرير. التقطتها. وقفت حاملا إياها بين يديّ. قرّبتُ وجهها إلى جبيني لتطبع عليه قُبلة. لم تفعل. أصدرتُ بشفتيّ صوت القبلة موهما نفسي أن سلحفاتي قد فعلت. وضعتها على الأرض ثم اتجهت إلى الثلاجة الصغيرة في الزاوية. عدت إليها حاملا هدية العيد، ورقة

خس يبللها الندى. قرّبت وجهي إليها هامسا: "عيد مبارك".

* * *

في فترة الظهيرة، بعد انصراف المهنئين بالعيد، طرقت خولة باب غرفتي. كان مواربا. دفعته وبقيت حيث كانت تقف من دون أن تتقدم خطوة. "عيد مبارك"، بادرتها القول. ابتسمت تهنئني. البراءة في وجهها.. العطف في قلبها.. الحنان في كلماتها.. ولكن، لا شيء في يدها. "ألن تدخل لتهنئ ماما غنيمة؟" سألتني. انفلتت الكلمات من بين شفتي من دون سيطرة مني: "بعد أن رحل الجميع؟.. بعد أن اطمأنت إلى أن أحدا لن يقابل وجه العار؟"، كنت أشير بسبّابتيّ نحو وجهي. "خولة!" قلت لها بانفعال: "لماذا تعاملونني بهذه الطريقة؟". ابتسامتها لا تزال رغم اختلاف دلالتها. قالت وهي تنظر إلى الأرض: "ليس الأمر سهلا.. عيسى". واصلتُ حديثي بانفعال: "جدّتي وعمتي عواطف تعرفان الله.. تصليان كثيرا.. هل يرفضني اللّه أيضا؟". كانت تلتزم الصمت. اقتربتُ من الباب حيث تقف. قلت:

- الناس، كما يقول بوذا في تعاليمه، سواسية، لا فضل لأحد على أحد، إلا بالمعرفة والسيطرة على الشهوات!

هزّت رأسها تقول:

- لسنا بوذيين..

التقطت سلسلة الصليب من الدرج القريب من سريري:

- وفي الكتاب المقدّس، يقول بولس الرسول، لا فرق الآن بين يهودي وغير يهودي، بين عبد وحر، بين رجل وامرأة، كلكم واحد في المسيح يسوع[32].

حدجتني نظرة ريبة. همّت تجيبني ولكنني لم أترك لها مجالا:

---

(32) الكتاب المقدس، رسالة غلاطية 28:3 (المؤلف).

- أعرف أعرف.. لستم مسيحيين.

اتجهتُ إلى جهاز اللابتوب المفتوح منذ الليلة السابقة على إحدى الصفحات الإلكترونية. أدرتُ الشاشة باتجاهها:

- محمد النبي، في خطبة الوداع، يقول إن ربكم واحد وإن أباكم واحد كلكم لآدم وآدم من تراب أكرمكم عند اللّٰه اتقاكم، وليس لعربي على عجمي فضل إلا بالتقوى.

أطبقتُ شاشة اللابتوب على لوحة المفاتيح. أردفت:

- وأنا.. لست شريرا إلى هذا الحد.

- كفى!

أخرستني خولة بصوتها المرتفع. "أنا آسفة"، قالت والندم باد على وجهها. "ليس للدين علاقة بهذا الأمر".

ما فهمته من خولة يصعب شرحه. لعل ذلك ما كان يعنيه غسان بالأمور التي يصعب عليه شرحها ويصعب علي فهمها. وجودي، كما أفهمتني خولة، يقلل من شأن العائلة في محيطها. عائلات أخرى من الدرجة ذاتها قد لا تصاهر عائلتي بسببي. تنظر لها بازدراء. "هل تصبحون بدون إذا ما اعترفتم بي؟"، سألتها بغبائي المعتاد. استغربت سؤالي: "غسان أخبرك بأمر البدون؟"، سألتني، وقبل أن أجيب أردفت: "على كل، ليس الأمر هكذا". شرحت لي خولة ما عجز غسان عن شرحه. في الكويت، كما فهمت، لا يعتد الناس بكلمة كويتي، وان كان الإنسان كويتيا، فهذا أمر لا يعني شيئا. الكويتيون أنواع. درجات من البشر، طبقات متفاوتة تميّز بعضهم عن الآخر. ليس هذا الأمر في الكويت وحسب، حتى لا أبالغ، ففي الفلبين أيضا هناك شيء مشابه تتبعه العائلات الثرية. لم أجادلها في مسائل المصاهرة، فكل عائلة حرة في شؤونها، كما أن هذا الأمر ليس بجديد عليّ، فالفلبينيون من أصول صينية، على سبيل المثال، لا يصاهرون عامة الناس في الفلبين لأسباب

تخصهم، لعلها الثقافة، فهم يفضلون مصاهرة بعضهم البعض، وعلى ذلك هم لا يصنفون الآخر، من خارج محيطهم بهذه الطريقة، أعلى أو أدنى. أما حديث خولة عن ازدراء الناس بعضهم الآخر فهذا ما لم أجد له تبريرا على الإطلاق. تقول خولة: "يقول أبي في روايته التي لم يفرغ من كتابتها اننا كويتيون وقت الضرورة وحسب.. يُصبح الإنسان منا كويتيا وقت الأزمات.. ثم سرعان ما يعود للتصنيفات البغيضة ما إن تهدأ الأمور". كم كنتُ أحتاج إلى العربية لأقرأ كلمات أبي. "ماذا أراد أن يقول أبي في روايته؟"، سألتها. مطّت شفتيها من دون تأكيد تقول: "لست أدري فالرواية مليئة بالتناقضات.. أحلم أن أعيد كتابتها ذات يوم". دار بخلدي أن أقول لها: "ليس غريبا أن تكون كذلك إن كان يصف من خلالها بيئته"، ولكنني التزمت الصمت. قالت خولة توضّح: "في الصفحة الأولى يقول أبي أن اليد الواحدة لا تُصفِّق.. وفي تفاصيل الرواية يدعو الناس لأن يكونوا يدا واحدة.. لا أفهم لماذا يدعو الناس أن يكونوا يدا واحدة وهو على يقين بأنها لا تُصفِّق!".

– اليد الواحدة لا تُصفِّق، ولكنها تصفع، والبعض ليس بحاجة إلى يدٍ تصفق له، بقدر حاجته إلى يد تصفعه، لعله يستفيق!

– عيسى! لا يعجبني أسلوبك!

لم يكن هذا أسلوبي، ولا نمط تفكيري، ولكن كان ذلك استنتاجي لما أراد أن يقوله أبي. قالت خولة أنني قد أكون مصيبا بما قُلت، وان مثل هذا الكلام سوف يكون مقبولا لو أن واحدا من الداخل تفوه به، أما أن آتي أنا، من الخارج، لأنتقد أوضاع الداخل، فهذا ما لن يقبله أحد. ولتغيّر الموضوع، سألتني أختي عن الناس في بلاد أمي، أجبتها بدوري عن التنوع هناك، عائلات الـ مستيزو المنحدرة من أصول إسبانية أو أوروبية، عائلات منحدرة من أصول صينية، قبائل الشمال من الـ إيفوغاو

277

والـ إيتا[33]، وغيرهم من أطياف كثيرة. استوقفها حديثي عن القبائل: "هل لديكم قبائل أيضا؟"، سألتني باهتمام. "لدينا الكثير"، أجبتها. أردفت:

- لدينا قبيلة الـ إيفوغاو مثلا، مشهورة، منذ القدم، بزراعة الأرز.

اتجهتُ نحو اللابتوب أبحث عن صور لأفراد القبيلة وهم شبه عراة في مدرجات الأرز، أو بأزيائهم التقليدية في مناسباتهم الخاصة. أدرتُ شاشة الجهاز نحوها. هزّت رأسها باهتمام وهي تشاهد الصور حيث تقف عند الباب. كنت فخورا في حديثي عن الناس في الفلبين. وكنت أتمنى أن أتحدث عن الناس في الكويت بالحماس نفسه، ولكن ذلك لن يكون إلا إذا صرتُ منهم، وهم يرفضون أن أصير واحدا منهم، وإن تمكنت من ذلك فكيف سيرونني في تقسيماتهم الاجتماعية المعقدة؟ وإذا ما وضعوني في أسفل الترتيب هل سأتحدث عنهم بالحماس نفسه؟ في بعض الأوقات العصيبة لا أحتاج إلى شيء سوى دماغ أدريان.

كانت خولة لا تزال تشاهد الصور وأنا أقوم بعرض المزيد. سألتها:

- قبائلنا مشهورة بزراعة الأرز.. بِمَ تشتهر القبائل هنا؟

أجابت من دون تفكير:

- بأكل الأرز..

ضحكتْ بصوت عال ما إن لفظت عبارتها. سعيدة بتعليقها وكأنها تضحك لسماع نكتة. "يبدو انهم محط سخرية بالنسبة لكم"، قلت لها. أجابت مؤكدة: "ونحن كذلك بالنسبة لهم".

لا أدّعي أن شيئا من ذلك ليس موجودا في بلاد أمي، ولكن الناس مشغولة بما هو أهم. قد ينظر البعض إلى البعض الآخر بازدراء، ولكن ذلك يحدث بشكل محدود، ليس بالأهمية التي حدثتني بها خولة.

---

(33) Ita Tribe: قبيلة شمالية منتشرة في أنحاء الفلبين، يتميّز أفرادها عن بقية الناس، إلى جانب ثقافتهم، بالبشرة الداكنة جدا والشعر الخشن (المترجم).

يفتخر البعض هنا، كما أفهمتني أختي، بسور بناه أجدادهم حول المدينة القديمة لم يتبق منه سوى بواباته، في حين يفتخر البعض الآخر بأحداث جرت، قبل سنوات طويلة، حول قصر أحمر يقع في مكان ما في الكويت. كلا الفريقين يدّعي حب بلاده، تقول خولة، وكلاهما ينفي وجود الآخر. كلامها بعث شعورا مريرا بداخلي، وكأنني أشاهد مباراة بين فريقين. جماهير غفيرة تشجع. وأنا في وسط هذه الجماهير لا أشجع سوى أرض الملعب.

تذكرتُ الفلبين. تُرى لو كانت الحياة في بلاد أمي بالسهولة التي عليها في بلاد أبي، هل سيتفرغ الناس لهذه التصنيفات. هل يكون للفقر ميزة لم نكن نشعر بها؟

شيء معقّد ما فهمته في بلاد أبي. كل طبقة اجتماعية تبحث عن طبقة أدنى تمتطيها، وإن اضطرت لخلقها، تعلو فوق أكتافها، تحتقرها وتتخفف بواسطتها من الضغط الذي تسببه الطبقة الأعلى فوق أكتافها هي الأخرى.

بين هذه الطبقات كنت أبحث عني.. نظرت أسفل قدميّ.. لا شيء سوى الأرض.. الضغط فوق كتفيّ قادني إلى مكاني بين الناس في.. بلاد أبي.

في مكان قريب كانت سلحفاتي تمشي ببطء. راودتني فكرة مجنونة، ولكن، خشيت أن تتهشم صَدَفتها تحت قدميّ إن أنا أرتكبت الفعل.

* * *

(20)

يبدو أن ميرلا تمر بظروف صعبة. تلك الصلبة العنيدة اللامبالية باتت تظهر بصورة أخرى أكاد لا أعرفها. رسائلها الإلكترونية تشي باضطرابات نفسية تمر بها ابنة خالتي. أزعجتني الرسائل التي لم أتمكن من فهم محتواها فهي أقرب للهلوسة. رجوتها في إحدى رسائلي أن تفتح نافذة المحادثة بالكاميرا. "أرغب برؤيتك"، قلت لها. رفضتْ. رجوتها. أصرّت. مضى أسبوع، أقل أو أكثر. أرسلت هي تطلب: "أرغب برؤيتك".

بعد ما يقارب العام من سفري شاهدتُ ميرلا لا تشبه ميرلا. على شاشة اللابتوب ظهرت. الجو المحيط يشي بأنها في أحد محال الانترنت. الصورة تبدأ واضحة ثم تبهت تدريجيا. نعيد الكرّة. نغلق الكاميرا ونعيد تشغيلها كلما بهتت الصورة. وجه ميرلا، رغم وضوح الصورة ونقائها، باهت. هالات داكنة حول عينيها. شفتاها بلون لا يختلف كثيرا عن بشرتها الشاحبة، ولكنها، رغم ذلك كله، لا تزال مثيرة. "ألو.. ألو.. هل تسمعينني؟". تومئ برأسها إيجابا. ثم تستخدم لوحة المفاتيح. تكتب: "المحل هنا.."، تتلفت حولها، تتم: "كما ترى، مزدحم بالناس.. سأستخدم لوحة المفاتيح بدلا من المايكروفون".

تنهمك في الكتابة مستغرقة وقتا أطول مما ينبغي. دقائق تنبئ بحجم النص الذي تقوم بكتابته. تهزّ رأسها منزعجة. تتوقف قليلا. تواصل الكتابة. نبضات قلبي تتسارع بانتظار كلماتها. يمضي الوقت. ثلاث.. أربع أو خمس دقائق. عيناها لامعتان، وأناملها تعمل على لوحة المفاتيح. رفعت رأسها تنظر إلى الشاشة في حين كنت متحفزا لقراءة النص وما يحمله من أخبار. أرسلت كلماتها ثم حجبت وجهها بكفيها باكية. قرأت ما كتبتْ: "أشعر باللا جدوى". قرّبت المايكروفون من

فمي. همست: "ليس هذا ما كنتِ تعكفين على كتابته طوال خمس دقائق ميرلا!". أغلقتْ الكاميرا. اختفت.

مساء اليوم نفسه وصلتني رسالة عبر البريد الإلكتروني. رسالة لا تشبه هلوساتها السابقة:

هوزيه،،

ترددتُ كثيرا قبل أن أرسل لك رسالتي هذه. لست أدري لماذا أنت بالذات. أنت الرجل الوحيد الذي لا أحمل تجاهه شعورا عدائيا. لعلنا نتشابه إلى حد كبير. كلانا يبحث عن شيء. يبدو أنك وجدته، أو توشك على ذلك. أما أنا.. فليس بعد، ولا أظنني سأجده. اثنان وعشرون عاما لم أعثر فيها على نفسي. لا أزال أبحث عني ولم أجدني. هناك أمور تغلبت عليها، وأمور تغلبت علي، وهناك أمور لا أزال في صراعي معها. حين وشمتُ ساعدي بـ MM، قبل سنوات، كنت أخاتل نفسي. الجميع، وأنت أحدهم، فسَّر الأمر على انني جمعت حرفينا أنا وماريا، ولم يدرك أحد سواي بأنني كنت أنسب نفسي عنوة إلى جدٍّ يمقتني.. ميرلا ميندوزا.

الناس لا يهتمون لحكايتي. وكوني ابنة غير شرعية لا ينقص من قدري شيئا هنا، فجمالي، الشيء الوحيد الذي ينظر إليه الناس، يصرف النظر عن كل ما عداه. ولكنني، لا أنظر في هذا الجمال سوى علامة تميزني عمن حولي وتذكرني بماضي أمي وظروف ولادتي لِديكٍ أوروبي حقير. وجدتني أعوِّض نقصي بحب الفلبين وكل ما هو فلبيني وكأنني أمحو بهذا الحب آثارا تركها والدي الأوروبي على وجهي. عشقت رموزها وتراثها وثقافتها. وفي المقابل نما بداخلي كره أوروبا والأوروبيين، أولئك الذين احتلوا بلادنا قبل سنوات طويلة، ورغم خروجهم بقيت آثارهم تشهد على مرورهم من هنا. وبقي اسم بلادنا كما أطلقوا عليه الفلبين، نسبة إلى ملكهم فيليب الثاني. وقبل سنوات ليست ببعيدة، احتل رجل أوروبي جسد آيدا.

رحل، ولكنه ترك ما يشهد على مروره من هنا.. أنا.

اعتنقت الريزاليستا، يبدو انه أمر مثير للاهتمام، ليس لشيء سوى انه دين فلبيني نقي، ليس كالمسيحية التي فرضها علينا المحتل. ورغم ان خوسيه ريزال لم يدعُ لذلك الدين، ورغم ظهور الريزاليستا في بداية القرن العشرين، أي بعد إعدامه، فإنه الدين الأجدر بالاعتناق.

هوزيه،،

هل تعرف أنني تغلبت على كل شيء إلا داخلي الذي أجهله. حاجتي لرجل أرفضه تخنقني. أريد ولا أريد. أثيرهم. أتسلى بخضوعهم. أرتوي بعطشهم. أقرّب الكأس من شفاههم. يقبّلونها، يتحسسونها بأناملهم ولكنني لا أبلل شفاههم بقطرة من مائها. أشعر بنشوة لا مثيل لها وهم ينحنون يقبلون قدميّ. ولا أرى في انحنائهم أمامي سوى دجاجات ضعيفة تبحث عن الديدان بين أصابع قدميّ. أمعن النظر فيهم. شعور بالرضى يملؤني. ورغم حاجتي للمزيد أكتفي بذلك. أرتدي ثيابي. أدير لهم ظهري مستلذة توسلاتهم من دون أن أتركهم ينالون مني.

هوزيه،،

تغلب على وجهك مثلما تغلبتُ أنا على وجهي. أثبت لنفسك قبل الآخرين من تكون. آمن بنفسك، يؤمن بك من حولك، وإن لم يؤمنوا فهذه مشكلتهم هم، ليست مشكلتك.

لست أدري إن كنتَ قد اعتنقت الإسلام في بلاد أبيك أم لا تزال تهيم على وجهك في البحث عن الله في ديانات مختلفة. على كلٍ، صلِّ من أجلي. أدعُ ربك أن يزيل خطايا ميرلا، ابنة خالتك التي تحب.

أريد أن أكون نقية، لأن ريزال يقول يجب أن يكون الضحية نقيًا لكي تقبل التضحية.

أطيب أمنياتي،،

MM

* * *

كنت ممتنا للصورة التي ظهرت على شاشة التلفاز الصامت بعد فراغي من قراءة الرسالة. أخذتني من غموض ميرلا وحزنها إلى عالم آخر بعيد. أمسكت بالريموت كونترول أرفع من مستوى الصوت. فرقة جاوز عددها الخمسة والعشرين رجلا. ينتشرون في صفوف يرتدون الثياب التقليدية بشكل مختلف عما اعتدت رؤيته. حواشي ثيابهم وياقاتها مطرزة بألوان مختلفة. أكمامهم واسعة جدا. يظهر خلفهم مجسم لسفينة خشبية تشبه شعار الدولة في العملات النقدية ومن خلفها أعلام الكويت مثبتة إلى الجدار. الرجال في الصف الأوسط يمسكون بالدفوف يواجهون الكاميرا، وعن يمينهم صف يواجه صفا آخر عن يسارهم، يصفقون بالطريقة التقليدية التي أحب. أحدهم ينتقل بحرية بين الصفوف يحمل بين يديه طبلا مربوطا بحبل إلى عنقه. يقترب الرجال في الصفين المتقابلين إلى بعضهم حتى يكاد الصفّان يلتصقان ببعضهما. يصفق الرجال وهم يرددون الأغنية بصوت واحد. يتباعد الصفّان إلى الوراء يمسك الرجال في كل صف بأيدي بعضهم البعض. تتغير الأغنية. يفسحون المجال لرجال عدة يرقصون تلك الرقصات التي أعرفها جيدا. تتمايل أكتافهم إلى الأمام، يثبّتون أكفهم فوق غطاءات رؤوسهم الملقاة كيفما اتفق، يقفزون في الهواء قبل أن يستديروا إلى الخلف متمايلين. الضحكات على وجوههم انتقلت إلى وجهي. وقبل أن يتركوا مساحة رقصهم في المنتصف وجدتني أترك طاولة اللابتوب إلى منتصف غرفتي أحاكيهم رقصا والإبتسامة على وجهي كبيرة. ذات الإحساس الذي انتابني بصحبة مجانين بوراكاي ينتابني مرة أخرى بصحبة الرجال على شاشة التلفاز. أخذتُ أصفق بالطريقة التي يفعلون. أتمايل بكتفي وأستدير حول نفسي. عاد الرجال إلى صفوفهم ليظهر صاحب الطبل وحيدا يمشي متمايلا بين صفوف الرجال. واصلتُ رقصي إلى أن انتبهت إلى رنين هاتفي:

- ألو عيسى!
- أهلا خولة..
- هلا أخفضت صوت التلفاز.. ماما غنيمة تقول.

* * *

(21)

عيد الأضحى، بعد ما يربو على الشهرين من عيد الفطر. استيقظت من نومي في ساعة مبكرة على صوت الخراف في فناء البيت الداخلي. تمأمئ وتجيبها الخراف الأخرى في بيوت الجيران، وكأنهم يتبادلون التهاني في العيد، أو ربما يودعون بعضهم البعض قبل مجزرة جماعية صباحية تسيل فيها دماؤهم إلى خارج البيوت تنجرف مع المياه بمحاذاة الرصيف لتصب في فتحة المجاري القريبة.

الساعة السادسة والنصف صباحا. قبل أن يشرع الناس في زيارة جدّتي كنت قد فرغت من الاستحمام لأقابلها، أقبل جبينها وأهنئها بالعيد. ارتديت ملابسي الجديدة التي اشتريتها من محل الزي الشعبي القريب من السوق المركزي خصيصا لهذه المناسبة. ثوب أبيض.. سروال داخلي أبيض طويل.. طاقية بيضاء.. وغطاء رأس أبيض. كل شيء فيَّ كان أبيض في تلك الصبيحة ما عدا حذائي وحلقة الرأس، كانا باللون الأسود. وقفت أمام المرآة أشاهدني، لا شيء يشبهني سوى.. وجهي.

دفعت الباب الزجاجي إلى الداخل. كانت جدّتي وحيدة في غرفة الجلوس أمام شاشة التلفاز التي يظهر من خلالها الرجل ذو الجاكيت الأزرق الفاقع. يغني أغنية غير التي كانت تتمايل جدّتي على أنغامها على ما يبدو. اقتربتُ منها. التفتت إليّ تمعن النظر في وجهي كأنها غير مصدقة. انحنيت أقبّل جبينها. سقطت الحلقة السوداء من رأسي. ارتبكتْ. تذكرتُ مشهد أمير الكويت الراحل حين انحنى يقبل أرض بلاده.. سقوط حلقة رأسه على الأرض.. الأمر بسيط، لا يستدعي هذا الارتباك. لم ألتفت إلى حلقة رأسي، وبعربيتي الخاصة قلت: "عيد مبارك ماما غنيمة". هزّت رأسها من دون أن تنفرج شفتاها عن

كلمة. كانت تنقل نظراتها بين الباب الخشبي الرئيسي والباب الزجاجي الجانبي. كانت تخشى أن يدخل زائر ويراني، أو أن ينتبه الخدم إلى ملابسي ويقودهم فضولهم لمعرفة سرّي. كانت حريصة في أوقات تدليك ساقيها أن تقفل الأبواب خشية زيارة مفاجئة، أما والمناسبة عيد..!

التقطت حلقة الرأس السوداء من على الأرض. أدرت ظهري لجدّتي بعد أن حققتُ رغبتي بأن أقبّل جبينها مثلما رأيت أبناء عمتيّ يفعلون في عيد الفطر. "عيسى!" جاءني صوتها من ورائي. التفتُّ إليها. قالت بالإنكليزية وهي تشير بيدها: "Come.. Come"، كنت سأفهمها لو قالت "تعال". تقدمت نحوها. دسّت يدها في حقيبتها. ناولتني عشرين دينارا، ثم بإشارة من يدها طلبت مني الإنصراف بسرعة: "Go.. Go!".

اتصلت بغسان وإبراهيم سلام أهنئهما بالعيد بعد أن نزعت ملابسي. أرسلت أهنئ خولة وعمتي هند. ثم تمددت فوق سريري أشاهد التلفاز. في الثامنة والنصف وصلتني رسالة هاتفية من خولة: "عيد مبارك.. أريدك في أمر ما".

مارس راجو حقارته باحتراف. كان يتحدث إلى خدم البيوت المجاورة بريبة عن وجودي في المنزل. بعض الخدم نقل الأمر إلى مخدوميه بلا شك. أم جابر، صاحبة البيت الملاصق لبيت جدّتي اتصلت صباح العيد تهنئ ماما غنيمة وتطلب منها: "الخادم الفلبيني الذي يعمل لديكم.. راجو يشيد بعمله.. سيجتمع الرجال على الغداء في الديوانية اليوم، الطباخ مشغول.. أحتاج لمن يُقّدم الشاي والقهوة والعصير". قالت خولة أن الأمر سيىء للغاية بالنسبة لماما غنيمة. أم جابر معروفة لدى البيوت المجاورة بفضولها ونقل الأخبار وتداولها في مجالس النساء التي تحرص ماما غنيمة على عدم حضورها. أم جابر المتقاعدة من عملها حديثا. لا عمل لديها تشغل به وقتها سوى الاتصال بهذه الجارة أوتلك، تنقل الأخبار هنا وهناك، ولا تتورع عن إضافة ما يحلو لها من

تفاصيل. حاولت جدّتي أن تتملص من طلبها. رشّحت بابو بدلا مني.. "لا".. إذن راجو.. "لا لا، الفلبيني شكله مهذّب".. ولكنـه لا يصلح للتقديـم.. "الأمـر سهل.. سيحمل الصينيـة ويمر بها على الضيوف". إصرار أم جابر بعث الشك في نفس جدّتي. ورغم ذلك أرسلت خولة لتخبرني بالأمر. لا لتستشيرني، بل لتطلب مني الذهاب.

خولة كانت غاضبة. "مهما فعلت جدّتي.. إياك أن توافق!". كنت أستمع إليها وأفكر في صمت. حين أذعنت لطلب جدّتي إخفاء حقيقتي أمـام الخـدم كان ذلـك لأن الأمـر مؤقت كمـا أفهموني. حين التزمتُ الصمت أمـام أحمـد وفيصل بصفتي خادما، كان ذلك لأمنع مصيبة قد تحل بنورية وعمتي عواطف أمام زوجيهما. أما أن يتسع الأمر ليكون على هذا النطاق، فالأمـر.. لا يطاق!

"أنا عيسى راشد الطاروف.. أنا عيسى راشد الطاروف.. شئتم أم أبيتم.. هذا ما ورثته من أبي.. أما أمي، وإن ورّثتني ملامحها، فإنها لم تورّثني وظيفتهـا القديمـة في هذا البيت حين كانت الخادمة جوزافين". فقدتُ أعصابي. عند البـاب كانت خولة تقف كالمشلولة تنظر إليّ. ركلت سلحفاتي. دفعت الطاولة الصغيرة مسقطا اللابتوب على الأرض. أمسكت بغطـاء الـرأس في يد، والحلقة السوداء في اليد الأخرى: "ما الذي يمكنني فعله كي تعترفوا بي؟!".

انحنت خولة تلتقط إينانغ تشولينغ المقلوبة على صَدَفتها. ظهرت ماما غنيمـة وراءهـا. جاءت لوحدها من دون أن تسـتند إلى ذراع أحد. اتكأت على إطار باب غرفتي. خوفها من الفضيحة ألان خشونة ركبتيها. التفتت خولة وراءها، يمنة ويسرة، في الفناء الداخلي تبحث عمن ساعد العجـوز على تجاوز الدرجات الثلاث أسفل الباب الزجاجي.. ولكن، سوى الخوف، لم يكن هناك أحد.

كانت ماما غنيمة تغمغم وهي تبكي. توّجه سبّابتيها إلى السماء. لم

287

ألتقط من كلماتها سوى اسم غسان. "ماذا تقول؟.. ماذا تقول؟"، سألتُ خولة والغضب يتملكني. كانت جدّتي تصب جام غضبها على غسان لأنه أعادني إلى الكويت من دون أن يستشير أحدا. "غسان لم يفعل شيئا سوى تنفيذ وصيّة والدي!.. غسان قام بما كان يجب عليكم القيام به"، قلت لها. تعبت جدّتي. أمسكت بكتف خولة تستند إليه. انخفض صوتها ولكنها لم تسكت. واصلت كلماتها يتخللها اسميّ غسان وهند. "ماذا تقول؟!"، بغضب سألتُ خولة. كانت تهزّ رأسها رافضة. "أخبريني ماذا تقول؟!"، ألححت عليها. أجابت وهي تدير ظهرها تساعد جدّتي على العودة إلى الداخل: "غسان جاء بك انتقاما من عائلتنا إزاء رفضها زواجه من عمتي هند". انصرفت خولة تسند جدّتي في يد، وفي يدها الأخرى تحمل إينانغ تشولينغ.

جلست إلى السرير والصدمة تشلُّ تفكيري. غسان، ذو الوجه الحزين، لعب دورا حقيرا لا يناسب وجهه. انتظر كل تلك السنوات. تكفل بإجراءات عودتي من الفلبين. استضافني في شقته. عاملني بلطف ليس لشيء سوى لتحقيق رغبة مريضة في الانتقام!

* * *

هاتفني غسان في ذلك اليوم كثيرا. لم أرد. لابد أنه هاتف خولة ليعرف منها سبب عدم ردّي على مكالماته. أرسل لي في المساء يقول: "عرفت سبب عدم اجابتك على اتصالاتي". لم يزد على تلك الكلمات. اختفى غسان ولست أعلم من فينا تخلى عن الآخر. لابد أن ذنبه العظيم وانكشاف أمره دفعاه للهرب من المواجهة والدفاع عن نفسه. كانت خولة في منطقة محايدة، ما أثقل كاهلي في التفكير: "هل كنتُ مخدوعا بغسان؟". تقول خولة ان هذا ما تؤمن به ماما غنيمة، وهو ما ترفضه عمتي هند، أما هي، خولة، فلا رأي لها في الموضوع.

* * *

288

بعد وقوع أبي في الأسر، إلى فترة تجاوزت زمن تحرير الكويت بسنوات، كان غسان كثير التردد على بيت ماما غنيمة بصفته صديق راشد. يسأل عن أحوالهن ويذكرهن دوما أن استشهاد راشد لا يعني انتهاء العلاقة بينه وبين البيت الذي يعتبره بيته والناس الذين هم بمنزلة أهله. كان متواصلا مع إيمان، والدة خولة، يسأل عن ابنة راشد. لم يكن قادرا على فعل شيء سوى الوفاء بعهد قطعه لروح صديقه الشهيد. كان مرحبا به من قبل الجميع في بيت الطاروف، لأنه يحمل رائحة راشد كما كانت جدّتي تقول. كان هذا قبل أن تتلاشى رائحة أبي التي يحملها غسان مع مرور الزمن. بعد زواج عمتي عواطف ونورية شعر غسان بالاطمئنان لوجود أحد يرعى شؤون العائلة. انسحب تدريجيا، ولكن، في تلك الأثناء كانت علاقة مبهمة قد نشأت بينه وبين عمتي هند. كانت هي الوحيدة التي تسأل عنه في فترة غيابه، لأنها، بغيابه، كانت تشعر بغياب أخيها راشد كما كانت تقول. خولة كانت صغيرة في ذلك الوقت، ما كان لها أن تعرف تلك الأمور لولا أخبرتها أمها بذلك. تواصلت عمتي هند مع غسان هاتفيا. علاقتهما المبهمة أفضت إلى علاقة حب. كتمت عمتي هند مشاعرها عن الجميع سوى إيمان زوجة أخيها، القريبة منها آنذاك، إلى أن جاء الوقت الذي أصبح فيه الأمر لا يحتمل البقاء على ما هو عليه. تقدّم غسان لخطبة عمتي هند. "أنت ولدنا ونكن لك كل التقدير ولكن.. في مسألة الزواج.. أسأل اللّٰه أن يرزقك بفتاة أفضل منها"، كان هذا رد ماما غنيمة. خولة تتفهم رفض جدتي لغسان، فهي لا تريد لأحفادها أن يكونوا "بدون" مثل أبيهم، يرفضهم الناس والقانون.

خرج غسان من بيت جدّتي لينصرف إلى عالمه، في حين سقطت عمتي هند في هوّة من الفراغ، ملأتها باهتمامها بحقوق الإنسان. تكتب من أجل المظلومين، تطالب بحقوقهم، تشارك في الفعاليات العامة بصفتها ناشطة في هذا المجال. عرفها الناس في الندوات واللقاءات

التلفزيونية والصحافية بوقوفها مع الإنسان أيا كان جنسه أو دينه أو انتماؤه. مشهورة هي في الكويت. الناس يعرفونها جيدا، هند الطاروف، ولكن ما لا يعرفه أحد هو انها ما كانت تدافع عن شيء سوى حبٍ لم يُكتب له البقاء طويلا مع أحد أولئك الذين كرّست حياتها للدفاع عن قضيتهم التي أصبحت.. قضيتها.

نظرتُ إلى نفسي بين كل تلك الخطوط المتشابكة أنتظر اعترافا من عائلتي. تملكني الذعر. لا أريد أن أفجع بمصير يشبه مصير غسان. لا أريد أن أنتقم من عائلتي وإن رفضت الاعتراف بي. التفتُ حولي باحثا عن إينانغ تشولينغ. تذكرتها مقلوبة على صدفتها عند الباب تنحني خولة لتحملها بين يديها. تذكرت ما دار في غرفتي صباح اليوم ذاته. وقوف خولة عند الباب. حديثها عن أم جابر وخوف جدّتي. تمردي على نفسي: "أنا عيسى راشد الطاروف.. أنا عيسى راشد الطاروف". هل أنا بحاجة لاعترافهم بي بعد أن اعترفت، أنا، بنفسي؟

ليس بعد ذلك اليوم. فقد حان الوقت لأطلق سراحي، فالكويت.. ليست بيت الطاروف.

* * *

حياة ليست مكرّسة لهدف، حياة لا طائل من ورائها، هي كصخرة مهملة في حقل بدلا من أن تكون جزءا من صرح

خوسيه ريزال

الجزء الخامس

عيسى.. على هامش الوطن

(1)

عصر اليوم الأول لعيد الأضحى. زارت إيمان، بعد غياب طويل، بيت الطاروف لتهنئ جدّتي بالمناسبة. لابد أن زوجها لا يعلم بأمر هذه الزيارة المحرّمة. هي لم تزُر ماما غنيمة في شهر رمضان أو عيد الفطر. ما الذي جاء بها في ذلك الوقت تحديدا؟ هي المصائب، لا تأتي فرادى كما يقال.

طرقت خولة باب غرفتي. وكعادتها لم تتجاوز الباب إلى الداخل. أخبرتني أن أم جابر هاتفت جدّتي مرة أخرى، وعندما اعتذرت الأخيرة عن تلبية طلبها سألتها الجارة: "هل حقا ان الفلبيني اسمه عيسى؟". كادت جدّتي أن تنهار أمام تلميحات أم جابر. لا بد أن راجو كان وراء ذلك. هززتُ رأسي دونما اهتمام: "وماذا بعد؟". اغرورقت عينا خولة بالدموع. أخبرتني أن والدتها، إيمان، قد تلقت اتصالا من أم جابر تسألها عن الفلبيني في بيت أهل زوجها السابق. علمت إيمان بأمري من دون أن تشعر جارتنا الفضولية بشيء، ثم على الفور جاءت تطلب من ماما غنيمة أن تسمح لها بأن تأخذ خولة لتعيش في بيت جدّتها لأمها، فهي لا تريد لابنتها أن تعيش في بيت أنا فيه. تذكرتُ رسالة أرسلها أبي لأمي، قال فيها ان زوجته، الجديدة آنذاك، لا مشكلة لديها إن أنا عدت إلى الكويت. ما الذي تغيّر؟ لم تجبني خولة واكتفت بمسح دموعها. قلت لها حاسما أمري: "سوف أقطع لسان أم جابر.. وسوف لن أكون سببا في تركك للبيت الذي تحبين". أومأت مستفهمة. أجبتها: "قررتُ الرحيل". لم تتمسك خولة، رغم حزنها، بوجودي، فوجودي في بيت الطاروف أصبح مرهونا بخروجها منه. اكتفت بسؤالي وشيء من ملامح الصدمة استوطن وجهها: "إلى الفلبين؟". أجبتها: "إلى الكويت".

جدّتي، لأول مـرة منـذ وجـودي في بيتها، احتضنتني بقـوة حتى كدت
اختنـق بيـن ذراعيهـا مـا إن علمـت بقـراري. أفلتتني بعـد قبلـة طبعتها
على وجنتي. التفتـت إلى خولة تحدثها وتطلـب منها ترجمة ما تقول.
بوجه ملؤه الخجل قالت خولة: "زيادة على المئتين.. سوف تعطيك ماما
غنيمة مئتي دينار ليصبح راتبك الشهري أربعمئة". هززت رأسي شاكرا.
واصلت جدّتي حديثها لأختي. قالت الأخيرة: "وسوف تتنازل لك عن
حصتهـا مـن راتـب أبي". الحُمـرة تكسـو وجهيهمـا. حُمرة الخجل على
وجه خولة. حُمـرة السعادة على وجه جدّتي. أدرتُ ظهري لهما عائدا
إلى غرفتي التي لن تكون كذلك.

***

مسـاء اليوم الثاني لعيد الأضحى. كان إبراهيم سـلام ينتظرني في
الخـارج بسيارته. هممـت أحمـل حقيبتي. فتحت خولة بـاب الغرفة.
ولأول مـرة تجاوزتـه بخطـوات متـرددة متقدمة للداخـل. دخولها، بهذه
الطريقـة، إلى الغرفـة، وهي التي لـم تفعل قـط، أربكني. تركتُ حقيبتي
على الأرض في حيـن كنت أراقبها. وقفت أمامي تتفـرّس وجهي.
ازدردتُ ريقي بصعوبـة. ملامحهـا لا تحمل أي تعبير. حاولتُ عبثا أن
أبتسـم ولكنني عجزت أمام حيرتي لتجاوز أختي منطقة الحظر. رفعت
كفيها أسفل ذقنها تعالج شيئا ما. ارتخى حجابها. أمسكت بمقدمته فوق
جبينها. أزاحته عن شعرها. أسقطته على كتفيها. هزّت رأسها مطلقة
شـعرها الأسـود في الهـواء. عيناهـا في عينيّ مباشـرة. الدموع تكاد تطفر
منهمـا. احاطت جسـدي بذراعيها وغـاص وجهها بين رأسـي ورقبتي.
قالت: "سأفتقدك يا أخي".

ذراعاي ممدودتان إلى الأسفل. لم أتجاوب معها. كان قلبي ينبض
بشـدّة. طبعت قبلة على وجنتي، ثم أدارت ظهرها عائدة من حيث أتت
تُعيد تغطية شعرها بحجابها و: "سأفتقدك يا أخي"، تتردد كالصدى في

294

أذنيّ "يا أخي.. يا أخي.."، تتكرر حتى بعد خروجها من غرفتي.

أول مرة تناديني خولة بهذه الصفة، وقبل ذلك بيوم، احاطتني ماما غنيمة بذراعيها لأول مرة وقبلتني. لو كنت أعلم بذلك لتركت بيت الطاروف منذ زمن. حملت حقيبتي. أطفأت أنوار الغرفة. وفي الفناء الخارجي التفتُ ناحية المطبخ. بابو ولاكشمي ولوزفيميندا خلف زجاج النافذة ينظرون إليّ. يلوِّحون بأيديهم والحزن على وجوههم. تركتُ بيت جدّتي ورائي. وفيما كنت أضع حقيبتي في صندوق سيارة إبراهيم ظهر راجو من وراء باب المرآب. رمى سيجارته أرضا. سحقها بقدمه. التفت إليّ يقول: "مع السلامة". أطبق الباب.

تحت المظلة الخاصة بعمتي هند، كانت سيارتها. هي في البيت، ولكنها لم تخرج لوداعي. أتفهم موقفها. بأي وجه ستودعني وهي التي عجزت عن القيام بدورها كاملا تجاهي.

لست ألومها، فهي كما كان أبي، وكما قالت أمي ذات يوم: "ليس بيده القرار لأن مجتمعا كاملا يقف وراءه".

* * *

(2)

شاركت إبراهيم سلام غرفته الصغيرة بشكل مؤقت لحين عثوري على سكن. "لماذا تسكن الجابرية؟"، سألت إبراهيم وأنا لا أحمل لتلك المنطقة سوى مشاعر مؤلمة.. موت صديق أبي في طائرة تحمل الاسم نفسه، وخيانة صديقه الآخر الذي يسكن في المنطقة ذاتها. "لأن السفارة الفلبينية، حيث أعمل، تقع بالقرب من هنا"، أجابني إبراهيم.

طلبت منه ذات ليلة أن يحدثني عن النبي محمد مقابل أن أحدثه عن اليسوع، على غرار أحاديث ما قبل النوم التي كانت تدور بيني وبين تشانغ حول اليسوع وبوذا. أجابني إبراهيم: "سأحدثك عن سيدنا محمد صلى الله عليه وسلم، ولكنني لست بحاجة إلى أن تحدثني عن عيسى عليه السلام ". وحين سألته عن السبب أجاب واثقا: "أجزم بأنني أعرف عن المسيح ابن مريم ما لا تعرفه أنت".

حدثني كثيرا عن الإسلام. أثار اهتمامي بعض التشابه بين القرآن والكتاب المقدس. أهو دين جديد كما كنت أحسب، أم تتمة لأديان سبقته؟ حدثني إبراهيم عن الصُحُف الأولى التي أشار لها القرآن. وبسؤالي عن تلك الصحف أجابني ممسكا بالمصحف بين يديه مترجما لفقرات عدة، أتذكر ان إحداها كان من سورة اسمها النساء[34]. فهمت مما قاله ان الإسلام لا ينكر الأديان التي سبقته، فالقرآن يشير إلى الأديان السابقة، ويذكر الأنبياء والرسل بأسمائهم، ويخبرنا بأنهم،

(34) ﴿إِنَّا أَوْحَيْنَا إِلَيْكَ كَمَا أَوْحَيْنَا إِلَى نُوحٍ وَالنَّبِيِّينَ مِن بَعْدِهِ وَأَوْحَيْنَا إِلَى إِبْرَاهِيمَ وَإِسْمَاعِيلَ وَإِسْحَاقَ وَيَعْقُوبَ وَالأَسْبَاطِ وَعِيسَى وَأَيُّوبَ وَيُونُسَ وَهَارُونَ وَسُلَيْمَانَ وَآتَيْنَا دَاوُودَ زَبُورًا﴾ القرآن الكريم. النساء: 163 (المترجم).

جميعا، مرسلون إلى البشرية من قبل الله. أشعل إبراهيم مصابيح في رأسي ولكنه أطفأ أخرى. وأمام حيرتي وجدته مهتما أكثر مني في هذا الأمر. لست أدري ان كان يحاول اقناعي أم اقناع نفسه. أطبق المصحف ثم أعاده إلى مكانه في درج قرب سريره. حدثني عن معجزات لم أسمع بها من قبل. غيوم تُشكِّل اسم اللّه في السماء.. ثمرة بطيخ ترسم بذورها اسم محمد النبي.. سمكة إذا شاهدتها بوضع مقلوب تقرأ اسم اللّه في الخطوط الممتدة من ذيلها إلى رأسها، وأشياء تشبه تلك التي كنت أسمع عنها في الفلبين عن رؤية البعض لتمثال السيدة العذراء والدموع تسيل من عينيها.. أو ظهورها في مكان ما سرعان ما يستحيل مزارا. أثار إبراهيم دهشتي. كان ذلك باديا على وجهي. وإزاء دهشتي تلك وجدته يسألني بثقة: "ها؟ ما رأيك؟". لم تكن دهشتي سوى دهشة خيبة فهمها إبراهيم بشكل عكسي. أجبته: "هذه مجرد خيالات!". امتقع وجهه. أتممت: "لو انك اكتفيت بقراءة نصوص من القرآن!".

من الدرج الذي وضع فيه المصحف أخرج ورقة مطوية. قال: "سوف أريك معجزة". انتصبت شعيرات جسدي. رغم عدم إيماني بتلك الأشياء، فإنني كنت متحفزا، لشدة حماسه، لرؤية شيء جديد.

- حدث قبل أكثر من عامين.. في ديسمبر 2004..

قاطعته بعد أن تشكَّلت في مخيلتي صور مشؤومة. قلت:

- ضربت أمواج الـ تسونامي دولا عدّة في شرق آسيا..

هزّ رأسه:

- هذا صحيح يا أخي..

واصل حديثه وهو يفرد ورقته المطوية:

- ضربت الأمواج إحدى الجزر.. مسحت المنطقة بالكامل وأبقت على..

أبقى جملته مفتوحة لتكمل ورقته ما أراد قوله. كانت صورة كبيرة

لامعة بالألوان لمسجد أبيض ينتصب بين الخرائب.

- أين هي المعجزة؟

سألته بدهشتي التي لا تزال. أجاب:

- أنظر!.. لا أثر للبيوت حول المسجد.. كل شيء جُرِف مع الأمواج ولم يبق سوى المسجد صامدا!

شعيرات جسدي المنتصبة، نامت على جلدي محبطة.

- إبراهيم!

نبّهته. أردفت:

- كلانا يعرف أن المساكن حول المسجد مبنية من الأخشاب والصفيح، أما هذا المسجد فأساساته تضرب في عمق الأرض، وهو مشيّد من الاسمنت ويستند إلى أعمدة خرسانية!

- أنت تشكك في الدين؟

هززتُ رأسي نافيا:

- بل أنا أشكك في معجزاتك الباطلة! وهل يرسل الله الأمواج تدُكُ بيوت المؤمنين حول المسجد ليصدّق من لم يؤمن بالله بأن هذا الدين حق؟!

كنت واثقا، لأول مرة مما أقول. لا يمكن تعريف الله بهذا الأسلوب، لأن الله أكبر.. الله أعظم، كما بدأت أتلمس، وأعمق من ذلك بكثير. لم أكثر بالحديث فقد بدا عليه الامتعاض، وأنا لم أكن مستعدا للنوم في الشارع. أشرتُ إلى صدري قائلا:

- ان الإيمان يسكن هنا.. وبدعوتك هذه..

وجّهت سبّابتي إلى رأسي:

- أنت تحاول أن تجعله هنا.. وهنا لا يستقر الإيمان كثيرا..

- ماذا تعني؟

سألني والريبة في عينيه. أجبته بثقة لم أعهدها:

- لا مكان للإيمان في غير القلب.

نظر إليّ صامتا. استطردت:

- انظر إلى نفسك في المرآة وستجد من المعجزات ما يبدد ريبتك.. فأنت بحد ذاتك معجزة.

أشرتُ نحو الدرج الملاصق لسريره:

- أحضر القرآن وترجم لي شيئا من نصوصه بدلا من استعراض براهين واهية تُضعف دعوتك.

الأديان أعظم من معتنقيها. هذا ما خلصتُ إليه. البحث عن شيء ملموس لم يعد يشكل هاجسا بالنسبة لي. لا أريد أن أكون مثل أمّي التي لا تستطيع الصلاة إلا أمام الصليب وكأن اللّه يسكنه. لا أريد أن أكون فردا من قبائل الـ إيفوغاو، لا أخطو خطوة إلا برعاية تماثيل الـ أنيتو، تبارك عملي وترعى محاصيلي الزراعية وتحرسني من الأرواح الشريرة ليلا. لا أريد أن أكون مثل تشانغ أرهن علاقتي مع اللّه بواسطة تمثال بوذا الذي أحببت. لا أريد أن أستجلب البركة من مُجسَّم يصوّر جسد حصان أبيض مُجنَّح له رأس امرأة، كما يفعل بعض المسلمين في جنوب الفلبين. أتذكر ذلك المُجسَّم جيّدا، حين سألتُ ذات يوم أحد الطلبة المسلمين في المدرسة عن تمثال أو أيقونة للنبي محمد. عاد في اليوم التالي يخبرني بأن تصوير النبي أو تجسيده أمر محرم في الإسلام. دسّ يده في حقيبته المدرسية يخرج منها ذلك المُجسَّم. أذهلني شكله. وحين سألته ما هذا؟ أجاب: "بُراق". نسيت أمر البُراق هذا إلى أن شاهدته بعد ذلك بأحجام مختلفة يصل بعضها إلى حجم المهر الصغير في متحف الفلبين الوطني، وعلى لوح مستطيل معلق على الواجهة الزجاجية كان الشرح: "البُراق: الدابة التي امتطاها رسول

الإسلام ليلة الإسراء والمعراج، من مكة في الحجاز إلى المسجد الأقصى في بيت المقدس.

مجسم بُراق وصليب وتمثال بوذا وأنيتو وأشياء أخرى يعزز الناس إيمانهم بواسطتها. ومعجزات مفتعلة، لم يكتفِ الناس بمعجزات وقعت في أزمان بعيدة، كانت حكرا على الأنبياء مع نشأة الأديان، ليبحث كل مؤمن مفترض عن معجزة لا وجود لها، يخلقها، يؤمن بها، ولا يكشف إيمانه عن شيء سوى مقدار الشك في نفسه.

كنت أمام إبراهيم أجلس. كان صامتا كما كنت أنا أيضا. في أذني اليمنى صوت الأذان يرتفع. في أذني اليسرى قرعُ أجراس الكنيسة. في أنفي رائحة بخور المعابد البوذية تستقر. انصرفتُ عن الأصوات والرائحة، والتفتُّ إلى نبضات قلبي المطمئنة، فعرفت أن الله.. هنا.

* * *

300

(3)

في الجابرية التي أكره عثرت، بمساعدة إبراهيم، على شقة مناسبة تحتل طابقا ثالثا من بناية قديمة، تبعد عن سكن إبراهيم حوالي عشر دقائق سيرا على الأقدام. البناية تخلو من العائلات تماما. فالسائد هنا أن العائلات تسكن في بنايات خاصة، لا يُسمح للشباب العزاب السكن فيها. وحيث أسكن.. لا نساء ولا أطفال على الإطلاق، وكأنني في سجن أو معسكر. بعض الشقق يسكنها وافدون من جنسيات مختلفة. بعضها يحتوي على أكثر من عشرة أفراد. معظم الشقق في البناية تخلو من السكان في أيام الأسبوع، ولكنها تمتلئ بالشباب بشكل ملفت في ليلتيّ الخميس والجمعة والأعياد والعطلات الرسمية، في تلك الأيام وحسب كنت أستمع إلى أصوات النساء في البناية. في الدور الثالث، حيث شقتي، ثلاث شقق أخرى. يسكن إحداها خمسة شباب فلبينيين. أخرى لرجل عربي جاوز الخمسين. أما الأخيرة فهي لمجموعة شباب لا يرتادونها إلا في عطلة نهاية الأسبوع حيث تتعالى أصواتهم بعد منتصف الليل.. ضحك.. غناء.. حركة غير اعتيادية.

انتقالي لهذه الشقة يُعدُّ ترفا لم أحلم به. غرفتان وصالة وحمام ومطبخ لي وحدي. كان انتقالي سهلا، فلم أكن أملك ما أحمله معي إلى سكني الجديد سوى ثلاث حقائب، الكبيرة لملابسي، والصغيرة لجهاز اللابتوب، والأهم منهما، حقيبة وجودي. أعارني إبراهيم مرتبة ولحافا أحضرهما لي بسيارته. خولة كانت على اتصال دائم معي تتابع أمور انتقالي. "أشعر بالذنب.. كنت أحد أسباب تركك لبيتنا"، تقول أختي. قالت أن جدتي تفتقدني. فكرتُ، لا بد أن ركبتيها في حال سيئة. عمتي هند، من دون أن تهاتفني، سألت عن عنواني الجديد عبر رسالة هاتفية.

أرسلت لها العنوان لتصل، بعد رسالتي بساعات قليلة، سيارة نقل تحمل سريري وثلاجتي وخزانة الملابس والتلفاز وعلبة كرتون صغيرة. نقل العمال أشيائي إلى الأعلى ثم انصرفوا. فتحت علبة الكرتون وإذ بسلحفاتي منكمشة في صدفتها. شرخٌ أعلى الصدفة لم ألحظه من قبل. تذكرتُ ركلتي لها قبل أيام في فورة غضب. ندم مرير انتابني. ورقة صغيرة وجدتها داخل العلبة الكرتونية. كتبت خولة بخط جميل: "شعرت عزيزة بالغيرة من سلحفاتك.. وَشَت بها عند جدّتي.. غضبت فطردتها P;". مزحة مؤلمة، ولكنني ضحكت تجاوبا مع رغبة أختي في إضحاكي.

في ذلك المساء، بعد أن قمت بترتيب الشقة، رنّ هاتفي النقال في وقت متأخر، حسبته إبراهيم، ولكن المكالمة كانت من عمتي هند تسألني.. عنه!

"من يكون ذلك الشاب الذي حدثتني عنه خولة؟ شكله؟ عمره؟ سكنه؟ جماعته؟"، أسئلة كثيرة تشبه التحقيق، أجبتها بما أعرف، وما إن فعلت حتى قالت محذرة: "عيسى!.. كن حذرا من أولئك المتخلفين". كلماتها عقدت لساني. استطردت: "في الكويت نماذج كثيرة تصلح للصداقة أفضل من أولئك الذين توشك أن تتورط معهم!". ختمت مكالمتها بـ: "أنا هنا.. إن احتجت إلى أي شيء.. ولكن، ابتعد عن أولئك المشبوهين".

* * *

العزلة زاوية صغيرة يقف فيها المرء أمام عقله، حيث لا مفر من المواجهة. وعقلي كاد يضمر مثل عضلة مهملة لولا إفراطي في استخدامه أثناء عزلتي.. لم أنوِ استخدامه قط، فأنا لا أثق فيه وهو مصدر شكي وريبتي في كل شيء. لعله هو من فعل من تلقاء نفسه. شعر بالإهمال فانتفض. من أين للهواجس هذه القدرة على صرفنا عن كل

شيء عداها؟ تمر الساعات من دون أن أتنبه لفراغ معدتي أو حاجتي
للنوم. لعلها التخمة في رأسي أفقدتني الشهية، ولعل شرودي الدائم
كان شيئا يشبه النوم. أنظر إلى الشارع من خلال النافذة. "أنا لم أخرج
منذ ثلاثة أيام!"، أنتبه فجأة لوجودي في الشقة طيلة ذلك الوقت. شيء
يشبه الحداد كنتُ أمارسه من دون أن أشعر. كان حدادا من دون تنكيس
أعلام، ومن دون أن تصطبغ وجوه الناس في الخارج بلون الحزن الذي
شاهدته يوم وصولي. كيف أمضيت كل هذا الوقت؟ أحاول أن أتذكر.
لم أشاهد التلفاز. لم أقرأ كلمة. لم أهاتف أحدا على الإطلاق. عدا
التفكير، ماذا كنت أفعل؟

لأول مرة أشعر باللاجدوى. حلمي القديم.. الجنة التي وُعدتُ
بها.. سفري.. المال الذي بات يفيض عن حاجتي.. ماذا بعد؟ في بلاد
أمي كنت لا أملك شيئا سوى عائلة. في بلاد أبي أملك كل شيء سوى..
عائلة.

المال الذي أجنيه كل شهر نظير الكسل الذي أمارسه بات يحتقرني
وبتُّ أخجل منه. شعوري باللاجدوى أخذ يتضخم بداخلي تجاه حلم
كان قصيّا، أصبح اليوم حقيقة. تتكشف لنا حقيقة أحلامنا كلما اقتربنا
منها عاما بعد عام. نرهن حياتنا في سبيل تحقيقها. تمضي السنون.
نكبر وتبقى الأحلام في سنّها صغيرة.. ندركها.. نحققها.. وإذ بنا نكبُرها
بأعوام.. أحلام صغيرة لا تستحق عناء انتظارنا طيلة تلك السنوات.

العطاء من دون حب لا قيمة له. الأخذ من دون امتنان لا طعم
له. هذا ما اكتشفته. كنت أنظر إلى الأرض في منتصف غرفة الجلوس.
شاهدت، بين الأرض ومخيلتي، أمي تجلس القرفصاء أمام حقيبة سفرها
بعد عودتها من البحرين بأسبوع. أفراد عائلتي ينتشرون على الأرائك
حولها، كلٌّ ينتظر هديته. "بيدرو!"، تصيح أمي. تلقي إلى خالي قداحة
سجائر زرقاء كلون عينيّ ميرلا. يفرح خالي بالهدية لأنها هدية. "آيدا!"..

303

فردتا نعل مطاطية.. "ميرلا".. قطعتا ملابس داخلية.. زوجة خالي بيدرو.. حمالـة صـدر.. أبنـاء خالي.. كيس حلوى وشوكولاته.. "هوزيه".. قلم حبـر جـاف وحقيبة مدرسية. ثم.. تمسـك أمي بقبعـة بيضاء وتتجه إلى أدريان في زاويته الأثيرة تضعها فوق رأسه.

السـعادة على الوجوه، لا أزال أتذكرهـا. مالي لا أسـعد بهدايـا عائلتي الكويتيـة كسعادة خالي بيـدرو بقداحة السـجائر التي لا تتعدى قيمتها مئة فلس، وهو القادر على شـراء المئات منها؟ هو الحب الذي يجعل للأشياء قيمة.

في عزلتي هذه وجدتني أشتاق إلى عائلتي هناك بشكل مَرَضي. حنين يتملكني رغـم الألفة التي بدأت تتسـلل إلى نفسي تجاه بعض الأشياء في بلاد أبي. لم يعد للماء طعم يزعجني كما شعرت في أيامي الأولى.. مـاء الفلبين أحلى. لـم أعـد أنظر للرجـال باستغراب إذا ما تبادلـوا القبـلات على طريقتهم حين يحيّي أحدهم الآخر. لم أعد أنظر إلـى الغربـاء في ريبـة إذا مـا مرّوا إلى جانبي يلقون التحية من دون أن يعرف أحدنا الآخر.. بل أصبحت أنا من يبادر كلما مررتُ أمام أحدهم: "السلام عليكم".. بثّت تلك التحية شعورا بداخلي بأنني أعرف الجميع هنا.. خصوصا بعدما ترجم لي إبراهيم معنى الكلمة، التي هي اسم والده أيضا.. "سلام يعني Peace". ما أجمل هذه التحية. فتحت لي منفذا، وإن كان صغيرا، لتبادل شيء ما مع الكويتيين. ولكن.. الكويت.. كلما أحكمـت قبضتي على طرف ثوبها فلتت من يـدي.. أناديها.. تدير لي ظهرها.. أركض إلى الفلبين شاكيا.

كان مـن الصعـب عليّ أن آلـف وطنا جديدا. حاولت أن أختزل وطني في أشخاص أحبهم فيه. ولكن الوطن في داخلهم خذلني. خذلني موت أبي.. خذلتني خيانة غسان.. جدّتي وحبها القاصر.. ضعف عمتي عواطف.. رفـض نورية.. صمت عمتي هند واستسـلام أختي.. من أين

لـي أن أقتـرب مـن الوطـن وهو يملـك وجوها عدة.. كلمـا اقتربتُ من أحدها أشاح بنظره بعيدا.

شـقتي الفسـيحة ضاقت بي. الحديث إلى السـلحفاة الخرساء بات ممـلا. ارتديـت معطفـا يقينـي مـن البرد وانطلقت إلـى الخارج لا ألوي على شيء. في الممر خارج شقتي وقفت منتظرا وصول المصعد. فُتح بابه كاشـفا عن شـاب فلبيني من سـاكني الشقة المجاورة لشقتي، يحمل في يديه أكياسـا بلاسـتيكية، بعضها متخللا ذراعيه وبعضها مسـنودا إلى صدره بالكاد يظهر وجهه من ورائها: "مرحبا.. أنت الساكن الجديد؟". هـززت رأسـي مؤكـدا. "قبـل أن تذهب.. لو سـمحت.."، قـال لي. أتم ضاحكا: ".. هل لك أن تُخرج المفاتيح من جيب معطفي؟". دسسـت كفّي في جيب معطفه. ناولته المفاتيح. ابتسم قائلا: "هلا فتحت الباب من فضلك؟". أدرت المفتاح دافعا الباب إلى الداخل. تقدّم الشاب تاركا إياي عند المدخل. اختفى في إحدى الغرف في حين بقيت واقفا حيث كنت أجول بنظري في أرجاء غرفة الجلوس الصغيرة.. الإضاءة الخافتة.. أوراق الزينة على الجدران.. عُلب فطائر ومشروبات غازية ورائحة طبخ.. وفي إحدى الزوايا بالقرب من النافذة شجرة عيد الميلاد يعلوها ملصق كبير HAPPY NEW YEAR 2007. "ما هي خططك لهذا المسـاء؟"، جاءني صوت الشاب من إحدى الغرف. "لا شيء"، أجبته. أطل برأسه مـن بـاب الغرفة: "يمكنك السـهر معنا الليلة.. سـنجتمع في العاشـرة". قبلت دعوته وقلبي ينبض فرحا. ودّعته على أن يكون اللقاء في العاشرة.

في شوارع المنطقة كنت أتسكع. الساعة حوالي الثامنة مساء. البرد شـديد. أمام أحد البيوت توقفت. سـاحته الأمامية خضراء يحيطها سـور مُشَّجر. التفت حولي قبل أن أقتطع ثلاث أو أربع وريقات خضراء. لا أحد ينتبه. أحكمت قبضتي عليها مفتتا إياها بين أصابعي إلى أن شعرت بلزوجة عصارتها في باطن كفي. قرّبتها من أنفي. أغمضتُ عينيّ مستنشقا

رائحتها بشهيق ملأ رئتيّ.. بسطتُ كفي والأوراق الخضراء محمولة عليها لا تزال.. أمعنت النظر.. أرض ميندوزا الفسيحة وبيوتها الأربعة وواتي والديوك والضفادع كلها كانت محمولة على كفّي المرتعشة المسوّرة بسيقان البامبو. الحنين الذي باغتني في عزلتي انخفض إلى المنتصف. سأقوم بشيء آخر أطفئ بواسطته ما تبقى من هذا الحنين. التفت حولي. محطة وقوف الحافلات ليست بعيدة. ولكن، بعض الصبية يقفون هناك، انتظرت لحين فراغهم من طقسهم المجنون. يقفون بمحاذاة الشارع على الرصيف، يحملون حجارة في أيديهم متحفزين، ينتظرون مرور الحافلات ليرشقوها بحجارتهم. تمر الحافلات، يقف بعضها ويواصل بعضها الآخر من دون التوقف عند المحطة، ولا ينصرف الصبية قبل أن يصيب أحدهم الهدف. تتناثر شظايا زجاج الحافلة، ثم يطلقون سيقانهم للريح سالكين السكك الضيقة المظلمة.

بعد خلو المكان، حثثت خطاي إلى محطة وقوف الحافلات. عمود أزرق ينتصب فوق الرصيف. يعلوه لوح حديدي أبيض يحمل شعار شركة النقل. أسندتُ ظهري إلى العمود منتظرا وصول الحافلة. ليس مهما أي رقم تحمل. ليس ضروريا معرفة وجهتها. لا يعنيني من أمر الحافلات سوى ما تفرزه محركاتها من دخان أسود يعكر الهواء من حولي ويبدد تلوّث الغربة بداخلي. مغمض العينين مسندا ظهري إلى العمود كنت. تمر الحافلة تلو الأخرى. الدخان الأسود للديزل يتصاعد كثيفا في الهواء. أملأ به رئتيّ.. أستنشق شوارع مانيلا. تمضي الحافلة في طريقها تاركة الدخان الأسود يتصاعد في الهواء. يحفر ثقوبا في طبقة الأوزون. أحد الثقوب يهوي من السماء مستقرا على الأرض حفرة.. يصدر منها ضجيج محركات السيارات وأبواقها.. أصوات الناس يتحدثون بالفلبينية والإنكليزية.. أطل برأسي داخل الحفرة.. سيارات الجيبني تملأ الشوارع تزاحمها دراجات الترايسِكِل.. الحافلات..

سيارات النقل والدراجات النارية.. المطر يهطل على الشوارع بكل ما أوتيت السُحُب من قوة.. تتلاشى رائحة الديزل.. تتباعد الأصوات.. تبهت صورة مانيلا.. تتضاءل الحفرة.. تختفي، وإذ بي في أحد شوارع الجابرية مستندا إلى عمود حديدي متحررا من حنين كان يتملكني قبل لحظات.

* * *

(4)

ليلة رأس السنة أمضيتها في الشقة المجاورة. عندما اقتربت الساعة من الثانية عشرة شرع الجميع في عد تنازلي: عشرة.. تسعة.. ثمانية.. .. ثلاثة.. إثنان.. واحد..

الألعاب النارية تملأ السماء في الخارج بالألوان والأنوار والضجيج. أبواق السيارات، على اختلاف أصواتها، تغني بفرح. في سماء الغرفة تتطاير قطع الأوراق الملونة اللامعة. بالفلبينية والانكليزية كان الغناء. عام جديد يستقبله الناس بالأمنيات. HAPPY NEW YEAR نتبادلها فيما بيننا وكل في نفسه أمنية يصبو إلى تحقيقها. الشقة، حيث كان الاحتفال، قطعة من بـلاد أمي.. الوجوه واللغة.. التصفيق والغناء.. الصور على شاشة التلفزيون.. أطباق الأدوبو والرز الأبيض.. المعجنات والحلويات وكؤوس الشراب المصنوع محليا.. المواضيع المثارة والأمنيات.. ذلك الجو الحميمي و.. الرائحة.

كان عددنا يقارب العشرين. الوجوه على اختلافها فلبينية. الهموم رغم تفاوتها فلبينية. الشقة رغم وجودها في الكويت.. فلبينية. رجل أصلع جاوز الأربعين ما إن تمكنت الخمر منه حتى شرع في الحديث عن شوقه لزوجته وأبنائه.. شاب يثبت قبعته بشكل عكسي، يطلب أن نشاركه الغناء لصديقته التي تستمع إلينا عبر الهاتف.. شاب متأنث يرتدي قميصا ضيّقا بلا أكمام وشورت يكشف عن ساقين أنثويتين يتمايل على أغنياتنا بطريقة تبعث على الضحك.. شاب يحمل كاميرا، لا يكفّ عن التقاط الصور.. أحدهم يشرب على مضض لاعنا الظروف التي اجبرته على العمل هنا، يتذمر مع كل رشفة من كأسه مفتقدا الـ ريد-هورس والـ هاينِكِن والبُدوايزر وأنواع الجعّة التي اعتادها هناك..

308

البعض يأكل حد التخمة.. البعض كان منصرفا إلى مشاهدة الصور الصامتة على التلفاز.. آخرون يجتمعون في حلقات صغيرة يتشاركون الطعام والشراب والحديث.

انسحبتُ إلى النافذة المطلة على الشارع. حاملا كأس الشراب. أنظر إلى الشباب في موقف السيارات أمام البناية. يترجلون من سياراتهم. يتجهون إلى باب المدخل فرادى وجماعات صغيرة.. أحدهم مع صديق.. آخر مع فتاة.. يتلفتون حولهم مرتبكين، كلصوص يحضّرون لسرقتهم الأولى. عزلتي عن محيطي تلفت انتباه البعض. يتقدمون نحوي. ينظرون إلى الخارج من النافذة كما أفعل. يتهكم أحدهم على الشباب الكويتيين.. يضحك ذو القبعة المقلوبة. يتمادى بسخريته على الناس في الكويت.. يعب المتذمر ما تبقى من كأسه برشفة واحدة، يتحدث عن الكويتيين بغضب.. ينعتهم بصفات مزعجة.. أتذكر أبي.. صورته في مخيلتي محمولا على الأكتاف مغطى بعلم بلاده.. "مغرورون"، يقول الأصلع. ترتجف الكأس في يدي. "ولكن الشباب هنا مثيرون"، يقول المتأنث ممررا لسانه على شفتيه. ينفجر البعض ضاحكا. يدافع ذو الكاميرا: "أعمل معهم منذ سنوات.. هم جديرون بالاحترام.. متفتحون مقارنة مع الناس في دول أخرى عملت فيها سابقا". يعترض المتذمر.. "عملتُ في البحرين من قبل.. الناس لا يشعروننا بأنهم أفضل منا".. ضحك ذو القبعة المقلوبة يلمزُ صديقه: "كما أن الشراب مسموح به هناك".. ينزعج المتذمر ضاربا الهواء أمام وجهه.. "فارغون". كنت أستمع إليهم. أشعر بالضياع بين هنا وهناك.. أكاد لا أعرفني. إبراهيم لا يرى الكويتيين بهذا الشكل.. لم يُخبرني بكل ذلك. يستمر حديثهم.. "لا يملكون سوى المال"، يقول المتذمر.. يوجّه ذو الكاميرا سبّابته إليه: "هذا مايثير حنقك"، يستطرد: "لأن قمة الحظ هو أن تولد كويتيا.. وأنت لا تملك من الحظ شيئا". يجيبه المتذمر

بامتعاظ: "هراء". يتدخل الأصلع، أكبرنا سنا: "هذا يكفي HAPPY NEW YEAR.. HAPPY NEW YEAR!".. لا يبالي ذو الكاميرا لمقاطعته، يواصل حديثه للمتذمر الذي كان يسكب المزيد من الشراب في كأسه: "لدي أصدقاء كثر هنا.. لا يبدون كما تصوّرهم أنت".. وافقه المتأنث بإيماءة ذات دلالات وقحة: "أنا أيضا لدي أصدقاء كثر". أفرغت الكأس في جوفي طالبا المزيد. في أذني تتكرر اتهاماتهم للكويتيين.. وفي عينيّ صورٌ لأبي وخولة وعمتي هند وجدّتي. استمر حديث المجموعة طويلا. ينضم إليهم البعض وينسحب البعض الآخر. التفتُ إلى المتذمر أقول: "عُد إلى الفلبين إن كان الوضع هنا لا يعجبك!". نظر إليّ مستهجنا: "وهل أنت سعيد ببقائك هنا؟". كان انسحابي من الشقة بديلا عن اجابتي التي فشلت في بلوغها. شكرت صاحب الدعوة ثم انصرفت حاملا رأسي الثقيل أفكر في كلمة ذي الكاميرا: " قمة الحظ هو أن تولد كويتيا".

خارج الشقة، شباب ثلاثة ينتظرون أمام المصعد. الممر بين الشقق يضج بضحكهم. يبدو انهم فرغوا لتوّهم من سهرتهم. ألقيت التحية أثناء مروري بهم "السلام عليكم". ردّ أوسطهم ساخرا من لهجتي بتحية تشبه تلك التي يلقيها ببغاء ماما غنيمة: "سلاموووو عليكوووم". كان يسحب طرفيّ عينيه بسبّابتيه ساخرا من ملامحي الآسيوية. انفجروا ضاحكين. واصل سخريته يحييني بالفلبينية: "كوموستاكا". لست أدري لماذا شعرت بالإهانة. شرعوا يتحدثون إلى بعضهم بالعربية مقهقهين. دفعت باب شقتي إلى الداخل. رغبة تتملكني في شتم أولئك الذين أغضبتني الاتهامات التي كالها لهم الحضور في الشقة المجاورة. نظرتُ غاضبا إلى الذي سخر من تحيتي. خرجت مني كلمة "معتوه" من دون إدراك، فلبينية: "SIRA ULO!". تبادلوا النظر فيما بينهم مستفهمين. تبا لي! حتى شتيمتي تعيدني إلى بلاد أمي.

تذكرتُ كلمة ما.. كررتها في سرّي مثبتا حروفها.. أشرتُ بسبّابتي إلى أوسطهم. أطلقت كلمتي: "حمارة!".

أطبقتُ باب الشقة ممتنا لببغاء ماما غنيمة.

* * *

(5)

الكويت.. سنة أولى.

كانت فكرة السفر إلى الفلبين لزيارة بيتنا قد بدأت تتقافز داخل رأسي. رفضت أمي الفكرة رغم اشتياقها لي، طلبت مني راجية بقائي في الكويت وقتا أطول. لست أدري إن كانت ترجو بقائي من أجلي أم من أجل العائلة التي أصبحت بحال أفضل لقاء ما أرسله لها من أموال. انصرفت عن فكرة السفر، ليس رضوخا لرغبة أمي، بل ليقيني بأنني إن فعلت، قبل أن تنبت لي جذور في بلاد أبي، سوف لن أعود أبدا.

وعدني إبراهيم أن يساعدني في الحصول على عمل، بعد أن اعتذرت عن الانضمام إلى نشاطهم الدعوي لجهلي بكثير من التفاصيل، ولعدم استعدادي لأمور كهذه. كنت قد بدأت للتو أتلمس علاقتي مع الله، وكم كنت مطمئنا لهذه العلاقة.

إبراهيم شاب طيّب وبسيط جدّا. وجدتُ فيه صديقا مخلصا. لم أطلبه شيئا قط إلا وهبَّ لمساعدتي. هو يناديني بـ أخي، وحين سألته عن السبب أجاب: "المسلم أخو المسلم". كنت ممتنا لشعوره تجاهي. لم أقل له أنني لست متأكدا من كوني مسلما بعد، فأنا لا أزال أتلمس طريقي، ولكنه حتما، إن أنا دخلت في الإسلام، سوف يكون هو أحد الأسباب في ذلك. ثلاثة أشياء تعرفت إليها من خلال إبراهيم حببتني بالإسلام وعرفتني إليه أكثر.. فيلم "الرسالة".. كتاب "الرحيق المختوم"[35] والمعاملة الطيبة والاهتمام الذي يبديه إبراهيم تجاهي.

* * *

---

(35) أحد أهم وأشهر الكتب المتخصصة في سيرة الرسول صلى الله عليه وسلم، تأليف الشيخ صفي الرحمن المباركفوري (المترجم).

312

رغم ان السيارات من أكثر الأشياء لفتا للانتباه في الكويت، ورغم مقدرتي على اقتناء واحدة، متوسطة المستوى، فإنني اكتفيت بشراء دراجة هوائية، بمساعدة إبراهيم. أنتقل بواسطتها داخل المنطقة وفي المناطق المجاورة. دراجة هوائية سوداء أنيقة. قمت بتثبيت علم الكويت في مؤخرتها. ذلك العلم رغم رؤيتي له في كل مكان، منذ اليوم الأول لوصولي حين رأيته منكسا بالقرب من المطار، أو محمولا في أيدي الناس في احتفالات فبراير الوطنية أو مثبتا في سياراتهم بأحجام مختلفة، لم يكن يعني لي شيئا إلى أن شاهدته يغطي رفاة الشاعر الكويتي الشهيد حين أخبرني غسان أن رفات أبي كانت مغطاة بعلم الكويت بالطريقة ذاتها. منذ ذلك اليوم أصبح لعلم الكويت خصوصية لدي، تحرك شيئا ساكنا في داخلي.

بعد شرائي لتلك الدراجة كنت قد تخلصت من سيارات الأجرة وتكاليفها الباهظة. أصبحت أجوب شوارع الكويت بواسطتها، لا أصدق أحيانا انني قطعت كل تلك المسافات التي قطعت ممتطيا دراجتي. كنت أبذل مجهودا خياليا، ولكن أي جهد أبذله في قيادة الدراجة كان أفضل من الجلوس إلى مقعد الحافلة، أتفحص الشوارع من زجاج النافذة، أحني ظهري للأمام، واضعا رأسي بين ركبتي كلما لمحت صبية يقفون على الرصيف، أتحفّز لاستقبال شظايا زجاج النافذة تتناثر على ركاب الحافلة المذعورين.

في أول خروج لي بواسطة دراجتي، ذهبت إلى قرطبة، عابرا الجسر الذي يربط منطقتيّ الجابرية والسرة، ومن السرة، عبر شارع دمشق، كنت أقود دراجتي الهوائية محاذيا شارع المشاة في قرطبة. هالني المنظر الذي رأيته وراء مكاني الأثير. في الشارع الضيّق المطل على الشارع الرئيسي، المليء بالأشجار حيث كنت أجلس. في المساحة الترابية وراء ذلك المكان رأيت سيارة ضخمة يحيطها سور شبكي تعلوه أسلاك شائكة.

313

سيارة بخلفية مسطحة تستند إلى عجلات كثيرة، تحمل حاوية كبيرة يخترق سقفها عمود حديدي طويل. لم أفكر كثيرا ولست بحاجة إلى تخمين لأعرف أن ما ينتصب أمامي هو برج اتصالات. فالشبه بينه وبين الذي احتل ركنا في أرض ميندوزا لا يترك مكانا للشكّ. والغريب، أن كلاهما ينتصب في مكان أحببته.

منذ ذلك اليوم، لم أقترب من شارع المشاة.

* * *

كان الطعام، إلى جانب مهمته الأساسية، نوعًا من أنواع التسلية. إذا ما حاصرني الفراغ، وكثيرا ما يفعل، كنت أتسلى بالعمل في المطبخ.

الحياة سهلة مقارنة مع تلك التي عاشتها عائلتي في الفلبين. أنا أملك مطبخا مجهزا بالكامل بأحدث الأجهزة والأدوات من دون أن أستلف قرشا من جماعة البومباي الجشعين كما كانت عائلتي الفقيرة تفعل، تقضي سنوات بين شراء أداة وأخرى. حين أفتح ثلاجتي أتذكر حكاية دخول الثلاجة لأول مرة إلى بيتنا هناك. وحين أدير مقبض موقد الطبخ لا أحسب الوقت كما تفعل ماما آيدا. أراقب ألسنة النار الصغيرة بلونيها الأزرق والأصفر حول ذلك القرص الحديدي. أشعل الموقد من دون حاجة إلى ذلك أحيانا. متعة كنت أشعر بها إزاء مشاهدتي للنار تحرق الغاز. أنبوبة كبيرة لا يتجاوز ثمنها ثلاثة أرباع الدينار. لا أضطر إذا ما نفدت لأن أطبخ الطعام بواسطة حرق الأخشاب كما تفعل ماما آيدا في باحة المنزل. ماما آيدا تفعل لأن ثمن الأنبوبة يجاوز الدنانير الستة في بلاد أمي، رغم انها بنصف حجم أنبوبة الغاز في بلاد أبي. كنت أجد متعة في اشعال الموقد وكأنني أنتقم لخالتي. تنفد الأنبوبة سريعا ولا يحتاج الأمر سوى ثلاثة أرباع الدينار لاستبدالها بجديدة لا تستمر طويلا إزاء متعتي بحرق غازها انتقاما.

ذات مساء، طلبت سيارة أجرة لأذهب إلى محل الغاز بالقرب من

السوق المركزي لأستبدل أنبوبتي الفارغة بأخرى جديدة. في أحد شوارع الجابرية كان الازدحام على أشدّه. الجابرية مزدحمة على الدوام. ولكن ازدحاما كهذا، يكاد يوقف السيارات عن حركتها، لا يحدث إلا بسبب حادث سير أو نقطة تفتيش. وكما توقعت، في آخر الشارع كانت سيارات الشرطة تومض باللونين الأزرق والأحمر. يقف أفرادها يدققون على صلاحية رخص القيادة وأوراق السيارة. فتح سائق سيارة الأجرة زجاج النافذة مادّا يده بالأوراق المطلوبة إلى الشرطي. دقق الأخير فيها، وقبل أن يعيدها إلى السائق سألني عن هويتي. دسست كفّي بجيب بنطلوني ولكنني لم أعثر على محفظتي. ارتبكت. أشرت بيدي إلى الوراء قائلا: "انها في الشقة". لم يفهم لغتي. قال لي بلهجة محلية: "إقامة.. إقامة". كان يطلب ما يثبت صلاحية إقامتي في الكويت. ولأنني كويتي لا أحتاج إلى تصريح كهذا فقد أجبته بإنكليزية لا يفهمها: "نو إقامة!". أخفقت في إفهامه على ما يبدو. طلب مني أن أترجل من السيارة. حاولت أن أفهمه ولكنه كان يصرخ بي بطريقة فظة لم أتمكن إزاءها من قول شيء. أمسكت بهاتفي النقال أبحث عن رقم عمتي هند. لست أدري لماذا هي تحديدا. لم ترد على اتصالي. بعثت إلى خولة رسالة هاتفية: "الشرطة أمسكت بي". دفعني الشرطي أمامه. وجدتني فجأة في حافلة صغيرة بجانب الرصيف تغص بالوافدين ممن لا يحملون أوراقا ثبوتية أو ممن لا يملكون تأشيرة صالحة للإقامة في الكويت. عرب هنود فلبينيون وبنغال و.. كويتي لا يشبه الكويتيين.

انطلقت الحافلة. الخوف على وجوه البعض، وعدم المبالاة على وجوه البعض الآخر. "سيتم ترحيلنا إلى بلداننا في أسوأ الحالات"، قال أحدهم. قلت لشرطي كان يقف إلى جانب باب الحافلة "أنا كويتي". لا أظنه سمع ما قلت. أشار إلى المقاعد في الخلف متلفظا بكلمات أجهلها. عدت إلى مقعدي والخوف يتملكني. التفتت إليّ فتاة فلبينية

صارخة الجمال كانت تجلس بالقرب مني: "اليوم تبدأ عطلة نهاية الأسبوع.. ستقضيها كاملة في سجن مركز الشرطة لحين مجيء الضابط بعد العطلة". فتحت عينيّ على اتساعهما: "ولكنني كويتي.. لا أحتاج إلى تأشيرة". ابتسمت: "عليك أن تثبت ذلك.. بعد أن تمضي وقتا في الحجز". امرأة فلبينية أخرى كانت تبكي. انصرفت محدثتي إليها:

- أعمل في الكويت منذ أشهر من دون إقامة صالحة.. بعد هروبي من بيت مخدوميّ.. لدي عائلة سوف تموت إذا ما تم ترحيلي.

من دون أن تلتفت الفتاة إلى المرأة، قالت:

- ان كان الأمر بهذه الخطورة..

ترددت قبل أن تقول:

- لا بد من تقديم تنازلات.

فغرت المرأة فمها دهشة لكلام الفتاة. انهالت عليها بأقذع الشتائم.. قذرة.. عاهرة.. ملعونة.

التفتت إليّ الفتاة تقول: "أما أنت.. فلا يمكنك تقديم شيء على ما يبدو". ضحكت ضحكة وقحة. قالت:

- لدي أم عجوز وثلاثة اخوة يصغرونني.. من أجلهم أضحي بكل شيء.

كانت فتاة صاحبة خبرة. لم تكن هذه تجربتها الأولى. تقول انها لا تمكث عادة في الحجز طويلا. إن كان الشرطي المسؤول في الفترة الصباحية شريفا، لن يكون زميله، في أغلب الأحوال، كذلك في الفترة المسائية. وإن مضى اليوم الأول من دون أن يراودها فيه أحدهم عن نفسها لقاء إطلاق سراحها، فهذا لن يستمر في اليوم الثاني. قالت: "كثيرا ما دفعتُ ثمن إقامتي بصورة غير شرعية.. إما في إحدى غرف مركز الشرطة الفارغة.. أو في سيارة أحدهم.. أو في شقة خصصت لممارسة مثل هذه الأفعال". ختمت حديثها متحدية: "هل تعرف كم شرطيا تضمه

قائمة الاتصالات في هاتفي؟".

صودرت هواتفنا النقالة. ومن دون أن يحقق معنا أحد نُقلنا من الحافلة رأسا إلى غرفة الحجز النتنة. تمنيت لو أنني صادفت الشرطي المزيف الذي صادر الدنانير العشرة من محفظتي قبل سنة لينتهي بي الأمر عند خسارة عشرة دنانير بدلا من أن أصادف شرطيا حقيقيا لينتهي بي الأمر محجوزا في مركز الشرطة.

خلف قضبان غرفة الحجز في مركز الشرطة مكثت ليلتين، إذا ما اعتمدت في ذلك على استخدام الساعة. أما ما شعرت به تجاه الوقت فقد كان يفوق ذلك بليال كثيرة. غرفة صغيرة قذرة كنزلائها العشرة. رائحة المكان والأشخاص لا تطاق. برد يناير الجاف يخدّر الأطراف ويخترق العظام. الوجوه هادئة. كلٌ يعرف ما ينتظره عداي. لست أدري إلام سيطول حجزي في هذا المكان. أصوات أنثوية تصدر من مكان قريب. عرفت فيما بعد أن غرفة حجز النساء تقع في نهاية الممر. المرأة الفلبينية منذ وجودنا في الحافلة لا تزال تبكي ولكن بصوت أكثر ارتفاعا هذه المرة. تكرر شكواها بالانكليزية تارة وبالعربية تارة أخرى علّ أحدهم يفهم ما تقول ويمنحها فرصة الخروج: "سيموتون جوعا إن تم ترحيلي.. أرجوكم.. أرجوكم". زملائي في الحجز ينامون. الواحد تلو الآخر. بكاء المرأة يرتفع أكثر. أشاهد من خلف القضبان شرطيا يحمل عصاة سوداء، يحث الخطى مسرعا باتجاه غرفة حجز النساء. انكمشت في جلستي غير مصدق ما قد تتعرض له المرأة. غمغمت: "اللّه أكبر.. اللّه أكبر.. أوقفه عن إيذائها". يصرخ الشرطي بكلمات غير مفهومة. تتسارع دقات قلبي. تصرخ المرأة باللغة ذاتها. ضممت ركبتيّ إلى صدري أغمغم: "أرجوكِ لا تستفزيه". تتعالى أصواتهما. أحدث نفسي: "أرجوك لا تؤذها". تقطع حوارهما قرقعة عالية. يصحو النزلاء من حولي. كان الشرطي يضرب قضبان غرفة الحجز بعصاه. يخيم

الصمت على المكان. يعود الشرطي من حيث جاء. تهدأ نبضات قلبي. يعاود الرجال نومهم في حين عجزت أنا عن إطباق جفنيّ. أطلقت زفرة طويلة: "اللّٰه الأكبر.. اللّٰه الأعظم.. شكرا لك".

لا تمضي عشر دقائق من دون أن يصحو أحدهم من نومه، ينادي المسؤول يطلب منه الذهاب إلى الحمام. البقية، لست أدري كيف استطاعوا النوم رغم برودة الجو وارتفاع أصوات الشخير وبكاء المرأة الفلبينية المتواصل في غرفة الحجز المجاورة.

ضامّا ركبتيّ إلى صدري مسندا ظهري إلى الجدار كنت. كلما تأخر الوقت ليلا تمكن مني اليأس أكثر تجاه فكرة خروجي من ذلك المكان. لم أكن أتصور أنني سأمكث في الحجز طويلا بعد رسالتي إلى خولة، ولكن شيئا مما كنت آمل لم يحدث. هل تخلت عني خولة؟

في وقت متأخر من الليل، وبينما كان الجميع نياما، سمعت أصوات أقدام تقترب في الممر. خطوات ثابتة. مرّرت نظري بين القضبان الحديدية وإذ بشرطي يتجاوز غرفة حجز الرجال من دون أن يلتفت، مواصلا سيره في الممر. توقف صوت خطواته. صوت احتكاك مفاتيح ببعضها. همسات غير واضحة. الباب الحديدي يُفتح.. المرأة الفلبينية كانت نائمة على ما يبدو.. استيقظت.. عاودت بكاءها وتوسلاتها.. الباب يُغلق.. صوت الخطوات يعود من جديد.. يقترب.. نظراتي بين القضبان الحديدية لا تزال.. الرجال من حولي يغطون في نومهم غير آبهين ببكاء المرأة.. يقطع الشرطي مسافة الممر عائدا من حيث جاء، منتصب القامة وجهه للأمام.. تتبعه هذه المرة الفتاة الفلبينية الحسناء بثقة.. تلتفت باتجاه غرفة الحجز حيث كنت.. تلتقي نظراتنا الخاطفة أثناء مرورها.. رافعة حاجبيها تبتسم ابتسامة تذكرني بما قالته لي في الحافلة. اختفى الإثنان. بقيت مستيقظا حتى الصباح أفكر في أمر الفتاة. لابد أنها، في مكان ما، تدفع ثمن إقامتها بصورة غير شرعية

قبل أن يُطلق سراحها أو..

تُرى هـل تعرف عمتي هند، وهي المهتمة بحقوق الإنسـان، ما يحدثُ هنـا؟ هـل أخبرها بما سـمعتُ ورأيت؟ والأهم من ذلك.. هل بإمكانها عمل شيء إن أنا أفصحت لها بما يجري في غرف الحجز هنا؟

في اليوم الأول بعد عطلة نهاية الأسبوع نوديَ على اسمي. انتصبت واقفا أمـام الشرطي، تفصل بيننا القضبـان الحديدية. طلب مني مفاتيح شقتي. ناولته إياها ثم انصرف من دون أن يفُه بكلمة. بعد حوالي ساعة أخذني أحدهم إلى غرفة الضابط المسـؤول قبل أن يتم إخلاء سـبيلي. وجدتُ غسان ينتظر بعد أن أحضر أوراقي الثبوتية. تحدث إلى الضابط الذي كان لبقا معنا. أعاد لي الأخير هاتفي النقال وهو يعتذر. نصحني: "لا تنسَ محفظتك مرة أخرى". انصرفت بصحبة غسان. في محبوبته، أثناء الطريق قال: "أخبرتني خولة منذ اليوم الأول. بذلت قصارى جهدي ولكن..". قاطعتـه: "شكرا". لـم يقل شـيئا. كم استفزني صمتـه أثناء الطريق. كنت أريده أن يتحدث. أن يدافع عن نفسه إزاء ما تقوله ماما غنيمة حول انتقامه من عائلة الطاروف بواسطتي. كنت أريده أن يعتذر أو يبدي أسفه على ما فعل إن كان عاجزا عن تبرئة نفسه، ولكنه ظل صامتا يضاعف حنقي عليه. التفت تجاهه في حين كان مشغولا بالقيادة. تفرّست في ملامحه. عليك اللعنة يا غسان تملك وجها لا يُشبهك. شيء من الحزن مسّ أعماقي. شيء مما كان على وجهه انتقل إلى داخلي. أدرتُ وجهي إلى النافـذة هربا مـن حزنه وحيرتي. وعلى طريقة جدّتي فكّرت: "تُرى.. ماذا يريد غسان من وراء مساعدته تلك؟".

***

319

(6)

"انقطعت أخبارها منذ مدّة.. حين سألنا ماريا قالت انها لا تعرف عنها شيئا.. خالتك آيدا تكاد تُجنّ".

هذا ما قالته أمي في إحدى محادثاتنا عبر كاميرا الانترنت. سألتني: "أليست هي على تواصل معك؟". أجبتها بأنني منذ فترة لم أفتح بريدي الإلكتروني. في تلك الأثناء قمت بفتحه. وجدت بريدي يغص برسائل الإعلانات إلى جانب رسالة واحدة من ميرلا كانت قد أرسلتها قبل تسعة أيام، تركتْ خانة العنوان خالية.

"هوزيه!.. هل تراني؟"، سألتني أمي في حين كانت تلوح بيدها أمام الكاميرا. كنت مشغولا مع بريدي الإلكتروني. "نعم ماما.. ولكن.. أنا مشغول.. نتحدث لاحقا". أغلقت الكاميرا وانتقلت إلى صفحة البريد. قمت بمسح الرسائل الإعلانية وأبقيت رسالة ميرلا من دون أن أقوم بفتحها مباشرة. شيء يقول لي أن هذه الرسالة تحمل خبرا لن يسعدني. ختمت رسالتها السابقة بمقولة لـ ريزال: يجب أن يكون الضحية نقيا كي تُقبل التضحية. إلامَ كانت تُلمّح هذه المجنونة؟!

وكما ختمت رسالتها السابقة بمقولة لـ ريزال، بدأت رسالتها هذه بإحدى مقولاته:

هوزيه،،

الموت هو العلامة الأولى للحضارة الأوروبية عند إدخالها إلى المحيط الهادي.

هل تتذكر هذه المقولة لـ خوسيه ريزال؟ عموما، ها أنا أذكّرك بها.

قد تتساءل ما علاقة هذه المقولة برسالتي. أنا نفسي لا أعلم، ولكنها منذ أيام تسكن رأسي. هل هي نبوءة تتحقق لكل من يقترب من الأوروبيين؟ لست أتحدث عن الموت الذي يعنيه ريزال في سنوات الاحتلال. بل موت آخر. عندما احتل الأوروبي المجهول جسد آيدا تركني بذرة في أحشائها ثم رحل. وقبل أن أولد بأيام قليلة كشف الموت عن نفسه عندما سلب حياة جدّتي التي لم أرها سوى في الصور. منذ ذلك استقر الموت في بيتنا من دون أن ننتبه له. يُعطل الحياة فينا وإن استمرت قلوبنا في النبض. آيدا التي تُحب، والتي تناديها بـ ماما، هي الأخرى ميتة منذ زمن، منذ مجزرة الديوك التي سمعنا، أنا وأنت، بها بعد أن كبرنا. أنا، وُلدتُ ميتة بجسد حيّ. أرضعتني آيدا الموت من ثديها الذي أكره، الذي استباحته كفوف وأفواه رجال قذرين لست أدري أيُّهُم أبي. الموت الذي أرضعتني إياه آيدا أصبح يقتات على مشاعري سنة بعد أخرى. أكبر وتموت مشاعري نحو الرجال الديوك و..النساء الدجاجات وما تفقسه بيوضهن.

هوزيه،،

هل تتذكر كلمة قلتها لي قبل سنوات في بياك-نا-باتو؟ قد لا تتذكر. أنا أتذكر. قلت لي: "لا يُقدم على الانتحار سوى إنسان جبان فشل في مواجهة الحياة". هل تتذكر الآن؟

استفزتني كلماتك حين نعتّني، من دون قصد، بالجُبن. لم أرغب بأن أكون جبانة. ولكنني اليوم أفكر بشكل مغاير. نعم أنا جبانة فشلتُ في الاستمرار بالحياة بسلام، وفشلتُ في مواجهتها. وأنا اليوم لا أريد الاستمرار في فشلي. في كلامك لي، عندما كنا في بياك-نا-باتو، قلت نصف الحقيقة وأغفلت نصفها الآخر.. لا يُقدم على الانتحار سوى إنسان جبان فشل في مواجهة الحياة، وإنسان شجاع تمكّن من مواجهة الموت.

هل تعتقد أن الديك الأوروبي منحني الحياة باحتلاله جسد آيدا؟ لن أسمح له بتغيير عبارة ريزال:

الموت هو العلامة الأولى للحضارة الأوربية عند إدخالها إلى المحيط الهادي.

أطيب أمنياتي،،

MM

* * *

بعض العائلات، ذات الأصول الصينية البوذية، في الفلبين، يقومون باستئجار أناس يبكون موتاهم. تقام تلك الطقوس في المعابد عادة. ولأن البكاء على الميت يسهل انتقال روحه وقبولها في الحياة الأخرى، تتم الإستعانة بمثل أولئك الناس لإقامة هذه الطقوس.

أنا، بعد قراءتي لرسالة ميرلا، احتجت لإقامة طقس كهذا. احتجتُ لأن تضج شقتي بالبكاء والنحيب، ليس لشيء سوى أن صدمتي لم تمكنني من أن أذرف دمعة واحدة. أهي المفاجأة؟ أم هو رفضي وعدم التصديق؟ "كلا، لم تمُت ميرلا. ميرلا حيّة لا تزال. في يوم ما سنلتقي.. هي لم تعد كاثوليكية.. ولا أنا.. وكما تقول هي أنا الرجل الوحيد الذي لا تحمل له عداء.. حلمي القديم أصبح سهل التحقيق.."

كنت أهذي أمام شاشة اللابتوب غير مصدق أن ميرلا..

* * *

المرأة بعاطفتها إنسان يفوق الإنسان. كل ما كنت أحتاج إليه هو حضن امرأة.. أم .. صديقة أو أخت. ركبتُ دراجتي الهوائية منطلقا نحو قرطبة بعد أن هاتفت خولة: "أريد أن أراكِ". لم تمانع أختي، بل سعدت بطلبي كثيرا. لم أنوِ اخبارها بأمر ميرلا. كنت أريد أن أنشغل عن أمر الرسالة وحسب. كان بإمكاني معاودة الاتصال بأمي عبر كاميرا الانترنت، ولكنني خشيت أن أخبرها بأمر الرسالة لأنني إن فعلت أكون قد قتلت ماما آيدا.

ولأن ميرلا تمثل بالنسبة لي أجمل ما في الفلبين، فقد هربتُ

مـن الفلبيـن، عبـر دراجتي الهوائية، إلى خولة، حيث الكويت في أجمل صورها.

فتحـت لـي أختـي البـاب. أسـندتُ دراجتـي إلى الجـدار في فناء البيـت الداخلـي. التفـتُّ حولي. لا أحد. أحطتُ خولة بذراعيّ في حين كانـت تضحـك إزاء فعلـي. أبقيتها طويلا بين ذراعيّ. حاولت أن تفلت جسدها متسائلة: "عيسى!.. هل انت على ما يرام". أحكمت ذراعي على جسدها: "نعم.. ابقِ كما أنت أرجوكِ". أفلتها بعد ثوان. نظرتْ إلى عينيّ مباشـرة: "ما الأمر؟". هززت رأسـي: "لا شـيء.. اشـتقت إليك". كنت سأنفجر باكيا لو أخبرتها بأمر رسالة ميرلا.

"جدّتي في الأعلى.. اذهب لزيارتها ما إن تفرغ من جلسة العلاج الطبيعي"، قالت. وإزاء دهشـتي شـرعت توضح: "اسـتعانت ماما غنيمة بمعالجة تدلك سـاقيها ما إن تركت أنت المنزل". طأطأت رأسـي: "لم أتركـه رغبـة منـي.. هي من أرادت ذلك". تظاهرت بعدم سـماع جملتي الأخيرة. أمسكت بيدي تصحبني إلى غرفة مكتب أبي. قالت: "هذه ثالث معالِجـة تقـوم بزيـارة جدّتـي.. بعد كل جلسـة علاج تقـول ماما غنيمة: ليست بمهارة عيسى". تظاهرت بعدم سماع جملتها.

أجلسـتني إلى الكرسـي خلف مكتب أبي. جلست بمواجهتي أمام المكتـب واضعـة مرفقيهـا عليه مسـندة ذقنها إلى كفيها تنظر في وجهي: "ها؟.. كيف هي الكويت؟". ابتسمت لها: "قيد البحث.. لم أعثر عليها بعد". بوجه حزين أجابت: "أخشـى أن تكون قد عثرت عليها من دون أن تعرفها". أفزعتني فكرة أن تكون الكويت هي تلك التي أعيشـها كل يوم منذ وصولي. أجبتها: "أفضل المعاناة في البحث عنها على ألا تكون الكويت بهذه الصور التي أرى". "وكيف تراها؟" سألت. أجبتها: "صور كثيرة.. إحداها لا تشـبه الأخرى". نظرت إلى وجهي باهتمام: "حدثني عن الكويت.. عيسى".

الكويـت.. حلـم قديم.. لم أتمكـن من تحقيقه رغم وصولي إليها وسـيري علـى أرضهـا. الكويـت، بالنسـبة لـي، حقيقة مزيفـة.. أو زيف حقيقـي.. لسـت أدري، ولكـن، للكويـت وجـوه عـدة.. هـي أبي الذي أحببـت.. عائلتـي التـي تتناقـض مشـاعري تجاهها.. غربتـي التي أكره. انتمائـي الـذي أشـعر بـه إذا ما أسـاء أحدهـم إلى أبنائهـا بصفتي واحدا منهـم.. الكويـت هـي خذلان أبنائها لي بنظرتهـم الدونية.. الكويت هي غرفتـي فـي ملحـق بيت الطـاروف.. مقدار كثير من المـال.. وقليل من الحب لا يصلح لبناء علاقة حقيقية.. الكويت شـقة فارهة في الجابرية يملؤها الفراغ.. الكويت زنزانة ظالمة مكثت فيها يومين من دون ذنب.. وأحيانا.. تكون أجمل.. أراها بصورة عائلة كبيرة يُحيي أفرادها بعضهم البعض في الأسـواق والشـوارع والمسـاجد: "السـلام عليكم.. وعليكم السـلام".. أو بصـورة رجـل عجوز طيّب.. يسـكن في بيـت كبير مقابل البنايـة حيـث أسـكن.. أشـاهده دائما من شـرفتي الصغيـرة.. يقف أمام بـاب بيتـه كل يـوم بعد صلاة الفجر يحيطه رجـال كثيرون بالـ يونيفورم الأصفـر يحملون مكنسـات وأكياسًـا بلاسـتيكية سـوداء.. يـوزع عليهم المـال والطعـام.. الكويـت نورية التي تكرهني وترفـض الاعتراف بي.. أو عمتي عواطف، وجودي، بالنسبة إليها، وعدمه سيان.. الكويت تعطي ولا تعطي مثل عمتي هند تماما.. الكويت مجتمع يشبه بيت الطاروف.. مهمـا اقتربـت منـه.. أو سـكنت إحـدى غرفه.. أبقى بعيـدا عن أفراده.. الكويت.. الكويت.. لست أدري ما الكويت..

"ابحث عن عمل يا عيسى.. من خلال العمل وحسب يمكنك أن تندمج مع الناس هنا". قالت خولة.

أخبرتها عن جدّيتي في هذا الأمر، وان إبراهيم سلام عرض علي العمـل، وانـه اصطحبنـي إلى أماكن عدة يريني طبيعة العمل فيها، ولكن العمل من دون إجادة العربية كان أمرا مستحيلا. نصحتني أختي بالتوجه

إلـى القطـاع الخـاص حيث الكثير من الشـركات التـي تعتمد الانكليزية فـي معاملاتهـا، كمـا ان العمـل فـي القطاع الخاص يعـد مربحا لارتفاع سقف الرواتب فيه والاعتماد على الكفاءات في مسألة تقييم الموظف، ومـن جهـة أخـرى فالحكومة تدعم العاملين فـي القطاع الخاص براتب مخصـص يضـاف إلـى راتـب الموظـف ضمـن مشـروع يدعـى: "دعم العمالة الوطنية" لحث الشباب على العمل في غير القطاعات الحكومية. وجدتني أضحك ما إن فرغت أختي من نصيحتها. نظرت إليّ في ريبة. أجبتها قبل أن تسأل: "الكويت.. كريمة جدا في ما يخص المال". عقدت خولة حاجبيها: "مديح هذا أم..؟". قاطعتها: "لدي من المال ما يكفي.. أحتاج لما هو أهم".

ولأغير منحى الحديث سألتها عن الأوراق المكدسة على المكتب: "ما كل هذا؟". فاجأتني حين أخبرتني أنها لا تزال تقرأ رواية أبي التي حال وقوعه في الأسر دون إتمامها. تقول خولة: "ما إن أفرغ من قراءة آخر سطر فيها حتى أجدني منتقلة إلى الصفحة الأولى أعيد قراءتها من جديـد. أصحـح بعـض الأخطاء الإملائية. أحاول أن أفهم ما اسـتعصى علـيّ فهمـه". تنظـر إلى الأوراق على المكتب. تصمت قليلا ثم تردف: "انها رواية صعبة.. يقول رأيه في بعض الأمور صراحة، وفي بعض الأمـور يكتفـي بالتلميح.. يتحدث عن أشـياء وهو يعني أشـياء أخرى". تترك أختي كرسيها أمام المكتب متجهة إلى أحد الرفوف المليئة بالكتب. تقـول: "لكـي أفهـم أبـي أكثر فأنا أقرأ المزيد من الكتب التي قرأها.. لا أزال صغيـرة.. أكبـر ويكبـر حلمـي في أن أكمل ما شـرع أبـي بكتابته.. لأحقق حلمه في نشر روايته الأولى.. الأخيرة".

انتفضت فجأة وكأن شحنة كهربائية أصابتها. قالت:

- لدي فكرة!

نظرتُ في وجهها مستفهما. أردفت موضحة:

- قلت لك حين سألتني ذات يوم أن أبي يرسم في هذه الرواية صورة للكويت التي يرى. كان محبا قاسيا. أراد أن يغيّر الواقع برواية صريحة قاسية بدافع الحب لا غير..

هززت رأسي موافقا. واصلتْ:

- أنت..

صمتت قليلا قبل أن تقول:

- تشاهد الكويت في صور عدة.. لماذا لا تكتب الكويت كما تراها؟

- أنا؟

سألتها بدهشة. أردفتُ:

- وماذا أعرف أنا عن الكويت حتى أكتب؟

بابتسامة واسعة أجابت:

- هذا بالضبط ما سوف تكتبه.. ما لا تعرفه عنها..

أخذت أفكر قبل أن أجيب:

- سوف يكون مؤلما للطاروف ما قد أكتبه..

أجابت من دون اكتراث:

- راشد الطاروف لم يأبه بالطاروف حين أنجبك.. هل تفعل أنت؟

تساءلتْ والإبتسامة على وجهها:

- ألا ترث من أبيك شيئا آخر غير صوتك المطابق لصوته؟!

لم أفكر بجدّية بما قالته خولة بخصوص الكتابة. أنا لست كاتبا، كما انني لا أجيد العربية، ولا أظنني قادرا على كتابة نص طويل بالانكليزية لأناس لا يقرأ أغلبهم هذه اللغة. فهل سأشرح للكويتيين حكايتي بالفلبينية؟! ثم أن خولة نفسها سبق وأن قالت لي أن الكويتيين

لا يقرأون. كنت كلما انتقدتُ أمرا هنا أجابتني: "لأننا شعب لا يقرأ".

حين أخبرتها بعدم جدوى فكرة كهذه فاجأتني وأسعدتني بإجابتها:
"لو فكر خوسيه ريزال كما تفكر أنت.. لما طُرد الإسبان من بلادكم".

ابتسمت. أجبتها باعتزاز:

- بعد احتلال دام لأكثر من ثلاثة قرون..

نظرت إليّ باعتزاز لا يقل عن الذي أشعر به:

- ولثمانية قرون كانت إسبانيا تحت سيطرتنا نحن المسلمين قبل احتلالهم لكم بسنوات طويلة.

وطنيتي في شقّها المنتمي لبلاد أمي في أوجها. قلت:

- طردناهم في النهاية.

همّت تقول شيئا ولكنها صمتت تفكر. سألتها:

- لماذا توقفتِ عن الحديث..

طأطأت تمثل الخجل في مشهد تمثيلي:

- طردونا في النهاية!

انفجرتُ ضاحكا. نظرت إليّ بتحدٍّ. أتمت:

- لا تفرح كثيرا! لو بقيَّ المسلمون هناك مدّة أطول.. لما وصل الإسبان إلى بلادكم.

في الحديث عـن الإسـلام أكاد لا أميّز من يكون محدّثي.. خولة أم إبراهيم سلام.

***

327

(7)

شعور يشبه الصعقة الكهربائية يصيبني كلما تذكرت ميرلا. ماريا أجابت ماما آيدا بعد إلحاح الأخيرة: "هي بخير ولكنها لا ترغب بالحديث مع أحد". ماما آيدا تطمئن، ولكنني متأكد أن ماريا تخفي الحقيقة. ميرلا لا ترد على رسائلي الإلكترونية. عشرات الرسائل كنت قد أرسلتها من دون جدوى. رسالتي الأخيرة كانت:

ميرلا،،

أنت تقرئين رسالتي هذه. لا بد أنك تفعلين. فكرة أن يبقى صندوق بريدك الإلكتروني مقفلا تثير الرعب في نفسي. أجيبيني أرجوكِ وإن برسالة فارغة.

جاءت صراحتي غير معهودة مع ميرلا، ربما لإيماني المطلق بعدم مقدرتها على قراءة ما أكتب بعد تنفيذ ما كانت تلمّح إليه. أو، ربما، لإيماني بأنها في مكان ما تقرأ رسائلي. وجدتني أقول ما لم أقله لها قط. تلك المشاعر التي أحمل تجاهها منذ تلمستُ رجولتي. كل ما كنتُ أخفيه خجلا كشفته لابنة خالتي. كانت محاولة للبوح وحسب:

ميرلا.. قد لا تعرفين ما أحمله لكِ في أعماقي، أو أنك تظنين أنك باعترافك لي، ذات يوم، بعدم ميلك للجنس الآخر قد يبعدني عن الاقتراب منك. فشلت ماما آيدا من قبل أن تجعلني أكف عن التفكير بكِ، حين أخبرتني، عندما كنت صغيرا، أن الدين لا يجيز قيام علاقة بيننا. وفشلت أنتِ باعترافك لي في أحد كهوف بياك-نا-باتو أن تخرجي من قلبي. بقيتِ الحلم الذي يزورني في منامي ويقظتي. كثير من الفتيات التي أمر بهن، كل

يوم هنا، يحرّكن شيئا في داخلي، ولكنهن يسقطن ما إن أقارنهن، من دون نية، بك.

توقفت عن الكتابة أقرأ ما دوّنت على الشاشـة. ارتبكت. هي لن تقرأ بوحي. لا بأس في قول المزيد:

ميرلا.. هل تعرفين أنني شعرت بالغيرة تجاه خوسيه ريزال من شدّة تأثرك به؟ رغم إعجابي به أنزعج حين أقرأ في رسائلك إشارة إليه، ولكنك، في إحدى رسـائلك، قلت عبارة بدّدت غيرتي تلك. اعتددت بنفسـي كثيرا حيـن كتبـتِ " أنـت الرجل الوحيد الذي لا أحمل تجاهه شـعورا عدائيا". أردت عند قراءتي لتلك العبارة أن أعانق شاشة اللابتوب.

تملكتني رغبة عارمة في معانقتها. تذكرت وجهها في آخر محادثة عبر كاميرا الإنترنت. كانت تبدو متعبة، ولكنها، رغم تعبها، كانت ميرلا، الأنثـى التـي زارتنـي فـي الحلم معلنة تتويجي رجلا. سـوف أعترف لها بشيء ما. هي تقرأ بوحي. لا بد من قول المزيد:

ميـرلا.. لسـت أدري إن كان الأمـوات يقـرأون الرسـائل الإلكترونية. ولكن، أنتِ لستِ ميتة. أليس كذلك؟ إن كنتِ تقرئين ما أكتب، أرجوكِ، عودي لأُسمعك كلمة طالما أردت قولها..

أحبك..

هوزيه ميندوزا

* * *

الغياب شـكل من أشـكال الحضور، يغيب البعض وهم حاضرون فـي أذهاننـا أكثـر مـن وقـت حضورهم في حياتنا. غيـاب ميرلا لم يكن سـوى حضـور دائـم. تزورنـي في أحلامـي تقول لي أشـياء وأقول لها.

أستيقظ.. أتمم حواراتنا في يقظتي.. أنام.. أتجاوز القول بالفعل.

الموت ذاته يقف عاجزا أمام الأمل في اللقاء، وإن كان لقاء من نوع آخر، في عالم آخر. ليس وفاؤنا للأموات سوى أمل في لقائهم، وإيمان بأنهم، في مكان ما، ينظرون إلينا و.. ينتظرون.

لم ينقطع أملي بلقاء ميرلا. لو انقطع ذلك الأمل لكنت قد فارقت الحياة بعد وقت قصير من اختفائها كما فعلت إينانغ تشولينغ بعد موت أملها الذي عاشت من أجله حياة طويلة.. ميندوزا.

لم أعاود قراءة ما كتبتُ في الجزء الأخير من رسالتي. ضغطت على زر الإرسال. أغلقت صفحة البريد الإلكتروني وأطبقت شاشة اللابتوب على لوحة المفاتيح. خلف اللابتوب كانت القنينة الزجاجية التي تحمل تراب أبي. تبادر سؤال إلى ذهني. لو خُيِّرتُ باستحضار أحدهما إلى الحياة.. أبي أو ميرلا.. من سأختار؟

سوف أختار.. أبي..

لأن ميرلا، كما يقول صوت في داخلي، لا تزال على قيد الحياة.

* * *

أيام طويلة مرت من دون أن أفتح بريدي الإلكتروني. اكتفيت بما يشبه اليقين بأن رسالة واحدة من بين عشرات الرسائل الإعلانية سوف تكون لـ ميرلا.

لم أعد أفكر في موتها طالما أن الأمل في داخلي لا يزال ينبض بالحياة. انصرفت للبحث عن عمل. سوف أعيش في الكويت كأي فلبيني مغترب يكابد لتحقيق أحلامه. في الفلبين كنت أنتظر تحقيق حلمي في الكويت، وفي الكويت بدأ يتكشف لي حلم جديد.. حلم بعيد.

عدم اتمامي دراستي حال دون حصولي على عمل في شركات

330

القطاع الخاص كما كانت أختي تأمل. وبعد بحث مضن بمساعدة أحد ساكني الشقة المجاورة لشقتي حصلت على وظيفة في أحد مطاعم الوجبات السريعة الشهيرة بالقرب من سكني في الجابرية. في المطعم ذاته كان يعمل جاري الفلبيني. أصيبت خولة بالخيبة حين أخبرتها بأمر الوظيفة: "أنت تجهل قيمة نفسك عيسى.. أنت عيسى الطاروف!". استطردتْ: "سوف تُصعق ماما غنيمة لو علمت ان ابن راشد يعمل في..". قاطعتها: "كنتُ سأقوم بخدمة ضيوف أم جابر بمباركتها.. هل نسيتِ ذلك؟". اكتفت خولة بكلمة: "ولكن..", من دون أن تلحقها بكلمات أخرى.

* * *

(8)

في مطبخ المطعم شبه المفتوح على ركن تسلّم الطلبات كان عملي، مقابل مئة وسبعين دينارا بالإضافة إلى ما يُسمى بدعم العمالة الوطنية التي تصرفه الحكومة للمواطنين العاملين في القطاع الخاص. أرتدي ملابس خاصة مثل كل عمال المطعم. نتميّز، نحن عمال المطبخ، عن البقية بغطاءات شبكية تعلو رؤوسنا وقفازات بلاستيكية. العمل في الأيام العادية غير مجهد. ولكنه على عكس ذلك في عطلات نهاية الأسبوع. أعمل كالآلة. أنقع البطاطس في الزيت. أقطع أوراق الخس والبصل والطماطم. أزيل الغلاف البلاستيكي الرقيق عن الجبنة، في الوقت الذي أترك فيه شرائح اللحم والدجاج مصفوفة بانتظام على صفيح الشواء.

كل العمال في المطعم من الفلبين، ما عدا إثنين أو ثلاثة من الهند. جو من المرح يضفي على مكان العمل. زميلي، الذي هو جاري في الوقت نفسه، قال لي ذات يوم في ذروة انشغالي في العمل: "لماذا قبلت بالعمل هنا؟.. الكويتيون لا يفعلون!". أجبته: "هم ليسوا بحاجة إلى عمل كهذا". استطردتُ مغمغما: "متعة كبيرة تفوتهم". لم أكن متأكدا من جديتي في رأيي هذا.

بعض الزبائن، كثير منهم، لهم أخلاق سيئة بحق. لا تعجبني تصرفاتهم على الإطلاق، وفي الوقت ذاته، لا يعجبني ما يفعله العاملون في المطعم ردا على سوء المعاملة التي يلقونها من البعض. يسيئ البعض هنا إلى أنفسهم بتعاملهم مع الآخر. كثيرا ما أسمع صراخ أحدهم وتلفظه بكلمات مزعجة إزاء أمور تافهة كأن يخطئ العامل في حجم المشروب الغازي، أو نسيان مضاعفة عدد شرائح الجبنة داخل

الشطيرة. ليتهم يدركون أن مع اعتذار العامل عن الخطأ واستبداله الطلب بآخر جديد يكون الزبون الغاضب قد أوشك على التهام ما لا يخطر في باله قط.

كثيرا ما نسمع، نحن العاملين في المطبخ، صراخ أحدهم على مسؤول الطلبات وإهانته. لا يستغرق الأمر طويلا حتى تبدأ اعتذارات الأخير. يستدير متجها إلى المطبخ بوجه يحتقن بالدماء: "شطيرة دجاج بالجبنة Special". وكلمة "Special" أو "خاصة" لها دلالة مغايرة تماما لما يفهمها مرتاد المطعم. يكرر العامل في المطبخ قبل أن يهمّ بتحضير الطلب: "Special?". يجيبه الآخر مؤكدا هازّا رأسه غامزا بعينه: "Special". ولا داعي لذكر ما لهذه الشطيرة من خصوصية تميّزها عن بقية الشطائر التي يقدمها المطعم. عند تصحيح الخطأ بإزالة شريحة طماطم أو مضاعفة شرائح الجبنة، تكون مكونات أخرى قد أضيفت للوجبة.

في الأيام الأولى كنت أشعر بالغثيان. ولكن، مع مرور الأيام وتكرار العملية.. صراخ.. اعتذار.. إعداد وجبة خاصة.. اعتدتُ الوضع مبررا لنفسي: "أوغاد ينتقمون من أوغاد!".

* * *

ساعدني عملي على تجاوز وحدتي. اقتربت من الكويتيين وإن كان اقترابي في حدود مراقبتهم من بعيد. أصبحت أشاهدهم بشكل يومي. رغم انشغالي في العمل في مطبخ المطعم فإنني كنت أرصد الزبائن، الكويتيين، الشباب تحديدا. يبدون ودودين فيما بينهم. الوجوه باسمة على الدوام شريطة أن تكون الإبتسامة داخل محيطهم. أمر آخر رصدته في الكويتيين عامة لفت انتباهي. التحديق في الآخر جزء من ثقافة المجتمع على ما يبدو. الناس يحدّقون في بعضهم البعض بطريقة غريبة. يشيحون بأبصارهم بعيدا إذا ما التقت أعينهم، ثم سرعان ما

333

يعـاودون الكـرة، يتفحصـون بعضهـم البعض. التحديق فـي وجه الآخر رسـالة مـن نـوع مـا كما كنت أعرف. علامـة إعجاب أو دلالة رفض أو نتيجة استغراب. ولكن، لا شيء من ذلك هنا. التفرّس في وجوه الناس عـادةٌ قلمـا أصـادف من لا يمارسـها. لا أدّعي بأنني لم أكن أفعل وقت وجودي في الفلبين، ولكن بحذر. ربما اكتسبت هذه العادة جينيا، وقد تأصلت في الكويت بعد مجيئي.

حين أخبرت خولة عن ملاحظتي لهذه العادة أجابت باسمة: "نحن أكثر من ينتقد هذا السلوك، وأكثر من يمارسه". الناس لا يجهلون الخطأ، هـم يميّزونـه كمـا يميـّزون الصـواب، ولكنهم لا يتورعون عن ممارسـة أخطائهم طواعية. سـألتني خولة: "هل أدركت سـبب إفراط النسـاء هنا باسـتخدام مسـاحيق التجميـل على عكس النسـاء فـي أماكن أخرى من العالم؟". نظرتُ إليها مستفهما. أجابت: "النسـاء، هناك، لسـن أكثر ثقة بجمالهن، إنما لا أحد حولهن يحدّق في وجوههن، يحصي عدد البثور كمـا يفعـل الكثيـر هنا". ختمت أختـي ضاحكة: "ليس الأمر حكرا على التحديق في وجوه الآخرين. لو أن الآذان تتحرك عند اسـتراق السـمع لشاهدت آذان البعض، في الزحام، ترفرف كالأجنحة". انفجرت ضاحكا وأنا أتخيل المنظر.

أصبحـت أحـدّق فـي الوجوه من دون اكتراث بعد أن لاحظت أن الكل يفعل. أبحث عن شيء لست أدريه. ولكنني توقفت عن هذه العادة بعـد أن جرّتنـي إلـى موقـف لسـت أنسـاه. رجل في منتصـف أو أواخر الأربعين. يبدو منظره غريبا. غطاء رأسـه الأبيض مهترئ. شـعره طويل يظهر تحت غطاء الرأس. شـاربه كث تظل أسـفله أسـنان صفراء داكنة. ذقنه ليسـت حليقة تماما، تنمو فيها شـعيرات بيضاء. وعلى غرابة منظره كان يحـدّق فـي النـاس مـن حولـه. كنت أمارس عادتي المكتسـبة. وما إن التقـت أعيننـا حتـى غمز لي بعينه مبتسـما إبتسـامة غيـر بريئة. أدرت

وجهي متظاهرا بانشغالي في عملي من دون أن ألتفت تجاه ركن الطلبات حيث يصطف زبائن المطعم. في نهاية اليوم حدث ما لم يكن في الحسبان. عند انتهاء وقت مناوبتي تركت العمل، وإذ بالرجل ينتظر داخل سيارته في موقف السيارات الصغير أمام المطعم. تظاهرت بعدم انتباهي له. اتجهت إلى شقتي، مثل كل يوم، سيرا على الأقدام. اقتربت مني سيارة الرجل. فتح زجاج النافذة: "هل أقوم بتوصيلك؟". هززت رأسي: "شكرا سيّدي.. بيتي قريب". واصلت السير من دون الالتفات إليه. خوفي من الرجل اضطرني للسير بمحاذاة أحد الشوارع الرئيسية بدلا من أن أختصر الطريق كعادتي عبر الشوارع والسكك الداخلية الهادئة. انطلق الرجل مبتعدا بسيارته. تنفست الصعداء. واصلت سيري مطمئنا، ولكن اطمئناني تلاشى ما إن شاهدت سيارة الرجل عند المنعطف في آخر الشارع. قاد سيارته عائدا من خلال الشارع الموازي للشارع الذي كنت فيه. تجاوزني يقود سيارته بعكس وجهتي. التفت إلى الوراء. انقبض قلبي لمشاهدة السيارة تعاود الانعطاف مرة أخرى عائدة باتجاهي. انصرفت عن فكرة الذهاب إلى شقتي كي لا يستدل هذا المريب عليها. خفف من سرعة سيارته تاركا مسافة بيني وبينه. قررت أن أذهب إلى إبراهيم لعله يجد لي مخرجا من هذا المأزق. هاتفته لأخبره بأمري إلا أنه كان في إحدى مناطق الكويت البرية البعيدة بصحبة أصدقائه الكويتيين حيث يقيمون مخيما ربيعيا للجدد من معتنقي الدين الإسلامي. أنهيت المكالمة لا ألوي على شيء سوى الذهاب إلى أي مكان عدا شقتي. الرجل لا يزال يتربصني. دقات قلبي تتسارع. ما الذي يدعوه لملاحقتي؟ هيأتي لا تدل على أنني من أولئك المتأنثين، وإن كان العديد من أبناء جلدتي كذلك.

بيت ماما غنيمة في قرطبة. الأمر يستدعي قطع مسافة طويلة من الجابرية مرورا بالسرّة عبر الجسر الذي يربط المنطقتين، ومن ثم إلى

قرطبة. لن أجازف بقطع كل تلك المسافة مع عدم ضمان ما يدور في رأس ذلك الرجل الذي يتبعني. قطعت الشارع متوقفا على الرصيف في منتصف الشارعين أترقب فسحة بين السيارات المسرعة تمكنني من العبور إلى الناحية الأخرى حيث البيوت السكنية. التفت إلى سيارة الرجل. وجدتها تسرع باتجاه المنعطف مجددا للوصول إلى الشارع الآخر حيث كنت أوشك على العبور. تسارع خفقان قلبي: "اللّٰه أكبر.. اللّٰه أكبر.. أبعده عن طريقي". تجاوزت الشارع مسرعا بين السيارات منطلقا باتجاه شقة غسان. لماذا غسان؟

لأنه أول من أشعرني، في الكويت، بالأمان.. ربما!

المسافة الطويلة إلى شقته قطعتها في حدود عشر دقائق جريا ولهاثا. والرجل، رغم دخولي في السكك الضيقة، كان لا يزال يتبعني. يختفي أحيانا، ويظهر أحيانا أخرى أمامي بسيارته.

وصلت إلى البناية. الرجل بدا أكثر جنونا. ترجل من سيّارته. ذهبت مسرعا إلى المصعد. تبعني. ضغطت على الرقم "4" حيث شقة غسان. لم يضغط الرجل على أي زر. وضع ذراعه على كتفي. سألني بلهجته: "شلونك؟". باللهجة ذاتها أجبت: "سين". انفجر الرجل ضاحكا وأنفاسه تفوح بالكحول. أوضح مشدّدا على حرف الـ"ز": "زين.. وليس سين". أجبت هازّا رأسي: "زين". فُتح باب المصعد. خرجت. تبعني الرجل. تذكرت قبل أن أقوم بالضغط على زر الجرس أن مفتاح الشقة موجود في ميدالية مفاتيحي. التفت ورائي: "ماذا تريد؟" سألته. بابتسامة خبيثة أجابني: "أعطيك دروسا بالعربية". أدرت المفتاح. دفعت الباب للداخل. وقبل أن أطبقه وجدت الرجل يدفعه بقوة. وبكل ما سمحت به قوتي استطعت أن أطبقه مقفلا إياه بالمفتاح. أخذ الرجل يضرب الباب بيديه. من غرفة الجلوس جاءني صوت غسان يسأل: "من؟". هرع إلى الممر الصغير. وقف عند باب الغرفة ينظر إليّ. سيجارته في

يده والدهشـة في عينيه. قال: "عيسى!". وقبل أن أشـرح له سألني: "ما هذه الثياب؟". أشرت باتجاه الباب مؤجلا إجابتي على سـؤاله: "هناك رجل مجنون يلاحقني". ربّت على كتفيّ بيديه: "حسـنا حسـنا.. إهدأ". ناولني سـيجارته: "امسـك". مـن خـلال التعبيرات علـى وجهه تعرفت أكثر على هيأتي التي كانت تستدعي الشفقة. فتح الباب على اتساعه ووقـف أمـام الرجـل. أجفل الأخيـر. دار بينهما حـوار. ارتفع صوتهما. ضحك الرجل. صرخ به غسان قبل أن يدفعه بيده. انسحب الرجل إلى المصعد حاملا غطاء رأسـه على كتفه ممسـكا بحلقة الرأس السـوداء. أطبق غسان الباب. مدّ كفّه إليّ بإصبعين كالمقص: "سيجارتي". ناولته عقبها. التقطه بين إصبعيه مستنكرا. نظر إليّ والدخان يخرج من منخريّ. انفجر ضاحكا.

عاد إلى غرفة الجلوس وهو يقول: "مخمور". سـألته: "لماذا كان يضحك؟". أجاب هازّا رأسـه: "يشيد بذوقي". تبعته إلى الغرفة. جلس خلف مكتبه وجلسـت أنا على الأريكة مواجها له. سـألته: "وماذا قلت له قبل أن تدفعه بيديك؟". نظر غسان إلى عيني مباشرة. أجاب: "قلت له..". صمت قليلا. أدار وجهه عني. استطرد: "كنت تلاحق ولدي يا.."، شتيمة كويتية على ما يبدو تلك التي تلفظ بها غسان، لم أفهمها. تظاهر بالانشغال بأوراق كانت على مكتبه.

مـاذا عني؟ هـل يمكنني التظاهر بالانشغال بأي شيء عما قال؟ سألني في حين كان يرتب أوراقه: "ماذا تشرب؟". لم أعر سؤاله اهتماما رغم عطشـي وجفاف ريقي. "غسـان!"، نبهته. نظر إليّ. تـرددت قبل أن أقول: "هل جئت بي إلى الكويت انتقاما من عائلتي؟". ابتسـم. أجاب: "أرى أنك أصبحت كويتيا أسـرع مما كنت أتصور". عقدتُ حاجبيّ دلالـة عـدم الفهم. استطرد موضحا: "الشـك.. عدم الثقـة بالآخـر.. في الكويت.. الثقة التي كانت... ما عادت...". لم يوضح أكثر. لاذ بصمته.

337

"لقد ظلمتك"، قلت له. بقي صامتا. استطردت: "لماذا لم توضح.. تدافع عن نفسك.. تعاتب..". استل سيجارة من العلبة على مكتبه. إذا ما أشعل غسان سيجارته هيأت نفسي لسماع شيء مهم. سحب نفسا طويلا. لفظ كلماته من أعماقه مع الدخان: "عانيت، على مدى سنوات طويلة، أنواع الظلم.. لم أعاتب". اغرورقت عيناي. أردف: "فهل أعتب عليك ظلمك الصغير؟". لم أفُه بكلمه. ابتسم غسان قائلا: "لا وقت لديّ لذلك يا صديقي". استفزتني الكلمة لأسأله: "صديقك؟". استغرب سؤالي. أردفت موضحا: "كنتُ ولدك للتوّ.. عند الباب هناك". كيف تجتمع الإبتسامة والدموع على هذا النحو في وجه واحد؟ كانت ابتسامته واسعة، وعيناه حمراوان تلمعان بالدموع. اغتصب كلماته: "حسنا يا.. ولدي".

شعور بالسعادة هزني من الأعماق. هممت أنصرف بعدما كسبت بابا غسان بعد خسارته طوال تلك الشهور صديقا لوالدي. "إلى أين"، سألني. أجبته: "إلى شقتي". امسك بمفتاح سيارته: "سأقوم بتوصيلك..".

* * *

338

(9)

في أبريل 2008 استحالت الكويت إلى ساحة إعلانية ضخمة. اللافتات بأحجامها المختلفة تملأ أرصفة الشوارع بأعداد هائلة. تتضاعف أعداد اللافتات كل يوم حتى بت ألمحها في كل مكان، لا أكاد أدير وجهي إلى أي ناحية من دون أن تلتقط عيناي إحداها. تنتشر على حذاء الشارع فوق الأرصفة. تحيط الممرات الدائرية. على الزجاج الخلفي للسيارات. فوق أسطح البيوت وفي الساحات المقابلة لها.

كنت أقود دراجتي الهوائية إلى شقة إبراهيم. يباغتني شعور بأنني مرصود من تلك الوجوه التي تطل من اللافتات. صور لوجوه باسمة، وجوه متجهمة، وجوه بنظرات ذكية حادة، وجوه خالية من التعابير ووجوه بلهاء. غالبية الرجال في الصور يرتدون الزي الكويتي التقليدي، البعض يظهر في الصورة ببدلة وربطة عنق. قليلة جدا الإعلانات التي تحمل صور نساء. شاهدت واحدة أو إثنتين فقط. بعض اللافتات الإعلانية من دون صور. عرفت لاحقا ان مهرجان اللافتات الإعلانية في الشوارع هذا يسبق الانتخابات البرلمانية لديهم.

لديهم؟! لماذا لديهم بدلا من لدينا. هممت أمسح الكلمة أو أقوم بتعديلها، ولكنها ستبدو نشازا إن أنا فعلت. سأتركها كما هي.. لديهم.

وصلتُ إلى شقة إبراهيم الذي كان، رغم ترحيبه، سيئ المزاج. لم أعتد على وجهه من دون تلك الإبتسامة الهادئة التي تميّزه أو.. يميّزها. حضّر لي كوبا من الشاي. سألني عن حالي وعن عملي. تجاوزت سؤاله قائلا: "تبدو على غير العادة". اعتذر قائلا: "أنت على حق". ناولني جريدتين. أشار إلى خبرين كان قد أحاط كل منهما بدائرة بقلمه الحبر. خطوطا كثيرة رسمها أسفل الكلمات وأسهُم تشير إلى ملاحظات كان

قد كتبها في المساحات الصغيرة البيضاء في الجريدة. نقلتُ نظري بين الخبرين. أحدهما يحمل صورة لفتاة متدلية من مروحة السقف بواسطة حبل. مددت له يديّ بالجريدتين. وفي حيرة قلت: "اللغة عربية!". ضرب إبراهيم جبينه بكفه: "يا لي من غبي!.. أنا آسف". توجه إلى زاوية غرفته حيث الكمبيوتر. عبث بأزراره قبل أن تلفظ الآلة الطابعة ورقتين. ناولني إياهما موضحا: "ترجمتي لما جاء في الصحف الكويتية هذا الاسبوع. سأقوم بإرسالها إلكترونيا إلى الصحف في الفلبين". استطرد مغمغما: "بتُّ أكره هذا العمل".

أمسكت بالورقتين أقرأ. الأولى: "خادمة فلبينية تنحر رضيعة انتقاما من مخدومتها". اكتفيت بالعنوان. انتقلت إلى الورقة الثانية: "خادمة فلبينية تنتحر شنقا".. اقشعر بدني للخبر.. تفحصته جيدا: في العقد الثاني.. داخل غرفتها في منزل مخدوميها.. منتحرة شنقا.. متدلية.. حبل.. مروحة السقف..

قرأت الخبر كلمة كلمة منصتا إلى خفقان قلبي في أذنيّ. لم أكن أحاول في قراءاتي المتكررة سوى البحث عن اسم الفتاة، وكأن أي فتاة تقدم على الانتحار، في أي مكان في العالم، هي ميرلا.

هممت أنصرف بعد أن انقبض قلبي. "إلى أين؟"، سألني إبراهيم. "تذكرت شيئا مهما"، أجبته في حين كنت متجها إلى الباب.

* * *

أسندت اللابتوب إلى ساقيّ. صفحة البريد الإلكتروني على الشاشة تنتظر إدخالي الرقم السري لتنقلني إلى صفحة بريدي حيث صندوق الوارد. أكتب الأرقام الأولى. أنتظر قليلا.. أراقبها.. ثم أقوم بمسحها. أعيد الكرة، ولكنني أفشل في إكمال الرقم. فكرة وجود رسالة من ميرلا تدفعني لتتمة الرقم السري والضغط على زر "دخول". ولكن، ذعري من عدم وجود الرسالة المنتظرة ساقني إلى أن أطبق الشاشة

على لوحة المفاتيح لاعنا ضعفي وقلة حيلتي وقوة ميرلا وجنونها. لماذا يحدث لي كل هذا؟!

أمسكت بالهاتف بيدي المرتجفة. بحثت بين الأرقام. أجريت اتصالي منتظرا رد الطرف الآخر. ولكن لا رد. الساعة تشير إلى التاسعة والنصف مساء حيث كنت.. الثانية والنصف صباحا.. في المكان الآخر.

كررت اتصالي مرة.. مرتين.. مرات..

ازداد حنقي. أقسمت ألا أكفّ عن تكرار الاتصال إلى أن أحصل على رد أو أن يفرغ شحن هاتفي. وأخيرا:

- ألو!

- نعم.. من المتصل؟

أيقظتها من نومها على ما يبدو، إلا أن صوتها كان نائما لا يزال.

- أنا عيسى..

- من؟!

تداركتُ موضحا:

- أنا هوزيه.

لم تفُه بكلمة. استطردتُ:

- ماريا!.. أخبريني.. أين ميرلا؟

ما إن نطقت باسم ابنة خالتي حتى استيقظ صوتها النائم. بكت. كررتُ سؤالي والفزع يتملكني. غالبت بكاءها تقول:

- هي لا تريد الحديث إلى أحد..

صرخت بها فاقدا أعصابي:

- كفى!.. وفرّي مثل هذه الأكاذيب لـ ماما آيدا..

اختفى صوتها فجأة.

- ألو.. ألو..

أنفاسها المتسارعة تؤكد وجودها على الطرف الآخر من المكالمة. ابتلعتُ كلماتي. صمت الآخر، أحيانا، أشد رعبا من نطقه بحقيقة لا نود سماعها. الصمت، على هذا النحو، يفتح باب احتمالات مرعبة قد تتجاوز ما نخشاه. تراها ماذا تخفي؟ ما بالها الأرض تدور من حولي؟ تمنيتها أن تواصل بكاءها على ألا تنطق بما لا أود سماعه. هيا.. هيا إبكِ يا ماريا.. إياكِ أن تقولي شيئا. أن تبكي لسؤالي خيرا من أن أبكي لجوابك. أنفاسها المتسارعة لا تزال. وفي عينيّ تطوف كلمات من الخبر الذي ترجمه إبراهيم.. في العقد الثاني.. متدلية.. حبل.. مروحة السقف. تومض صور مرعبة أمامي.. الخبر في الجريدة.. الصورة.. الخطوط التي رسمها إبراهيم أسفل الكلمات تطير من حولي.. تحيطني.. تشدّني بقوّة.. والدائرة التي أحاط بها الخبر بقلمه تلتف حول عنقي كأنشوطة.. تضيق.. أختنق..

- اسمع..

قالت ماريا منبّهة. أغمضت عينيّ. أرهفت السمع. استطردت غاضبة:

- لا أعرف عنها شيئا..

- ماريا!.. أرجوكِ..

صمتت قليلا. لم أعاود سؤالها. انتظرتها تهدأ. أتمت:

- تغيّرت كثيرا قبل اختفائها.. باتت تتقزز من وجودها معي..

- و.. وماذا بعد؟

سألتها بلطف منتظرا إجابتها:

- تحت تأثير الحكول، في آخر ليلة جمعتنا، قالت: "أنا بحاجة إلى من يفهمني ويحتويني.. أنا بحاجة إلى رجل". استيقظتُ صباحا.. لم أجدها.

أنهت المكالمة من دون أن تقول المزيد. تركت هاتفي النقال جانبا. أمعن النظر في اللابتوب عاجزا عن التحقق من وجود الرسالة. كنت كالذي تبدو عليه أعراض مرضه واضحة جلية. يتقيأ.. ترتفع درجة حرارته وتنبتُ البثور في جسده، ولكنه يأبى الذهاب إلى طبيب خشية أن يسمع ما لا يريد.

هكذا، كنت مريضا بغياب ميرلا، وكل أعراض مرضي تشير إلى أنها..

***

(10)

في أحد أيام عطلة نهاية الأسبوع. مرتديا زيّ العمل كنت. في طريقي إلى الشقة ليلا بعد يوم شاق. أفوح بروائح طعام لم أعد أشتهيه قط. تتلبك أمعائي كلما شاهدت إعلانا لتلك الوجبات التي أقوم بإعدادها كل يوم بشكل أوتوماتيكي. أعود إلى مطبخي في الشقة أتضور جوعا. أتلذذ بما أصنعه بيديّ، وكأن ما كنت أحضّره طوال اليوم ليس بطعام.

في بهو البناية. ضغطت مكبس المصعد ثم أسندت ظهري إلى الحائط منتظرا وصوله. عيناي معلقتان على اللوحة ذات الأرقام أعلاه. أضاء النور عند الرقم "8".. ثم.. 7.. 5.. 3.. 2.. G.. توقف المصعد.. توقفت أشياء أخرى..تفكيري.. خفقان قلبي.. شعيرات جسدي و.. الزمن.

هل أقول أن باب المصعد فُتح أمامي أم أبواب الكويت، التي شاهدتها في الفلبين حين كنت في ذروة اللهفة للسفر إليها، قد فتحت على مصاريعها دفعة واحدة؟

كشف باب المصعد عن شاب لم ينتبه لوجودي، أو لعله لم يهتم لذلك الآسيوي الذي يقف أمامه في زيّ عامل المطعم. ظهري إلى الحائط لا يزال. المفاجأة شلت لساني. مضى الشاب يمشي ببطء متجها إلى الباب المفضي إلى خارج البناية. تبعته: "هيي!.. لحظة من فضلك". استدار الشاب. نظر في وجهي ببلاهة. تلفت حوله ثم أشار بسبّابته نحو صدره متسائلا: "أنا؟!". هززت رأسي مؤكدا. وبسعادة غامرة سألته: "شلونك؟". تجهّم الشاب. اقتربت منه مادّا كفي أهم بمصافحته. رفع ذراعيه إلى الأعلى. نهرني مشمئزا: "ابتعد.. لا تلمسني.. لست من أولئك الذين تبحث عنهم!". أجفلت. أوشكت أن أقول "بل أنت

344

أحدهـم.. أيـن البقيـة؟"، ولكننـي خشـيت أن أؤكـد لـه فهمـه الخاطـئ، خصوصـا انـه لـم يكـن بكامـل وعيـه كمـا بـدا لـي. أدار ظهـره يهـم بالخـروج يغمغـم بغضـب. صحـتُ بـه: "أنـا عيسـى!". مضـى فـي السـير مـن دون أن يأبه لي. واصلت "هيي!".. "جزيرة بوراكاي".. "جعّة الـ ريد-هورس!". توقـف الشـاب فجـأة. التفـت نحـوي. أشـار بسـبّابته إلـيّ ممعنـا النظـر فـي وجهـي: "أنـت؟". ابتسـمت مؤكـدا. عـاد إلـى البهـو داخـل البنايـة. سـألني: "الكويتـي Made in Philippines ؟". أجبتـه ضاحكـا: "نعـم.. نعـم". اسـتطرد يسـأل، فـي حيـن سـبّابته موجّهـة إلـيّ لا تـزال: "أنـت الـ..؟". مـال بجذعـه إلـى الأمـام هـازّا كتفيـه.. هـززت رأسـي: "نعـم.. نعـم". انفجرنـا ضاحكيـن. فتـح حـارس البنايـة بـاب غرفتـه. أثارتـه الجلبـة التـي أثرناهـا أمـام بـاب المصعـد. كـرر الشـاب سـؤاله: "أنـت الـ..؟".. وضـع كفّـه علـى رأسـه مقوسـا سـاقيه.. قفـز عاليـا.. ومـا إن هبطـت قدمـاه علـى الأرض حتـى اسـتدار يمشـي ببـطء يهـز كتفيـه.. لـم أتمالـك نفسـي.. تلـك الرقصـة التـي أحببـت والتـي مارسـتها معـه قبـل سـنتين فـي بـلاد أمـي.. تقدمـت إليـه.. واجهتـه.. شـرعت بمحاكاتـه رقصـا وأنـا أجيبـه: "نعـم.. نعـم أنـا هـو".. مـددت ذراعـيّ.. وهـو بالمثـل فعـل.. أخذنـا نسـحب ذلـك الحبـل الخفـي، تهتـز أجسـادنا إراديـا بفعـل الرقـص، ولا إراديـا مـن فـرط الضحـك.

الحـارس لـم يتجـاوز بـاب غرفتـه. هـزّ رأسـه مسـتنكرا. ضـرب كفّيـه ببعضهمـا ثـم اختفـى فـي غرفتـه مـن دون أن ينبـس بكلمـة.

هـل أقـول أنهـا المـرة الأولـى التـي ضحكـت بهـا فـي الكويـت ضحكـة حقيقيـة؟

نعـم.. كانـت كذلـك.

* * *

تبادلنـا أرقـام هاتفينـا، أنـا ومشـعل. ومشـعل، الـذي أدعـوه ميشـيل نظـرا لاسـتحالة نطقـي لذلـك الحـرف العربـي الصعـب فـي منتصـف اسـمه،

هو أحد المجانين الذين التقيتهم في بوراكاي حين كنت أعمل هناك. هو صاحب الكأس الذي شاركني الرقص على شاطئ الجزيرة. شاركته الرقص ثانية، في صدفة مجنونة، هنا، في بلاده، بعدما يقارب السنتين من لقائنا الأول. كم هي رائعة بعض الصدف، تظهر كالمنعطفات فجأة في طريق ذات اتجاه واحد يفضي إلى المجهول. ظهور مشعل على هذا النحو منحني فرصة الاقتراب من "كويتيتي" التي لم أشعر بها قط.

يقضي مشعل عطلة نهاية الأسبوع عادة في شقته في الدور الثامن، في البناية التي أسكن، يمارس بها ما لا يستطيع ممارسته في مكان آخر على حد قوله. حين انتبه لريبتي شرع يوضّح. مدّ كفّيه بحركة تمثيلية، أمسك بكأس لا وجود لها وشرع يسكب الهواء من زجاجة خفية، ثم أخذ يتظاهر بالشرب. قلت له ضاحكا: "كلكم تدّعون أن الخمر ممنوع هنا وهو كالماء في وفرته!". هزّ رأسه يقول: "كالماء في وفرته.. كالذهب في ثمنه".

سألته عن بقية المجانين. أخبرني أنهم بخير. رغم انهم يسكنون مناطق مختلفة فإنهم يجتمعون بشكل شبه يومي في ديوانية أحدهم في منطقة قريبة. "ولم لا تجتمعون هنا.."، أشرت بسبّابتي للأعلى: "..في الدور الثامن". رد بأسف: "لا أحد من المجانين، كما تسميهم، يشرب الكحول".. استطرد يقول: "ثم أن مثل هذه الأماكن يجلب الشبهة". استغربت جملته: "ولكنني أسكن هنا!.. فهل أثير الشبهة؟!". ربّت على كتفي ضاحكا: "اطمئن.. هي تجلب الشبهة للكويتيين فقط". تجاوزت جملته. لعله لم يقصد، أو أنه نسي أنني..

"هل تعني أنهم يخشون الشرطة؟"، سألته. أجاب بحدّة: "الشرطة لا تخيف أحدا.. هم يخافون كلام الناس". مدّ كفّه كأنه يمسك بتفاحة: "الكويت صغيرة.. يكاد كل فرد فيها يعرف الآخر..".

* * *

346

نزعت ملابس العمل. ارتميت على الأريكة في غرفة الجلوس والسعادة تلوّن مسائي. السعادة المفرطة كالحزن تماما، تضيق بها النفس إن لم نشارك بها أحدا. أجريت اتصالا بابراهيم. تتسابق مشاعري وفوضى كلماتي: "إبراهيم!.. هل تصدق؟!.. بعد سنتين.. صدفة.. كويتيون.. شباب.. بوراكاي.. مجانين.. سنجتمع ثانية.. أصدقائي.. كويتيون كويتيون.. كويتيون!..". بعد صمته الطويل، إزاء ما أحمله من أخبار، قال متسائلا: "كل هذه السعادة بسبب لقاء شاب ثمل؟". شرعت أوضح: "في الحقيقة.. هو لم يكن ثملا تماما..". "أخي!"، قاطعني. استطرد: "قم بانتقاء أصدقائك بحرص شديد.. لا حاجة لك بمثل هؤلاء". لم أفُه بكلمة. واصل: "أعرف أنك تبحث عن أصدقاء.. كويتيين.. أخي عيسى.. انضم إلى مجموعتنا وسوف لن تحصل على أصدقاء وحسب، بل سوف يكون لك أخوة كويتيون، كما أردت، يرشدونك إلى الصواب ويكونون عونا لك". شكرته. انتهت المكالمة. لو أن إبراهيم يعلم بما تقوله عمتي هند عن مجموعته لما لامني على ترددي بقبول دعواته المتكررة. ما هذا التعقيد؟ إبراهيم يحذرني من مجانين بوراكاي، وعمتي هند تحذرني من إبراهيم وجماعته. أليس لي الحق في اختيار من أريد؟ أنا أريدهم جميعا.. عمتي.. إبراهيم والمجانين. تغاضيت عما سمعته منه ومن عمتي هند.

هاتفت خولة لأشركها سعادتي بلقاء مشعل بعد الإحباط الذي أهدانيه إبراهيم. بادرتها "السلام عليكم.. شلونك؟". أجابت ضاحكة: "أنا زينة.. انت شلونك؟". "أنا زين"، أجبتها. "عيسى!"، نبهتني. واصلت: "ماما غنيمة، للتوّ، كانت تسأل عنك". أجبتها بلؤم: "أفهم من ذلك أن ركبتيها بحال سيئة". ندمتُ على مزحتي السمجة. قالت بنبرة جادة: "أو لعلها اشتاقت إلى صوت راشد". "أنا آسف.. لم أكن أقصد..". قاطعتني: "لا بأس، ولكن، لا تكن قاسيا على ماما غنيمة. هي

تحبك عيسى". تسارعت دقات قلبي. استطردت: "هل تصدّق؟ أتمنى لو أننا ننتمي إلى عائلة أخرى".

بدت خولة متأثرة في تلك المكالمة، حزينة على غير عادتها. أخذتني إلى مكان آخر بعيد عن ذلك الذي هاتفتها من أجله. أخذتني من دون مقدمات إلى الطاروف، الإسم. انفجرت دفعة واحدة تحدثني عن تلك الأشياء التي لا أفهمها. "كل المميزات التي يمنحها اسم العائلة لأفرادها أمام الغير ما هي، في الحقيقة، إلا قيود وقائمة طويلة من الممنوعات"، قالت. سألتها في حيرة: "وما مناسبة هذا الكلام الآن؟". أجابت بحزن: "لأنك ما زلت متحاملا على ماما غنيمة وهي ليست بهذا السوء". لم أنفِ التهمة. التزمتُ الصمت. قالت: "الناس يحسدوننا على لا شيء.. هم في الحقيقة أكثر حرية منا". حيرتي ما زالت. صمتت قليلا قبل أن تقول: "هل لي أن أشركك همّي هذا المساء؟". كنت أنوي إشراكها سعادتي بلقاء مشعل، ولكن، لا فرق بين أن تشرك الآخر سعادتك أو حزنك، فالمهم هو المشاركة وحسب. "نعم نعم.. بكل سرور"، أجبتها.

"لو أننا ننتمي إلى واحدة من تلك العائلات التي نصنفها كيفما شئنا بالعائلات الـ..". ترددت. لعلها أوشكت أن تصفها بالوضيعة. تداركت: "..العائلات العادية". واصلتْ: "لكانت عمتي هند زوجة غسان منذ زمن، ومن دون أن يجرؤ أحد للنيل من اسم عائلتنا وجعلها مادة للتندر.. الطاروف يزوجون ابنتهم لرجل بدون!.. رغم أن هذا البدون ينتمي في أصوله إلى القبيلة ذاتها التي تنحدر منها عائلة الطاروف!.. لو أننا ننتمي إلى أي عائلة أخرى.. عادية.. لكنت أنت الآن تسكن معنا.. بدلا من أن ترتعد أوصال جدّتي عند كل زيارة يقوم بها الناس لبيتنا خشية أن يفتضح أمرك. عيسى! أنا أعرف حجم الظلم الذي وقع عليك، ولكن، هناك أمور لابد أن تفهمها، ماما غنيمة وعمّاتي لا يتحملن المسؤولية كاملة. الناس من حولنا يملؤهم الحسد، يتربصون

بنا، يترقبون بفارغ الصبر أي أمر من شـأنه أن يسيء لنا. نحن تحت المراقبة دائما. أن يتـزوج الرجل من فلبينية أمر محتمل عند البعض، أما أن ينتمي هذا الرجل إلى عائلة ذات مكانة رفيعة فهذه جريمة يدينه عليها حتى من ينتمي إلى أصول.."، ترددت. أضافت مؤكدة هذه المرة: "..وضيعة!". واصلت تبثني همّها: "يموت عشرات الشبان في الكويت بجرعة مخدرات أمر لا يستدعي الاهتمام، ولكنه أمر عظيم ومشين إن حدث ذلك لشـاب ذي نسـب رفيع، يستريح هو بموته، ليورّث عائلته العار من بعده. عندما يفلس تاجر ما تنتهي كل مشاكله بإشهار إفلاسه، أمـا أن يفلس ابـن العائلـة العريقة فالأمر لا ينتهي أبدا، حيث تستحيل ألسُـن الناس سـياطا تجلده طيلة حياته لتنال من ذريته. أن ينجح رجل ما في عمله ويكوّن ثروة فهو رجل عصامي، أما أن ينجح فيصل العادل، زوج عمتي نورية، فهو "حرامي!". ألو.. ألو عيسى!.. هل تسمعني؟"

سرحت في كلماتها. أن تكون ضحية لمستبد أمر اعتيادي، أما أن تكون ضحية لضحية أخرى..! حاولت أختي أن تُفهمني.. فهل فهمت؟ وإن فهمت.. هل اقتنعت؟ وإن اقتنعت.. ما المهم في ذلك؟

"نعم.. أكملي خولة.. أسمعك". واصلت حديثها:

"أنت تعرف أنك تنتمي إلى عائلة الطاروف، ولكن، هل تعرف مـاذا تعني كلمـة طاروف؟ لسـت أنتظـر منك إجابة على هكذا سـؤال، فهي كلمة كويتية صرفة، يكاد الكثير لا يعرف لها معنى. الطاروف شبكة يستخدمها الكويتيون لصيد السمك. تُثبت في البحر كشبكة كرة الطائرة، تعلق فيها الأسماك الكبيرة عند المرور بها. ونحن، أفراد العائلة، عالقون بهذا الطاروف، عالقون باسم عائلتنا، لا نستطيع تحرير أنفسنا منه. وليس باستطاعتنا الحركة إلا بمقدار ما تسمح لنا به هذه الشبكة. أنت الوحيد يا عيسى، سـمكة صغيرة، قادرة على الولوج في فتحات الطاروف من دون أن تعلق في خيوطه الشفّافة.. عيسى!.. أنت محظوظ.. أنت حُر..

349

افعل ما تريد". آه طويلة ختمت بها أختي كلماتها. قلت لها متجاوزا كل ما قالت: "سمكة صغيرة أنا.. فاسدة، تُفسد بقية الأسماك كما تقول جدّتي". بصوت هادئ أجابت: "لست كذلك عيسى.. لست كذلك". أطلقتُ زفرة طويلة، ثم قلت: "أتمنى لو أنني كنت بجوارك في غرفة مكتب أبي أستمع إليك.. أشتاق إليك خولة". هل أقول أنني رأيت ابتسامتها عبر الهاتف؟ أجابت: "قريبا سأدعوك لجلسة خاصة في غرفة المكتب، ولكن، بعد أن نفرغ من موضوع عمتي هند". سألتها: "موضوع عمتي هند؟". أجابت: "سوف أخبرك لاحقا.. هو أمر جيّد للعائلة بشكل عام.. وعمتي هند على وجه الخصوص". وجدتني من دون تفكير أصدر ذلك الصوت: "كولولولوووش.. عمتي هند سوف تتزوج؟". انفجرت خولة تقهقه. ألححت عليها بالسؤال. أسقطت الهاتف، أو أبعدته عن أذنها. صوت ضحكها أصبح بعيدا، تضحك تارة وتسعل تارة أخرى. انتظرتها تفرغ من نوبة ضحكها. عادت تقول: "أضحكتني يا مجنون!.. كلا لن تتزوج.. سوف أخبرك لاحقا". قالت تنهي المكالمة:

- تصبح على خير.
- تصبحين على خير.. أحلام حلوة.

هممتُ أغلق الخط لولا أن جاءني صوتها:

- عيسى!

أعدتُ السماعة إلى أذني:

- نعم..
- أحبك كثيرا..

ابتسمت. لم أزد على ما قالت. بعض المشاعر تضيق بها الكلمات فتعانق الصمت. ختمت أختي:

- مع السلامة.

350

أمسكت الهاتف بين يديّ أنقل إبهاميّ بين أزرار لوحة المفاتيح: "وأنا أحبك أكثر.."، أرسلت لها.

أسندت رأسي إلى الوراء. تذكرت سبب اتصالي بخولة. نسيت أن أخبرها بأمر لقائي بمشعل وانه سيجمعني قريبا ببقية المجانين.

جلست أرضا على ركبتيّ. انحنيت أنظر أسفل الأريكة.. لا شيء.. الأريكة الأخرى.. لا شيء.. تحت طاولة التلفاز.. ها هي!.. أمسكت بـ إينانغ تشولينغ بين يديّ: "خمّني! من رأيت اليوم عند باب المصعد!..". كعادتها، كانت تصغي باهتمام. أخبرتها:

"مشعل.. بعد سنتين.. صدفة.. شباب.. بوراكاي.. مجانين.. سنجتمع ثانية.. أصدقائي.. كويتيون كويتيون.. كويتيون!..".

* * *

(11)

بعـد أيـام من لقائي مشـعل، دخلت الديوانية أخيـرا. ذلك المكان الذي طالما حدثتني عنه أمي. يكاد لا يخلو بيت في الكويت من تلك الغرفة الخارجية التي اسمها.. ديوانية. في ذلك المكان يجتمع الأصدقاء عـادة. لا أحمـل لذلـك الاسـم سـوى صورة رسـمتها أمي فـي مخيلتي عندمـا كنـت صغيـرا. حيث أبي ووليد وغسـان يحضـرّون عِدّة الصيد.. يتناقشون في كتاب ما.. حدث سياسي مهم.. أو يجتمعون حول التلفاز يتابعون مباراة مهمّة. سوف لن أفعل شيئا من هذا كله، سأكتفي بدخولي الديوانية وحسب.

بعـد غـروب الشـمس بقليـل، رنّ جرس هاتفي وكان مشـعل على الخط الآخر: "هل أنت مستعد؟.. بعد خمس دقائق.. موقف السيارات أسفل البناية". عن أي استعداد كان يسألني مشعل وأنا الذي كنت مستعدا ليوم كهذا منذ سنوات طويلة، منذ حديث أمي عن أبي وأصدقائه عندما كنت في أرض ميندوزا هناك.. عندما تمنت لي أصدقاء كأصدقاء أبي.

قبـل وصولـه كنـت أنتظـره فـي موقف السـيارات. وصل بسـيارته الرياضية الصفراء. لعنتُ دراجتي الهوائية وسيارات الأجرة والحافلات. قال بعد مصافحتي: "ستكون مفاجأة للأصدقاء". أجبته متسائلا: "أتراهم يذكرونني؟".

* * *

"واحد.. إثنان.. ثلاثة.."

كنت أحصي أزواج الأحذية أسفل باب الديوانية قبل دخولنا. نزع الأحذية ليس حكرا على مرتادي المسـاجد وحسـب. التفت إلى مشـعل وأنا أشـير إلى الأحذية أسـفل الباب: "ثلاثة في الداخل.. أنت الرابع..

خامسكم أين؟". أجاب ضاحكا: "هذه ديوانية تركي.. وهو يدخل من الباب الآخر عبر فناء البيت الداخلي". باب داخلي وآخر خارجي!

دفع مشعل الباب يشير لي بالدخول. الأرض مفروشة بالسجاد. لا أرائك في الديوانية. مجموعة من المراتب على الأرض للجلوس، تفصل بينها مساند اليد، وتستند إلى الجدران مراتب أخرى للظهر. يعبث أحدهم بهاتفه النقال. يستلقي الآخر في الزاوية تحت نافذة مفتوحة ينفث دخان سيجارته في الهواء، تعرفت إليه على الفور، هو صاحب آلة العود. أمام شاشة التلفاز يجلس إثنان، يكادان يلتصقان بها، حسبتهما يتابعان مباراة لكرة القدم. لمحت بين إيديهما جهازيّ تحكم يعبثان بأزرارهما. كانا منهمكين بلعب كرة القدم عبر جهاز الـ Playstation. لم ينتبه لنا أحد سوى صاحب السيجارة. نقل نظره بيني وبين مشعل باستغراب. "السلام عليكم"، قال مشعل. سارعت بدوري: "السلام عليكم". التفت الجميع إلينا: "وعليكم السلام". تحدث إليهم مشعل بالعربية: "صديقنا الكويتي". بين ابتسامات واستغراب كانت ردود أفعالهم. انفجر بعضهم ضاحكا في حين التف الجميع حولي غير مصدقين: "أنت؟".. "لم أصدّق إنك كويتي".. "نسينا أمرك ما إن تركناك هناك". مددت كفي إلى صاحب السيجارة. عرفني مشعل إليه: "هذا تركي". صافحته. ملت بوجهي إليه ملامسا خدّه بخدّي على الطريقة الكويتية في التحية. أشار مشعل نحو الذي كان يعبث بهاتفه النقال يعرفني إليه: "هذا جابر..". ثم أشار نحو الإثنين أمام شاشة التلفاز: "عبدالله.. ومهدي". مررت بهم جميعا مصافحا.. ملامسا وجوههم بوجهي.

***

رائعون.. مرحون.. ودودون..

هذا ما أستطيع أن أقوله عن مجانين بوراكاي. كنت سعيدا بلقائي بهم، ودخولي عالمهم.

كيف للبلاد أن تحمل كل هذه الوجوه؟ أي وجه من تلك الوجوه الكثيرة هو وجهك يا كويت؟

أصبحت الديوانية محطتي اليومية، أو شبه اليومية، يعتمد ذلك على تركي الذي يبادر بالاتصال كلما اجتمع لديه الأصدقاء. لحسن الحظ أن بيت تركي في العديلية، وهي ليست بعيدة عن الجابرية. يسكن البقية في مناطق قريبة أيضا ما عدا عبدالله الذي يسكن في منطقة بعيدة، ولكن ذلك لا يعني الحاجة إلى طائرة للوصول إليها كما في المناطق البعيدة في الفلبين، لأن أبعد منطقة سكنية في الكويت تستغرق رحلة الوصول إليها فترة لا تتجاوز نصف الساعة، أكثر أو أقل من ذلك بقليل.

أذهب أحيانا بمفردي إلى الديوانية، بعد العمل، عبر دراجتي الهوائية. وأحيانا يتناوب الأصدقاء على المرور بي. كان كل شيء مثلما كنت أحلم لولا حاجز اللغة الذي عجزت عن اختراقه مهما التقطت أذناي من كلمات مألوفة. كم كنت أشفق على أصدقائي الذين يجبرهم وجودي على التخلي عن لغتهم ليشركوني عالمهم. مشعل يتحدث الإنكليزية بطلاقة، تركي وجابر بدرجة أقل، أما عبدالله ومهدي فقد كانا يخاطبانني كما تخاطب ماما غنيمة بابو وراجو ولاكشمي ولوزڤيميندا. هل هناك أجمل من أن يتحدى المرء لغته، بتطعيمها بلغات أخرى، أو بالإشارة أحيانا، ليوصل لك شعوره تجاهك: "آي آم هابي كثيرا لأنني سي يو أفتر لونغ تايم". الكلمات الطيبة لا تحتاج إلى ترجمة، يكفيك أن تنظر إلى وجه قائلها لتفهم مشاعره وإن كان يحدثك بلغة تجهلها. هذا ما لم يعرفه عبدالله حين أخبرني بسعادته للقائي من جديد.

على كل اختلافاتهم يجمعهم جنونهم. يسكنون مناطق متفرقة. ينتمون إلى عائلات مختلفة. تركي وجابر، اجتماعيا، يحتلان مراتب عليا، كالطاروف ربما. مشعل لا يعترف بهذه الأمور، هو يرى أن ثراء العائلة كفيل بإذابة كل تلك التصنيفات، وهو، بالمناسبة، ثري جدا. أما

عبدالله ومهدي، فلا أعرف عنهما الكثير، ربما بسبب ضعف إنكليزيتهما. لا أعرف عن عبدالله سوى تفوقه على أصدقائه في ممارسة الطقوس الدينية، وتواضعه في الملبس حيث يبدو الفارق كبيرا بينه وبين أصدقائه. نادرا ما يرتدي ملابس غير الثوب التقليدي. مهدي قليل الكلام، أكاد لا أسمع له صوتا غير صراخه فرحا أو غضبا لنتيجة مباراة كرة القدم بينه وبين منافسه عبدالله.

قدّمت للمجانين خدمة لعلها أهم ما قدمته لهم منذ لقائي بهم. أصبح وجودي في الديوانية أمرا ضروريا إذا ما اجتمعوا، لأنهم، بحضوري فقط، يتمكنون من لعب الورق، لعبتهم المفضلة "كوت بو ستة"، التي تحتاج إلى ستة لاعبين. قد يبدو الأمر تافها، ولكن، لأول مرة في الكويت أشعر بأهمية وجودي، وإن كان ذلك تكملة عدد للعب الورق.

نقضي أوقاتنا في الديوانية بين لعب الورق أو متابعة مباريات كرة القدم، الحقيقية منها أو تلك التي يتنافس عليها عبدالله ومهدي على الشاشة. يدندن تركي أحيانا بآلة العود. وإذا ما تسلل الملل إلينا شرع الأصدقاء في الحديث عن علاقاتهم الغرامية. عبدالله حريص جدا على أداء الصلاة في أوقاتها خمس مرات في اليوم. هل سأتمكن من فعل ذلك؟ خمس مرات في اليوم؟ عندما سألته كيف يمكنه المواظبة على أمر كهذا أجاب واثقا: "يُسعدك أن تكون بيننا في الديوانية بين يوم وآخر.. ألا يُسعدك أن تكون في حضرة الله.."، مدّ كفّه أمام وجهي مباعدا بين أصابعه. أتم: ".. خمس مرات في اليوم؟".

كنا نصلي جماعة، يؤمنا عبدالله. لست أدري ما الذي يدعوني للصلاة. أهي رغبة خالصة مني في ذلك، أم شعوري بالحرج من عبدالله؟ لم لا يشعر مشعل بشيء من الحرج!

رغم عدم معرفة السبب الحقيقي الذي يدفعني لمشاركتهم الصلاة

355

فإن هذا لا يعني أنني لم أكن صادقا في صلاتي، وإن كنت أجهل قواعدها. أنا أصلي بجسدي كما يفعلون، ولكنني أتلو الصلاة كما لا يفعل أحد سواي. ربما الكلمة الوحيدة التي نتفق على ترديدها جميعا بصوت مسموع هي.. آمين.

مشعل لا يتزحزح من مكانه إذا ما ردّد عبدالله: "اللّٰه أكبر.. اللّٰه أكبر" يدعونا للصلاة. أما البقية فتسارع للاصطفاف خلفه. نغيّر من وضعيات أجسادنا كلما فعل عبدالله، مرددا بين حركة وأخرى: "اللّٰه أكبر".

مهدي حريص على الصلاة أيضا، ولكنه يصلي بطريقة مغايرة بعض الشيء. من بمقدوره ملاحظة ذلك سواي أنا الذي أفقد التركيز أحيانا لأنصرف عن صلاتي مراقبا أصدقائي؟ أمعن النظر في أقدامهم إذا ما انحنينا بأجسادنا، مثبّتين أكفنا على الرُكَب. أصابع قدميّ تركي تبدو صغيرة جدا ومتلاصقة. قدما مهدي بيضاء ضخمة يكسو أصابعهما شعر كثيف. تركي وجابر يضمّان كفّيهما إلى صدريهما أثناء الاستقامة في الصلاة. مهدي لا يفعل. ننحني بأجسادنا على الأرض، تلتصق جباهنا على السجاد. مهدي يستعين بمنديل ورقي يحول بين جبينه والسجاد. حين لاحظتُ ذلك سألت مهدي، بعد الصلاة، بغباء: "هل تعاني من وسواس النظافة؟". ابتسم هازّا رأسه نافيا. وأمام حيرتي تدخل عبداللّٰه يوّضح أمورا لست أفهمها في الدين: "إسلام.. طائفة.. سُنة.. شيعة..". أهي أمور معقدة كما بدا لي، أم أن لغة عبداللّٰه المطعمة بإنكليزية ركيكة وإشارات يديه الغامضة لم تسعفه هذه المرة؟! هززّت رأسي إشارة عدم الفهم. تدخّل مشعل: "نحن مسلمون كاثوليك.. وهم مسلمون بروستانت". ضجّ الأصدقاء بالضحك. ورغم ذلك فهمت من مشعل ما عجز عبداللّٰه عن شرحه.

قرفص كل من عبداللّٰه ومهدي أمام التلفاز يتنافسان على الفوز في

لعبتهما الأثيرة. تركي أخذ يعالج مفاتيح آلته الموسيقية. جابر مستلق على إحدى المرتبات مشغولا بإرسال واستقبال الرسائل الهاتفية، يناكفه مشعل، يطبع قبلة على كفه وينفخها في الهواء باتجاه صاحبه المنهمك في رسائله. يمسك بهاتفه النقال هو الآخر ضاغطا على الأزرار بسرعة على طريقة جابر. يهمس بكلمات حب بالعربية والإنكليزية ليشركني جوّهم: "حبيبتي.. I love you". انتفض قلبي فجأة. الصعقة الكهربائية إياها.

تهتز أوتار تركي ناثرة سحرها في الديوانية. يمرر شريحته البلاستيكية على الأوتار في منتصف العود، ينقل أصابع كفه الأخرى بين الأوتار بالقرب من مفاتيح آلته. الآلة بين يديه واحدة.. ولكن نغماتها، كما كنت أشعر، تصدر عن آلات عدة في وقت واحد. مهدي يصرخ بفرح لانتهاء المباراة لصالحة. مشعل لا يزال يرسل قبلاته عبر الهواء إلى جابر يناكفه، مرددا: I love you. عبدالله يطلب من مهدي لعبة إضافية يرد فيها اعتباره.

أما أنا فقد كنت في الديوانية.. وقلبي هناك.. عند ميرلا.

* * *

(12)

أسندت جهاز اللابتوب إلى ساقيّ. تظهر على الشاشة الصفحة الرئيسية للبريد الإلكتروني. إلى متى هذا الجبن؟ إلى متى التشبث بأمل يخالطه الشك؟ وجدتني أقوم بإدخال رقمي السري كاملا في المكان المخصص. بقيت خطوة أخيرة.. الضغط على مفتاح "تسجيل الدخول".

تركت الصفحة كما هي تحمل بياناتي من دون أن أنتقل إلى الخطوة التالية. أزحت اللابتوب عن ساقيّ جانبا. وقفت في منتصف غرفة الجلوس في شقتي أدير وجهي إلى الجدران متسائلا: "في أي اتجاه تكون؟". فرشت سجادة الصلاة، هدية عمتي عواطف، تلك التي لم أستخدمها من قبل. الاتجاهات كثيرة. اخترت جهة جذبتني إليها. كم مرة يجب أن أنحني بجذعي للأمام؟ كم مرة يستوجب الأمر ملامسة جبيني للأرض؟ هل أضم كفيّ إلى صدري أم أترك ذراعيّ ممدودتين إلى جانبيّ؟ لست أدري ولكنني.. صليت.

انتصبت واقفا على سجادتي: "اللّه الأكبر.. اللّه الأعظم.. كنت كريما معي.. أرسلت لي مجانين كنت أحلم بلقائهم.. ممتن أنا لك يا إلهي..". انحنيت بجذعي إلى الأمام مثبّتا كفيّ على ركبتيّ: "اللّه الأكبر.. اللّه الأعظم.. أنتظر رسالة منذ مدة.. أما آن وصولها؟". انتصبت واقفا: "حقق لي أملي ولا تفجعني بموت من أحب". ارتميت على الأرض ألامسها بجبيني: "لدي مال كثير.. لدي أصدقاء رائعون..". اعتدلت بجلستي: "اللّه الأكبر.. اللّه الأعظم.. أصلي لك صلاة مؤمن راجيا أن تقبل صلاتي.. آمين". أدرتُ وجهي يمينا.. يسارا.. خاتما صلاتي.

دق أحدهم جرس الباب. كان جاري الفلبيني يدعوني إلى حفلة عيد ميلاد أحدهم. عند الباب كنت أقف أمامه. التفت نحو شاشة

اللابتوب ثم إلى الجار. وعلى طريقة ماما غنيمة أخذت أفسر الأمور. لعل القدر أرسله كي لا أفجع بعدم وصول الرسالة بعد. هززت رأسي ملبيا دعوته وكلي إيمان بما توصلت إليه.

* * *

الفلبينيون.. هنا أو هناك، كما هم دائما، يولون اهتماما يشبه التقديس لبعض المناسبات. أعياد الميلاد مهمة جدا، يحتفون بها كل سنة بالفرح ذاته وكأنها المرة الأولى. يتبادلون الهدايا، على بساطتها، ويسعدون بها مهما بدت زهيدة الثمن. يبدو الفرح على وجه المحتفى بعيد ميلاده قبل أن يعرف ما هي الهدية المقدمة إليه. الهدية مهمة أحيانا، ولكن الأهم هو أن صاحبها لم ينسَ المناسبة، وتجشم عناء البحث عنها من أجل إسعادك. ليس مهما أن تكون زوج جوارب أو علاقة مفاتيح أو إطارات صور أو محفظة نقود جلدية مقّلدة لماركة شهيرة، المهم انها هدية وحسب. ليس اهتمام الفلبينيين حكرا على أعياد الميلاد، فالمناسبات العامة أيضا لها خصوصية لديهم.. لماذا لديهم بدلا من لدينا؟ هل أنا أنتقي المفردات بشكل صحيح؟ أي تيه هذا الذي أنا فيه؟!

في الاحتفال بمناسبة عيد الميلاد المجيد، في مانيلا، يمكنك أن تشعر بهذه المناسبة كما لو أنك في الفاتيكان. هل أنا أبالغ؟ لم أزر الفاتيكان لأعرف، ولكن، على أية حال، ليس الأمر كما هو عليه في الكويت. للمناسبة هناك خصوصية حميمة تكاد ترى تأثيرها على وجوه الناس من حولك. الأجواء المفعمة بالإيمان. الصلاة. تزايد أعداد زوار الكنائس والكاتدرائيات. قد يكون ذلك مبررا إذا علمنا إن تسعين بالمئة من السكان يدينون بالمسيحية، ثمانون بالمئة منهم ينتمون إلى الكنيسة الرومانية الكاثوليكية، والعشرة في المئة المتبقية تنتمي إلى الطوائف المسيحية الأخرى. ولكن، ما هو غريب هو اهتمامنا بمناسبات أخرى،

كاحتفالنا في الفلبين بمناسبة السنة الصينية. يخرج الناس إلى الشوارع يحتفون بالمناسبة. تزين بعض الشوارع بالمصابيح الصينية والأوراق والخيوط الملونة، تُقرع الطبول، يرتدي البعض الزي الصيني التقليدي يراقصون التنين ذا الألوان الزاهية. نحن شعب يحب الفرح كما لا يحبه أحد. لا نفوّت مناسبة للاحتفال على الإطلاق.

كعـادة جيراني، يزينـون غرفة الجلوس في شـقتهم بالزينة الورقية اللامعـة، علـى أحـد الجدران ألصقت عبـارة HAPPY BIRTHDAY TO YOU، يضج المكان بالأغنيات والرقص وأنواع الطعام والشراب بما فيه الكحول المصنوع محليا، أكثر ما يحرص على وجوده المدعوون وأكثر مـا يمقتـون. شـربت كثيـرا في ذلـك اليوم. توقف الجميـع عن الرقص. أطفئت الأنوار تاركين الشموع تضيء المكان في جو شـاعري. حانت ساعة الـ فيديوكي، أو الكاريوكي كما يُطلق عليه بالإنكليزية. المايكرفون جاهز، وشاشة التلفاز تعرض موسيقى أشهر الأغنيات مصحوبة بكلماتها. وجودي في الكويت جعلني أتعرف على الفلبينيين بشكل أوضح. نحن شعب يحب الغناء.

نحن؟

نعم.. نحن!

ينتقل المايكرفون بين الأيدي. يغنون فرادى وجماعات. يسـتعينون بالكلمات المعروضة على الشاشـة، يجارون موسيقاها بأصواتهم أغنية تلو الأخرى. وجدتني بينهم ما إن شرعت موسيقى أغنية "زمن الفراق" للفلبيني إيريـك سـانتوس. أمسكت بالمايكرفون من دون أن أسـتعين بالكلمات على الشاشـة. أستمع إلى نغمات البيانو منتظرا لحظة البـدء. أغمضت عينيّ أغني ولا شيء سوى ذكرياتي مع ميرلا يسكن مخيلتي.

الجميع يستمع إلى غنائي بصمت. ارتفع صوتي مع اقتراب نهاية الأغنية واشتداد إيقاعها.. انحنيت مع المايكرفون.. ومع خفوت صوت

البيانـو معلنـا نهايـة الأغنيـة همسـت خاتمـا: "أتذكر الأيـام.. عندما كنا سويا".

دوت غرفة الجلوس بالصفير والتصفيق. ارتفعت الكؤوس تحييني. انحنيت لهم بحركة تمثيلية أوزع قبلاتي في الهواء. انطلقت الموسيقى مـن جديـد. اجتمعـوا حول المايكرفون في غناء جماعي. انسـحبت إلى شقتي بهدوء.

أسـندت جهاز اللابتوب إلى سـاقيّ. شاشـته مفتوحة على صفحة البريد الإلكتروني لا تزال. تأرجحي بين الوعي واللاوعي ساعدني على استسـهال مهمة الضغط على مفتاح "تسـجيل الدخول". صندوق الوارد يحوي رسـائل كثيرة. إعلانات.. رسـائل من أمي.. صور لها مع ألبيرتو وأدريان. تترنح الصور أمامي ثملة. ابتسمت لابتسامة أخي الواسعة في الصورة، وخيط اللعاب يسيل من فمه. كم أشـتاقه هذا السـمين. صور لمنزل أمي ومنزلنا. أشـياء كثيرة غيّرها المال الذي أرسله إليهم. شعوري بالسعادة للرسائل والصور لم يدم طويلا.

لماذا يا ميرلا؟

* * *

(13)

أجواء الديوانية لم تعد كالسابق، ولا المجانين هم المجانين الذين أعرفهم. انصرفوا عن كل شيء ليتفرغوا لانتخاباتهم البرلمانية. حديثهم أصبح أكثر حدّه فيما بينهم. لم يهتموا كعادتهم بإشراكي معهم في الحديث. العربية طغت على حواراتهم.

ذات مساء طلب مني تركي الذهاب معه بصحبة كل من مشعل وعبدالله. "إلى أين؟"، سألته. "ليس بعيدا"، أجاب. خرجنا نحن الأربعة تاركين جابر ومهدي في الديوانية يرتبون ملفات تحتوي على أرقام هواتف كثيرة، عرفت لاحقا أنهما يعملان في حملات انتخابية لصالح بعض المرشحين. ولأنهما لم يبلغا السن القانونية للمشاركة في التصويت فقد قررا أن يخدما الكويت، على حد قولهما، بطريقة أخرى.

توقف تركي بسيارة النقل الصغيرة، التي استعارها من أحد أصدقائه، في أحد شوارع منطقة السرة القريبة، أمام إحدى المدارس. ترجلنا من السيارة. طلب مني مساعدته في حمل لفافة قماشية كبيرة كانت في الخلف، في حين انشغل مشعل وعبدالله بحمل قواعد حديدية وأكياس مليئة بالرمل.

على الرصيف وضعنا اللفافة القماشية. فردها تركي. لفافة سوداء بكلمات عربية باللون الأصفر. مشعل وعبدالله يقومان بتثبيت القواعد الحديدية على الأرض، يثبتونها بأكياس الرمل. "عيسى!.. امسك قطعة القماش من الطرف هناك"، أمرني تركي. بقيت واقفا حيث كنت. أجبته: "ليس قبل أن أعرف ماذا تعني تلك الكلمات باللون الأصفر". ثبّت كفّيه على خاصرته يقول: "ليس الآن عيسى". هززت رأسي مصرّا: "بل الآن!". أذعن لعنادي. أشار بسبّابته إلى الكلمة الأولى مترجما: "عفوًا..".

362

مرّر سبّابته على بقية الكلمات: "السرة ليست للبيع!.. الكويت أغلى". كان مشعل وعبدالله قد فرغا من مهمتهما في تثبيت القواعد الحديدية. أحاطا بقطعة القماش الكبيرة يعاونون تركي في حملها. انتصبت اللافتة، كبيرة تواجه الشارع. كنا ننظر إليها مبتعدين في سيارة النقل نتجه إلى مكان آخر، نقوم بتثبيت لافتات أخرى: "عفوًا.. الدينار لن يحكمنا.. الكويت أغلى"، وفي منطقة كيفان، اجتمعنا بشباب آخرين، يعملون على تثبيت لافتات قماشية على سور أحد المساجد: "عفوًا.. ضمائر أهل الصمود ليست للبيع".

ما فهمته أن ما قمنا به هو وقفة تطوعية، لم يقم بها مجانين بوراكاي وحسب، بل أن الكثير من الشباب في مناطق الكويت المختلفة قاموا بتثبيت مثل تلك اللافتات يرفضون الرشوة، يندون بظاهرة شراء الأصوات التي يقوم بها بعض مرشحي البرلمان. "وصل سعر الصوت، في بعض المناطق، إلى 2000 دينار"، قال تركي بحسرة، أردف هازّا رأسه بأسف: "هم لا يبيعون أصواتهم.. هم يبيعون الكويت". لست أدري إن كان الكويتيون بحاجة إلى مثل هذا المبلغ وهم، كما أراهم، فقيرهم ثريّ، ولكن الشيء الوحيد الذي كنت أدريه أن أصدقائي يكشفون جانبا لم أكن أعرفه عنهم في الأيام القليلة التي اجتمعنا بها. إصرارهم. حماسهم لمرشحيهم في الانتخابات البرلمانية، تطوعهم للعمل في الحملات الإعلامية، توزيع المنشورات الورقية وتثبيت اللافتات في الشوارع تحذر الناس من بيع وطنهم. تلك الجدية ألزمتني الصمت، لم أكثر الأسئلة إزاء حديثهم بلهجتهم المحلية، اكتفيت بمراقبة وجوههم، مستمتعا بذلك الحماس الذي نقلوه إليّ حتى نسيت وجهي الآسيوي وأنا أحمل الأوراق بين يديّ، أثبتها بين زجاج السيارات وماسحات المطر، مرددا ما لم أتمكن من قراءته: "الكويت.. ليست للبيع". في تلك الأيام كنت كويتيا كما لم أكن في حياتي. كنت في ذروة شعوري

بالانتماء إلى هـذا الوطن، ذلك الوطن الـذي التحفت رفـات والدي بعلمه ذي الألوان الأربعة. استعدتُ كلمات ميرلا في إحدى رسائلها الإلكترونية: "تغلب على وجهك مثلما تغلبتُ أنا على وجهي. أثبت لنفسك قبل الآخرين من تكون. آمن بنفسك، يؤمن بك من حولك، وإن لم يؤمنوا فهذه مشكلتهم هم، ليست مشكلتك".

محقـة يا ميرلا فيما قلتِ.. أحتاج إليك أكثر من أي وقت مضى، وأحتاج لأن تقولي المزيد.

* * *

بعـد الفراغ مـن مهمتنا عاد بنا تركي إلى الديوانية. جابر ومهدي كانا لا يـزالان يعمـلان في أوراقهما الكثيرة، سعداء بكـم الاتصالات التي أجرياهـا في دعوة الناخبين لحضور الندوات الانتخابية والتسـويق لمرشحيهم. كنت أتصفح أوراقهم. اعلانات وصور لمرشحين تحيطهم أعـلام الكويت وخريطتها. تلك الخريطة صغيرة، سهلة الرسـم، تشبه رأس الطائر، تذكرت خريطة الفلبين بجزرها المنتشرة وتفاصيلها الكثيرة، لا تشبه الكويت في شيء.

أصدقائي يدعمون أربعة مرشـحين. شـاهدت صور ثلاثة منهم في الأوراق الإعلانية لدى جابر ومهدي، الورقة الأخيرة بلا صورة. سألت مهدي لماذا؟ أجاب: "هذا الإعلان لمرشحة.. ربما هي لا تفضل وضع صورها في الإعلانات فاكتفت بإسمها.. هند الطاروف".

* * *

364

(14)

هل توقف المجانين عن الحديث فجأة، أم أن صمما أصابني فور سماع الإسم.. هند الطاروف؟!

الـ "كولولولـوووش" التـي هتفـتُ بهـا فـي سـماعة الهاتـف أثناء حديثي مع خولة كانت لهذا السبب إذن! لم يخطر ببالي قط أن يكون هذا السبب وراء سعادة أختي. مهدي يأمل أن تفوز هند الطاروف في الانتخابـات، لأن فـي فوزهـا، كما يقول، أمـر جيّد للكويت. لكن خولة تقول: "هو أمر جيّد للعائلة بشكل عام..". إن كان الأمر جيدا للكويت فهو أمر جيد لي أنا الكويتي. إن كان أمرا جيدا للعائلة.. لا أظنه يعنيني.

الدهشـة علـى وجهـي عنـد سـماع اسـم عمتي على لسـان مهدي لفتـت انتباهـه. سـألني: "مـا بك؟". تـرددت في إخباره، ولكن حماسـه لفـوز عمتـي، وزهـوي بعلاقتي بهـا، دفعاني للتصريح: "هنـد الطاروف عمتي..". عقدت الدهشة لسان الجميع. ترك المجانين عملهم، يتبادلون النظر فيما بينهم قبل أن تستقر أعينهم باتجاهي تخترقني بفضولها. "أنت تمزح!"، قال تركي. هززت رأسي مؤكدا: "هند عيسى الطاروف.. شقيقة راشد عيسى الطاروف.. أبي". اعتدل جابر في جلسته: "أنت تكذب!". لم أفُه بكلمة. دهشـتهم جعلتني أندم على تصريحي المتسـرع. لو أنني التزمـت الصمـت.. مـا الغريب في أن تكون هند عمتي؟ سـألت نفسـي والحيرة تأكل دماغي. استطرد جابر: "منذ كنت صغيرا وبيت الطاروف هو بيتي الثاني.. أعرفهم كما أعرف نفسي.. لم أسمع بك قط!". أجبته بثقـة يشـوبها حـذر: "أن تعـرف ماما غنيمة.. عواطـف نورية وخولة..". فتح عينيه على اتسـاعهما عند سـماعه الأسـماء. واصلتُ: ".. أو حتى راجو وبابو ولاكشـمي ولوزڤيميندا من دون أن تعرفني.. فهذا لا يعني

أنني لست عيسى راشد عيسى الطاروف". بَهَت. أخرسه ردّي المدّعم بالأسماء. سألته: "ما بك؟ هل ستخسر عمتي الانتخابات بسببي أيضا؟". هزّ رأسه محرجا: "كلا.. لست أقصد.. ولكن..". وضع كفّه على رأسه، ليس على طريقة الرقصة الشعبية، ولكن دلالة على وقع المفاجأة. أمهلته ليستوعب، قبل أن تنتقل المفاجأة منه إليّ. قال: "قبل حوالي سنة.. لست أتذكر بالضبط.. ولكن.. أحضرت أم راشد خادما فلبينيا!". هززت رأسي إيماء التأكيد. وضع كفّه الأخرى على رأسه يقول: "كان اسمه عيسى!". بقية المجانين يستمعون إلى حوارنا في صمت. أجبته: "أنا عيسى". مدّ كفّه مصافحا في حركة تمثيلية ساخرة: "وأنا جابر.. ابن جارتكم.. أم جابر". في الزاوية البعيدة كان مشعل يجلس مقرفصا. صفّق بيديه. التفتنا جميعا نحوه. نظر إليّ مباشرة مادّا كفّه كأنه يمسك بتفاحة: "ألم أقل لك؟!.. الكويت صغيرة!".

* * *

لم أخطئ حين أخبرت صديقي بعلاقتي بهند الطاروف، ولكنني أخطأت حين لم أطلب منه الاحتفاظ بالأمر سرّا كما أرادت عائلتي. يا لهذه الصغيرة.. لو كانت كبيرة.. هل سأضطر لكل ذلك؟ كيف يتسنى للمرء العيش مع كل ذلك الحذر الذي يجب أن يتوخاه في تصرفاته وحديثه وتحركاته؟ أي عار هذا الذي أجلبه لعائلتي حتى وأنا بعيد عنهم؟ وما هي تلك السلطة التي يملكها الناس على بعضهم البعض؟ وما سرّ تلك العضلة الغارقة في اللعاب والنميمة داخل الأفواه والتي يخشاها الناس في الكويت كما لا يخشون شيئا آخر؟

ما توصل إليه صديقي انتقل إلى أمه، ومن أمه إلى البيوت المحيطة، ومن البيوت المحيطة إلى أناس آخرين، ولأن الكويت صغيرة، يكاد كل مرء فيها يعرف الآخر، ولأن للكلمات أجنحة، فقد طار الخبر في فضاءات النميمة، في المجالس النسائية تحديدا، يحط مستريحا على

لسان إحداهن ليعاود الطيران مرة أخرى.

لا رأي لأختي في الأمر، هي تقف في منطقة وسطى، بين أخيها الوحيد وبقية العائلة. لم أتبين موقفها حين هاتفتني. كنت أحتاج لمن يقف إلى جانبي. أنا لم أخطئ. تركت بيت الطاروف طواعية لأصرف لعنتي عن الجميع. حين طُردتُ من البيت بصحبة أبي قبل سنوات طويلة حلت البركة عليه، لماذا لم تحل البركة عندما خرجت منه بإرادتي هذه المرة؟ أينا يمثل لعنة للآخر؟ جدّتي تقول أنني لعنة حلت على الطاروف، وما أراه وأعيشه هو أن الطاروف لعنة حلت بي.

لا أزال أتذكر شيئا مما قالته خولة في تلك المكالمة: "أم جابر حقيرة.. ماما غنيمة مريضة.. نورية تتوعد.. أناس تربطنا بهم علاقة نسب عرفوا بالأمر.. راشد لديه ولد من خادمة فلبينية.. و..". صمتت فجأة. سألتها: "وماذا بعد؟". أجابت مترددة: "بعض الأقرباء أبدوا شفقتهم عليّ.. يقولون أن هذا الأمر سوف يقلل من حظوظي في الزواج من رجل محترم". الكلام ذاته قالته ماما غنيمة لأبي قبل سنوات في مطبخ بيتها. يبدو انها كانت على حق. لعنة جوزافين أفلتت عمتي عواطف وهند، وها هي توشك أن تنال من أختي.

إزاء صمتي أردفت: "أنا آسفة.. لست أعني..". قاطعتها: "بل أنا من يبدي أسفه".

بلاد العجائب.. صورة مغايرة لصورة كنت أراها طيلة حياتي في الفلبين.. صورة خاطئة غير مطابقة لأحلامي.. لا شبه بين البلاد في مخيلتي القديمة وواقعي الجديد سوى أن هذه وتلك.. كلاهما.. بلاد العجائب.

* * *

راشد.. جوزافين.. أين أنتما من هذا الذي أنا فيه؟ هل تملكان الحق في إنجابي وتركي على هذا النحو؟ إن كنتما تملكان الحق فإنكما لم تكونا على قدر المسؤولية حتما. نحن نأتي إلى الحياة من دون إرادة

منا. نأتي صدفة، من دون نية مسبقة من آبائنا وأمهاتنا، أو بنية يلحقها تخطيط وتوقيت. لو أننا نُستحضر من العدم، إن كنا حقا هناك، قبل أن تُبث أرواحنا في الأجنة في الأرحام، يعرض أمامنا رجال كثير ونساء، نختار من بينهم آباءنا وأمهاتنا، وإن لم نجد من يستحقنا.. للعدم نعود.

حين شاركت عبدالله، في الديوانية، أفكاري هذه أجاب ترجمة لآية قرآنية تخبرنا أن الروح سر لا يعلمه إلا الله، لأننا، نحن البشر، لا نملك إلا القليل من العلم، سألني بعد فراغه من ترجمة الآية: "وما أدراك إننا لم نقم بالإختيار فعلا قبل أن تُمسح ذاكرتنا لنبدأ حياة أخرى في أجساد جديدة؟". سألته على الفور: "هل تؤمن بالبوذية؟"، انتفض مدافعا عن نفسه: "أنا مسلم". قلت له موضّحا: "ولكنك تتحدث عن شيء يشبه تناسخ الأرواح!". ختم حديثه بالآية ذاتها[36] وكأنه يقوم بالتكفير عن ذنب اقترفه في التفكير. إبراهيم سلام له رأي آخر. انزعج لمجرد طرح الفكرة. جاءت إجابته قرآنية قاطعة بأن الموت مصير كل الأرواح[37] قبل أن ينهي الموضوع.

* * *

عرف المجانين بحكايتي كاملة. تركي يقول: "لستَ ملاما يا عيسى بكل ما جرى". بثت كلماته شيئا من العزاء في داخلي، ولكنه سرعان ما أردف: "ولا لوم على جدّتك وعماتك أيضا". انفجرت قائلا: "هم أغنياء.. يملكون كل شيء.. كل شيء.. بماذا يضرهم وجودي؟". أجاب بابتسامة تشبه غسان: "هناك قول دارج في الكويت.. الصيت.. ولا الغنى".

* * *

(36) ﴿وَيَسْأَلُونَكَ عَنِ الرُّوحِ قُلِ الرُّوحُ مِنْ أَمْرِ رَبِّي وَمَا أُوتِيتُم مِّن الْعِلْمِ إِلَّا قَلِيلًا﴾ القرآن الكريم. سورة الإسراء: 85 (المترجم).

(37) ﴿كُلُّ نَفْسٍ ذَائِقَةُ الْمَوْتِ ثُمَّ إِلَيْنَا تُرْجَعُونَ﴾ القرآن الكريم. سورة العنكبوت: 57 (المترجم).

(15)

أمام ثلاثة خيارات كنت. إما أن أكره نفسي لما جلبته لعائلتي، أو أن أكره عائلتي لما فعلته بي، أو أن أكرههم فأكرهني لأنني واحد منهم.

جرس شقتي شرع برنين متواصل لم ينقطع حتى فتحت الباب. سمكة قرش متحفزة الأنياب بصحبة دلفين مغلوب على أمره اقتحما شقتي يجران خلفهما "طاروفا" لم يتمكنا من تحرير نفسيهما منه. وأنا، السمكة الصغيرة، أحاول الفرار ولوجا في فتحات الطاروف.

– نورية؟!

قلت لها والدهشة تتملكني. كنت أعود بخطواتي إلى الوراء خشية أن تمسك بياقة قميصي كما في المرة الأولى. في تلك المرة كانت تكابد في السيطرة على انفعالاتها خشية أن ينتبه لنا أحد في بيت ماما غنيمة، أما في شقتي.. حوض السمك الصغير.. وأنا، سمكة صغيرة على حد تعبير خولة.. في مواجهة سمكة قرش.. لا فرار.

نظرتُ باتجاه عمتي عواطف راجيا ملامحها المسالمة أن تفعل شيئا ولكنها لم تفعل. أشرت نحو غرفة الجلوس:

– تفضلا بالدخول..

لم تتزحزحا من مكانهما. كل ما في وجه نورية كان يكيل لي الشتائم. حاجباها المرفوعان إلى الأعلى، أنفها الدقيق المرتفع، ولسانها المسموم.

– اسمع.. أنا لست هند.. لستُ خولة.. تُغادر الكويت فورا.. مفهوم؟!

استفزني طغيانها. انفجرت في وجهها لا أعرف مصدرا لجرأتي:

- غادرت بيت الطاروف منذ زمن.. لا سلطة لكِ عليّ!

فتحت عينيها على اتساعهما كمن تلقى صفعة. قالت تصرخ بي:

- تُغادر الكويت فورا..

- الكويت.. ليست بيت الطاروف.

اتسعت عيناها بشكل مخيف. التفتت إلى عمتي عواطف غير مصدقة ما بدر مني. وجهت حديثها إليّ ثانية:

- تتحداني؟

- أنا لا أتحدى أحدا.

- أمي قررت أن تقطع راتبك الشهري.. هند ستتوقف عـن مساعدتك.. ألا تفهم؟

- لـديّ وظيفة.. ومبلـغ لا بأس به من المـال يكفي لأعيش بقية حياتي.. هنا..

أشرت نحو الأرض متحديا. أردفتُ:

- .. في الكويت.

ارتعشت شـفتاها. تنقل نظراتهـا بيني وبيـن عمتـي عواطف في ذهول. لست ألومها، أن يزأر القط الصغير، بصوت لا يتناسب وشكله، أمر أشد وقعا من زئير الأسد! التمعت عيناها. سالت على وجنتيها دموع سوداء غزيرة. مرعب كان شكلها. أجهشت بالبكاء تغالب كلماتها لعمتي عواطف. فرغت من حديثها ثم التفتت إليّ:

- سوف أدفع لك ما تريد..

أجبتها على الفور:

- لا أريد.

خاطبت أختها بنظرات لم أفهمها. قالت عمتي عواطف:

- هل تسمح لنا بالدخول؟

أشرت نحو غرفة الجلوس.

* * *

جلستا أمامي إلى جانب بعضهما. استعانت نورية بعمتي عواطف بعد أن فشلت هي بأسلوبها في إقناعي بالرحيل. وبإنكليزية تشبه الإنكليزية تحدثت عمتي عواطف تساعدها أختها. سألتني: "هل تصلي؟". أجبتها بريبة: "نعم". ابتسمت مستحسنة إجابتي: "هذا جيّد.. كنت متأكدة من أنك مؤمن صالح". نقلت نظري بينهما محاولا إدراك إلام ترميان. استطردت: "كُن مؤمنا قويًا.. واجه مصيرك.. وارض بما كتبه اللّه لك..". مستفهما سألتها: "الله؟". بابتسامتها الهادئة أومأت إيجابا. من الثقة التي بدت على وجه نورية أدركتُ مدى الإرتباك الذي كان على وجهي. بهدوئها إياه قالت:

- اللّه سبحانه وتعالى لم يخلقك لتكون هنا.

كنت كالتمثال الشمعي. لا تعبير ولا حركة سوى عينيّ تنتقلان بينهما نظرة استهزاء. يا إلهي كيف يقحموك في ما يحلو لهم!

- مكانك المناسب هناك.. في الفلبين.

انتصبت واقفا. رفعتا رأسيهما تنظران إليّ في حين كنت أهمّ تاركا غرفة الجلوس:

- إلى أين؟

سألتني نورية. "دقيقة واحدة"، أجبتها.

عدت حاملا حقيبة الصور والأوراق الثبوتية. جلست أمامهما. أخرجت جواز سفري الأزرق وشهادة الجنسية السوداء من الحقيبة ألوّح بهما:

- أنا كويتي.

بهدوء مستفز هزّتا رأسيهما رفضا. اخترقتني نورية بنظرتها قبل أن

تقول:

- أنت.. ابن زنا..

تيار كهربائي مرّ بسرعة البرق عبر عمودي الفقري مستقرا في رأسي. عمتي عواطف أكدّت:

- أنت مؤمن..

دسست يدي في الحقيبة. أخرجت صورة لأبي. مددتها أمامهما بذراع يهزّها الغضب:

- أنا ابن هذا الرجل..

ثقتهما أربكتني. نورية تعريني بنظرتها. عمتي عواطف تهزّ رأسها بابتسامة أسف. قلت مؤكدا:

- أنا عيسى راشد الطاروف.

بذات الإبتسامة قالت عمتي عواطف:

- راشد ليس أبيك.. لا يحق لك الانتساب إليه أو حمل اسمه.

شيء ما يختفي وراء ثقتها. أردفت تذكرني:

- أنت مؤمن..

استطردت توضح:

- ابن الزنا.. يُنسب لأمه.

تدخلت نورية:

- على ذلك.. أنت.. عيسى جوزافين.

يا لكثرة أسمائي. أما آن الأوان للاستقرار على أحدها. دسست يدي في حقيبتي أبحث بين الأوراق. أمسكت بيميني ورقة مطوية. فردتها. عرفتها من توقيعيّ وليد وغسان. بادرت نورية:

- أظنك سترينا شهادة زواج راشد وجوزافين.. لا تكلف نفسك.. إن كنت ابن راشد قانونا، فإنك لست كذلك شرعا.

تدخلت عمتي عواطف:

- أنت مؤمن..

تجاهلت مداخلتها. نظرت في عينيّ نورية متحديا. تركتها تتم ما أرادت قوله:

- أظنك تعرف أن أمك..

تداركت مصححة:

- خادمتنا جوزافين، قد حملت بك قبل تحرير هذه الورقة.. أي قبل الزواج.

تركتها تواصل حديثها في حين كنت أبحث بين الأوراق:

- أسمع يا ابن جوزافين.. ليس لك الحق بحمل اسمنا.. ليس لك حق في الميراث.. هذا شرعا لا يجوز.. وعلى كل ذلك أنت تصرّ على البقاء.. لا كرامة لديك؟

تدخلت عمتي عواطف تسأل بتردد:

- ولا إيمان؟!

عثرت على الورقة المطلوبة. شهادة الزواج في يميني لا تزال. أجبتها:

- معك حق عمتي نورية..

ضغطت على حروف الكلمة "عمتي" بين أسناني مؤكدا على الصلة التي، رغما عنها، تربطني بها. أردفت ملوّحا لها بشهادة الزواج الممهورة بتوقيعيّ وليد وغسان:

- لقد حملت بي أمي قبل تحرير هذه الورقة بأشهر عدة..

استطردتُ ملوّحا بورقة أخرى أحملها في يساري:

- .. وبعد تحرير تلك الورقة بأيام قليلة.

نظرتا إلى بعضهما في ريبة. سألتني نورية بثقة حاولت قدر الإمكان

373

أن تتقن شكلها:

- ما هذه الورقة؟

بابتسامة عمتي عواطف الهادئة أجبت:

- هذه ورقة لما تسمونه زواجا عرفيا.

انفجرت نورية تهدد تتوعد تشتم تصرخ وتحذر بالعربية والإنكليزية وإشارات اليدين. أما عمتي عواطف فقد لاذت بصمتها بوجه يتأرجح بين الصدمة والحزن.

انصرفت نورية من شقتي سمكة قرش منهزمة. ثبتت عمتي عواطف عباءتها السوداء على رأسها. عند باب الشقة قبل أن أطبقه التفتت إليّ بوجهها الباكي: "والله.. واللّه آي آم سوري". مسحت وجهها بجزء من عباءتها تقول: "أنت كويتي.. أنت ابن أخي.. ابن راشد..". من المصعد المفتوح جاء صوت نورية مرتفعا: "عواطف!". قالت قبل أن تتبع أختها: "سامحني.. ليسامحني الله".

اصطنعتُ ابتسامة قبل أن أطبق الباب أقول: "أنت مؤمنة".

* * *

(16)

لم أخبر جابرًا بما سببه لي من متاعب جراء إخبار والدته بأمري. كنت حانقا عليه، ولكنني كبحت حنقي ولم أشعره بشيء، فلست مجنونا لأخسر أحد المجانين.

كنت وجابر في الديوانية ذات مساء، في حين كان البقية في الخارج، يحضرون ندوة انتخابية لهند الطاروف.. عمتي. كان المجانين متحمسين لفوزها، ما عدا عبداللّه الذي يرفض أن تمثله امرأة في البرلمان: "وهل خلت الكويت من الرجال؟!"، هو لم يقل ذلك أمامي، جابر أخبرني بذلك: "عبداللّه يرى أن المرأة يمكنها أن تخدم المجتمع من مواقع أخرى غير البرلمان".

جابر، الذي يعرف عمتي عن كثب، كان يحدثني عنها وعن برنامجها الانتخابي ورؤيتها المستقبلية للكويت وشهرتها في الانحياز دائما إلى حقوق الإنسان. "هل تتوقع لها الفوز؟"، سألته. مط شفتيه قبل أن يقول: "ليس الأمر بهذه السهولة.. فقد نالت المرأة حقوقها السياسية قبل ثلاث سنوات من اليوم.. لا يزال الأمر جديدا.. ربما تفوز في السنوات المقبلة". صدرت نغمة من هاتفه النقال تنبه إلى وصول رسالة. أمسك بهاتفه يقرأ. قال: "هذا تركي يقول: فاتك المشهد.. حضور طاغ في ندوة الطاروف". أمسك بمفتاح سيارته: "هيا بنا.. قُم". هززت رأسي رافضا. أمسك بذراعي: "لا تكن جبانا! سوف نبقى في السيارة يا رجل!".

* * *

في قرطبة. في مكان قريب من واجهة المعهد الديني المطلة على شارع دمشق، ليس بعيدا عن برج الاتصالات الذي احتل مكاني

الأثير، كان مقر المرشحة هند الطاروف. قاعة كبيرة لا يمكنني مشاهدة ما بداخلها. سيارات كثيرة في مواقف السيارات الخاصة بالمعهد الديني. سيارات أخرى تصطف في الشارع محاذاة الرصيف وفوقه. صوت عمتي هند يصدر من سماعات مثبتة في أماكن مختلفة. تتحدث بذات النبرة التي كنت أسمعها في لقاءاتها التلفزيونية. عند مدخل القاعة الكبير يقف كل من تركي ومشعل ومهدي يوزعون أوراقا على الحضور. أبناء عمتي عواطف ونورية عند باب المدخل أيضا تتدلى من رقابهم بطاقات لم أتبين منها سوى الرقم 3 بخط كبير. "هذا رقم الدائرة الانتخابية"، يقول جابر.

بين الزحام في الخارج لمحت خولة، تحمل على صدرها البطاقة إياها. أمسكت بهاتفي أتصل بها: "ألو.. ماذا تفعلين في الخارج.. أدخلي القاعة". كنت أشاهدها من مكاني، في السيارة، تلتفت حولها بين الزحام: "أين أنت يا مجنون؟!.. عمتي نورية هنا!". أخرجت ذراعي من نافذة السيارة ألوّح لها: "أنا هنا". لا تزال تبحث حولها. "هنا هنا.. استديري نحو الشارع.. يمينا.. يمينا..". ساعدني جابر ضاغطا منتصف مقود سيارته ثلاثا: "بيب بيب.. بيييييب". لوّحت خولة بيدها. ركضت باتجاه السيارة بابتسامتها التي أحب: "السلام عليكم.. شلونك عيسى؟". انحنت بالقرب من النافذة. نظرت إلى جابر خلف المقود. اتسعت ابتسامتها: "شلونك جابر؟". دوت الخيمة وراءها بالتصفيق. انتصبت شعيرات جسدي. اخذ قلبي ينبض بشدة. وبحركة لا إرادية أخذت خولة تصفق هي الأخرى. سألتها: "كيف تسير الأمور؟". شبكت أصابع كفّيها عند صدرها تقول: "لو أن أبانا كان هنا يا عيسى.. بين الحضور". استطردت: "لطالما نادى بإشراك المرأة في بناء المجتمع.. ليته يرى شقيقته اليوم". صمتت فجأة. انحنت أكثر حتى كادت تدخل رأسها في نافذة السيارة. أخذت تنقل نظراتها بيني وبين جابر بحاجب مرفوع. قالت: "جارنا صديق الطفولة،

وأخي، في سيارة واحدة!.. كيف للقدر أن..". قاطعتها مادّا كفّي بحركة مشعل ضامّا أصابعي: "الكويت صغيرة".

تعالى التصفيق داخل الخيمة. بدأ الناس في الخروج. انتصبت خولة في وقفتها: "مع السلامة.. نتحدث لاحقا".

* * *

عدت وجابر إلى الديوانية وكان عبدالله بانتظارنا. لم نلبث طويلا حتى عاد كل من تركي ومشعل ومهدي، بعد انتهاء الندوة، بوجوه مكفهرة. تبادلوا الحديث مع جابر بالعربية، لم يلبث الأخير حتى تغيرت ملامحه. سألتُ تركي: "ها!.. كيف سارت الأمور؟". لم يُجب. تدخل مهدي: "بدأت كأحسن ما يكون". سألته: "ثم؟". أجابني مشعل: "انتهت بشكل سيئ للغاية". عاودوا حديثهم بالعربية، كنت أفهم بعض الكلمات وأجهل بعضها الآخر. وجدتني، لأول مرة، أقاطعهم: "هل لكم أن تشركونني الحديث.. أرجوكم!". التفتوا إليّ. هزّ تركي رأسه موافقا. قال: "عمتك مجنونة!". قاطعه مهدي: "لقد خسرت الانتخابات". قلت له بدهشة: "ولكن النتائج لم تظهر بعد.. بل ان اليوم ليس هو يوم التصويت!". أجاب تركي: "قرأنا نتائج خسارتها على وجوه الناس المنسحبين من الندوة". ختم مشعل: "ما كل ما يعرف يقال، وإن كان حقيقة.. عمتك مندفعة!". عبدالله، الذي كان صامتا طيلة الوقت، قال بإنكليزية بالكاد فهمت منها: "المرأة تحكمها عواطفها". لم أتبين إن كان انتقادا أم إشادة ما تفوه به.

* * *

بعد أن ألقت عمتي كلمتها بدأت تتلقى الأسئلة من الجمهور. كل شيء كان على ما يرام. واثقة كانت، سريعة البديهة، تملك لكل سؤال جوابًا. السؤال الأخير، أو الذي أصبح أخيرا، جاء من سيّدة كبيرة بدت متحمسة: "لم نسمع بكِ من قبل سوى فيما يتعلق بما تسمينه حقوق

البدون.. كانت قضيتهم من أولوياتك". أجابت عمتي على الفور: "ولا تزال". سألتها السيدة: "وهل كل البدون يستحقون الجنسية الكويتية؟". أجابت عمتي، أو اندفعت كما يقولون بإجابتها: "كلا بالطبع.. شأنهم في ذلك شأن المواطنين". حملت السيدة حقيبة يدها تاركة كرسيها. هزّت رأسها بأسف قبل أن تترك القاعة: "اللّٰه يرحم عيسى الطاروف". دوت القاعة بالتصفيق ما إن ذكرت السيّدة اسم جدّي. انسحبت. تبعها الكثير من الحضور لتنتهي الندوة قبل أن توضح عمتي ما رمت إليه.

هاتفتُ خولة أعزيها. كانت باهتة حزينة. قالت بحسرة: "الناس لا يريدون أن يسمعوا.. لم يمهلوها". سألتها عن عمتي: "كيف هي الآن؟". أجابـت تطمئنني: "هـي بخير.. جدّتي متعبة جدا". غالبت بكاءها: "هي في غرفتها بين عمتي عواطف وعمتي نورية تهدآنها". رقّ صوتي لحزنها: "وأنتِ؟ أنتِ يا خولة؟". أطلقت زفرة طويلة قبل أن تجيب: "أنا؟.. لا أدري.. أوشك على تصديق ما تؤمن به ماما غنيمة". تسارعت أنفاسها. قالت: "كل ما يحدث لنا بسببه.. غسان لعنة".

* * *

(17)

في 17 مايو 2008 جرت الانتخابات. خسارة عمتي هند لم تكن مفاجأة، خصوصا بعدما تداولت بعض الصحف تصريحها في الندوة إياها. إحدى الصحف المشهورة صدّرت أولى صفحاتها بخط عريض:

مشككة في ولاء المواطنين
هند الطاروف: الكويتيون لا يستحقون حمل الجنسية الكويتية!

شيء يشبه أجواء العزاء خيم على الديوانية إزاء رد الفعل في بعض الصحف التي هاجمت عمتي. عرف المجانين النتيجة قبل إعلانها. خسارة عمتي هند في الانتخابات لم تكن مفاجأة لي، المفاجأة الحقيقية كانت في انتصار نورية في تحديها لي وتنفيذها ما هددت به. صدقت فيما حذرت منه. نفذت تهديدها. توقف جدّتي عن صرف راتبي لم يكن أمرا مستبعدا، ولكن أن تفعل عمتي هند..!

وجدتني فجأة لا أملك سوى ما أتقاضاه من عملي في المطعم ومن دعم العمالة الوطنية، وكلا الراتبين بالكاد يكفي لتسديد إيجار الشقة وحدها. أصبحت أصرف مما ادخرته من مال، شهر تلو الآخر. أجريت حسابا لما يكفيني مستقبلا، وجدتني، إذا ما استمرت الحال على ما هي عليه، مفلسا في الأشهر القليلة المقبلة.

المجانين عرضوا عليّ المساعدة ماليا. جابر أكثرهم حماسا، ربما لذنب يشعر به. مشعل طلب مني الانتقال إلى شقته في الدور الثامن من البناية نفسها: "لا أحتاجها في غير عطلات نهاية الأسبوع". بادر تركي: "يمكنك السكن مؤقتا في الديوانية إلى أن تجد مسكنا يناسبك". إبراهيم

سلام، رغم ضيق سكنه، لا يتأخر عن المساعدة: "غرفتي الصغيرة، التي اتسعت لك من قبل، لن تتأخر في احتوائك مرة أخرى يا أخي". وبعد شدّ وجذب بيني بينه وافق على مضض أن أستأجر مساحة نومي في غرفته لقاء ثلاثين دينارًا أدفعها له شهريا.

* * *

لم يمض أسبوع واحد على انتقالي إلى غرفة إبراهيم حتى أبلغني رئيس الوردية في المطعم: "تدبر أمورك.. هذا آخر أسبوع لك في العمل هنا". السبب؟.. لا سبب..

أوجدتُ لنفسي سببا.. الكويت تلفظني..

هاتفتني خولة بعد أيام قليلة: "هل حقا تم فصلك من عملك؟". حين جاء ردي إيجابا قالت قبل أن تنهي المكالمة: "تبّا! فعلتها عمتي نورية!".

دبّت الخلافات في بيت الطاروف. عمتي هند وعمتي عواطف على خلاف شديد مع نورية التي كانت وراء فصلي من العمل: "أتركي الفتى في حاله!". نورية حانقة على هند بسبب تصريحها وخسارتها في الانتخابات: "لو كان عيسى الطاروف على قيد الحياة لمات بسببك". ماما غنيمة في حال سيئة بسبب ما يحدث في بيتها. الشقيقات على خلاف. خولة تركت البيت إلى منزل جدتها لأمها: "الوضع في بيت ماما غنيمة لا يطاق". تقول أختي واصفة حال جدّتي: "تضرب على فخذيها طيلة اليوم بحسرة.. الله يرحمك يا بوراشد.. الله يرحمك يا راشد.. ترفع كفّيها إلى السماء: الله ينتقم منك يا غسان".

- خولة! أريد أن أفهم أرجوك.. هذه أشياء معقدة!

على الجانب الآخر من المكالمة التزمت صمتها. استطردت:

- أجيبيني أرجوكِ..

صمتها لا يزال.

380

- من السبب في كل تلك المشاكل؟

كما هي، لم تنبس بكلمة. ارتفع صوتي أسألها:

- بابا غسان؟

أجابت بصوت خفيض:

- لا.

انخفض صوتي أسألها وكلي خوف من إجابة محتملة:

- أنا؟

بصوت مرتفع أجابت:

- لا!

أطلقت زفيري بارتياح لتبرئتي من ذنب كنت أخشاه. واصلت خولة:

- ليس غيره.

التزمت صمتي. أتمت المكالمة بـ:

- الطاروف.

***

(18)

تركت ورقة خس وسط غرفة إبراهيم أنتظر إينانغ تشـولينغ التي أهملت إطعامها منذ مدة. لم تظهر. ليس من عادتها الصوم طويلا. تسلل القلق إلى أعماقي. أسفل طاولة الكمبيوتر وجدتها متيبسة داخل صَدَفتها المشروخة.

نفقت إينانـغ تشـولينغ. تلـك الصامتة، المستمعة الصابرة التي لا تشكو قط. كم كان حزينا ذلك الصباح. يا الله.. أنت وحدك تعلم كم بكيت. من باستطاعته تعزيتي؟ من سيفهم سبب بكائي عليها؟ حين عاد إبراهيم من العمل شـاهد الحزن على وجهي. لم أخبره بأمر سـلحفاتي حين سألني. ما فائدة الحديث في أمر لن يفهمه. تركته في الغرفة هاربا إلى الحمام. فتحت صنبور المياه ودش الاستحمام، انفجرت باكيا غير قادر على كتم صوتي. طرق إبراهيم باب الحمام بعد أن تنبه لشهقاتي: "أخي! هل أنت على ما يرام". حاولت قدر استطاعتي أن يبدو صوتي طبيعيا: "نعم أنا بخير.. ولكن الماء بارد.. أخي".

كيـف لسـلحفاة أن تتـرك بغيابها كل هـذا الفراغ؟ ليس لها صوت أفتقده.. ولا حضور دائم وهي المعتزلة لكل شيء ملتحفة صدفتها منكفأة على نفسها تحت الأرائك. لم أفقد بغيابها سوى وجودي، وصوتي الذي ما كنت أسمعه سوى أثناء حديثي إليها.. و.. أوراق الخس في ثلاجتي.

نفقت إينانـغ تشـولينغ أكثر مـن احتمل مزاجي المتقلب.. حزني وغضبي وشكوتي. نفقت رفيقتي في غرفة إبراهيم بعد أن شـاركتني ضياعي في غرفـة الملحـق في بيـت ماما غنيمة وشقتي الواسـعة في الجابرية.

يا لهذه الوحدة! الكويت توصد أبوابها الأخيرة.. وأنا الذي حسبتني

منها. شعرت فجأة أن هذا المكان ليس مكاني، وأنني كنت مخطئا لابد حين حسبت ساق البامبو يضرب جذوره في كل مكان.

يبدو أنني قرأت مقولة ريزال بشكل مغاير لما كان يعنيه إذ يقول "ان الذي لا يستطيع النظر وراءه، إلى المكان الذي جاء منه، سوف لن يصل إلى وجهته أبدا". آمنت بمقولته كما لو أنها نبوءة. حسبتُ الكويت مكانا جئت منه حين وُلدت فيه، ليكون وجهتي التي قررت الوصول إليها بعد غياب، ولكن.. حين نظرت ورائي لم أجد سوى الفلبين.. مانيلا.. فالنسويللا.. أرض ميندوزا.

ضاقت الكويت فجأة.. أصبحت بحجم غرفة إبراهيم سلام.. ضاقت أكثر.. أصبحت بحجم علبة ثقاب.. لم أكن أحد أعوادها.

تذكرت كلمتهم المتداولة.. الكويت صغيرة.

* * *

كان يوما مملا، كسائر أيامي. أسندت جهاز اللابتوب إلى ساقيّ أتحقق من وجود رسالة ميرلا، ولكن، لا شيء سوى رسائل أمي والإعلانات التجارية المزعجة.

تراها قرأت رسائلي؟ كنت أتساءل، آه لو كنت أعرف.

ولكنني..!

أستطيع أن أعرف!

تذكرتُ أمرا ما هزّني من الأعماق. أينـي منه كل ذلك الوقت؟! ألستُ أنا من قام بفتح حساب البريد الإلكتروني لميرلا؟ وأنا.. أنا الذي اخترت لها رمز الدخول. ماذا لو لم تقم باستبداله برمز آخر؟ سأتمكن من التحقق من ذلك بنفسي؟

انتقلت بمتصفح الانترنت إلى صفحة البريد الإلكتروني. قمت بإدخال بيانات ميرلا، اسم الدخول والرمز السرّي الذي قمت باختياره.

نقلتني المفاجأة إلى صندوقها الوارد! تسارع خفقان قلبي. عشرات الرسائل ظاهرة أمامي. رسائلي، بعناوينها التي اخترت.. رسائل ماريا ورسائل أخرى كثيرة. والمهم في الأمر أن الإشارة أمام رسائلي ورسائل ماريا تظهر باللون الأبيض، ما يدل على أن أحدا قد قام بفتح الرسائل لقراءتها بعكس الرسائل الأخرى التي تظهر إشاراتها باللون الأصفر. هذا يعني أن ميرلا.. ميرلا لا تزال!

شعرت بالنبض في صدغيّ. وجدتني، بأصابع مرتعشة، بالكاد تضغط على أزرار لوحة المفاتيح، أكتب لها رسالة.. أنتظر ثم أتحقق من حالتها. لا تلبث الرسالة في بريدها أكثر من ساعات قليلة حتى تتحول الإشارة من اللون الأصفر إلى الأبيض.

دموعي التي لم تنحدر حزنا على غياب ميرلا سالت بسخاء فرحا بعودتها.. تطفر من عينيّ كلما تحولت الإشارة الصفراء إلى بيضاء تؤكد لي أن ميرلا.. هناك.

راقت لي اللعبة. أرسل رسالة تحمل كل ما أود قوله لابنة خالتي الحبيبة. يوم تلو الآخر.. تتحول الإشارة.. يزداد يقيني بأنها في مكان ما تقرأ بوحي.

* * *

(19)

كان إبراهيم منهمكا بين صحف الأسبوع يبحث عما يتعلق بالفلبين من أخبار ليرسلها إلى الصحف الفلبينية بعد ترجمتها. هذا فصل الصيف. مجانين بوراكاي يطوفون العالم ينثرون جنونهم. لعلهم أصبحوا، في ذلك الصيف، مجانين إسبانيا.. مجانين لندن.. فرنسا.. تايلاند أو ماليزيا. هل سيصادفون نصف كويتي على شواطئ تلك الدول؟ الله وحده يعلم!

وجدتني وحيدا كما لم أكن في حياتي، بلا عمل ولا سكن يخصني. درجة الحرارة التي تتجاوز الخمسين من شأنها أن تذيبني ودراجتي إن أنا فكرت في الخروج. ماتت سلحفاتي. أصدقائي في سفر. لقاء أختي مستحيل بعد انتقالها إلى بيت جدتها لأمها. أبي، كما هو دائما، لا وجود له إلا في الصور. أمي وأخي وماما آيدا في مكان آخر من الكرة الأرضية، وميرلا، رغم إيماني بوجودها، لم تكن قريبة. أما غسان، فقد أصبحت أتحاشاه خشية أن أزيد همه همّا.

لا شيء يحفزني على البقاء في بلاد أبي مدة أطول، ولكنني، لا أملك حتى ثمن تذكرة الطائرة للسفر إلى بلاد أمي. أنا.. في حيرة.

خولة، في عطلتها الصيفية، تقرأ رواية أبي الناقصة للمرة المليون.. ربما. هي حزينة. تقول: "أحتاج إلى سنوات طويلة لإكمالها". ترجمت لي فقرات مما كتبه أبي. كتب في صفحة الإهداء: "إليكما.. الكويت و.. أنتِ". تقول خولة أنها طيلة السنوات التي كانت تقرأ فيها الرواية كانت تحسب أن أبي يعني والدتها إيمان بقوله: "أنتِ". ولكنها، مع قراءاتها المتكررة اكتشفت انه لم يكن يعني سوى الفتاة التي أحبها حين كان طالبا جامعيا. تلك التي رفضت ماما غنيمة زواجه منها. "تلك التي لو

تزوجها أبي لما تورط مع جوزافين!"، قلت لأختي ساخرا.

عرفت، مما ترجمته لي خولة، أن أبي كان يعيش غربة من نوع ما في وطنه هو الآخر. وجدتني حين أنهيت المكالمة أطلب ورقة وقلما من إبراهيم. شرعت بالإنكليزية أكتب:

"أنا، رغم اختلافي عنكم، وربما تخلفي أيضا، في الكثير من الأشياء، ورغم شكلي الذي يبدو غريبا بينكم، ورغم لهجتي وطريقتي في لفظ الكلمات والحروف.. رغم كل تلك الأشياء، فأنا أحمل تلك الأوراق التي تحملون، ولي حقوق وعلي واجبات مثل حقوقكم وواجباتكم تماما، كما أنني، رغم كل شيء، لم أكن أحمل لهذا المكان سوى الحب، ولكنكم، ولسبب أجهله، حلتم بيني وبين أن أحب المكان الذي وُلدتُ فيه، والذي مات أبي من أجله. منعتموني من القيام بواجباتي، وحرمتموني من أبسط حقوقي.

عندما كنت هناك، صغيرا لا أزال، كانت أرضكم هي الحلم، أقول أرضكم ولا أقول أرضي، لأنها، رغم أوراقي الثبوتية، هي ليست كذلك. كانت الكويت، في سنوات مضت، هي الجنة التي سأفوز بها في يوم ما. والتي كان الناس، هناك، يبشرونني بها.

كنت غريبا، ولا أزال. حاولت بشتى السبل أن أتآلف مع كل شيء، رغم صعوبة .. كل شيء.

حاولت أن أخترق الحواجز والسدود المنيعة التي ارتفعت بيننا، ولكنني، وفي كل مرة، كنت أُطرد ما إن أتجاوز حدودي. انكم تختلفون في أشياء كثيرة، ولكنكم تتفقون على رفضي، وكأنني حبة لقاح أو ذرّة غبار حملتها الريح إليكم بعد تيه، ما إن تسللت إليكم عبر أنفاسكم حتى استفزت لها أنوفكم، لتلفظها أجسادكم عطسا.. تعود هي للتيه من جديد، وتهمسون أنتم: "الحمد لله".. يرد بعضكم: "يرحمكم الله".. تجاوبون: "يهدينا ويهديكم الله"، وهكذا، للّٰه الحمد، ولكم الرحمة والهداية، أما أنا

فليس لي سوى.. اللعنة والضياع!

بذلت قصارى جهدي كي أكون واحدا منكم، ولكنكم لم تبذلوا أي جهد. أعذركم، فالأمر لا يعنيكم. هل لي أن أواصل سرد حكايتي في أمر لا يعنيكم؟!

سأواصل، علني أشعر بشيء من الراحة، حين أفرغ تماما من الكلمات الحبيسة في داخلي. أريد أن أعود إلى هناك فاقدا شهوة الحديث عنكم، وعني حين كنت في دياركم.

تبا لدارون ونظريته السخيفة. كيف يكون أصل الإنسان قردا وأنا الذي فقدت إنسانيتي لديكم؟ تخلفت وأصبحت كائنا أدنى، قد ينجب أحفاده قرودا ليثبت للتاريخ نظرية دارون، ولكن، بشكل عكسي!

تفهموا صراحتي.. جرأتي أو وقاحتي، فقد كنت أحبكم لأنني كنت أحسبني واحدا منكم.. بالتالي كرهتكم فكرهت نفسي!

ولأنني لا أرغب بحمل مشاعري تجاهكم إلى هناك، ها أنا أكتبها هنا، لأتركها.. هنا.

علكم تقرأونها.. تفهمون كيف يراكم البعض. وقد أُنجب ولدا ذات يوم، هناك، أحدثه عن الأرض الحلم، وأشير بسبابتي تجاه الجنة، ليشّد رحاله إليها حينئذ، ويرى الجنة، كما سمع عنها.. جنة.

أعتذر عن قسوتي. قد لا يكون الذنب ذنبكم، بل هو ذنب والدي الذي أحضرني إلى أرضكم بعد سنوات عدة قضيتها هناك. أراد أن يزرعني من جديد، متناسيا أن النباتات الاستوائية.. لا تنمو في الصحراء.

خذوا هذه الأوراق، وأعيدوا لي نصف إنسانيتي، أو خذوا ما تبقى منها لدي.

خذوا إنسانيتي التي لم تعترفوا بها، وأتركوني أحيا كالنملة، كالنحلة، كالصرصار. ولكن، من دون قرني استشعار".

* * *

كانت تبكي في حين كنتُ اقرأ. أسألها: "هل أتوقف؟". تضحك رغم بكائها: "واصل.. واصل القراءة يا مجنون!". واصلتُ قراءة ما كتبت. زفرتْ زفرة طويلة بعد فراغي من القراءة، في حين لزمتُ صمتي. قالت: "أسعدتني بقدر ما أبكيتني". وقبل أن ننهي مكالمتنا قالت راجية: "عيسى! طلبتُ منك الكتابة قبل هذه المرة، والآن أنا أرجوك.. اكتب.. من أجلك.. من أجلي.. من أجل أبي وعمتي هند وغسان والجميع هنا". أجبتها على الفور: "سوف يكون مؤلما للجميع ما قد أكتبه يا خولة". أجابتني واثقة: "لا داعي لتذكيرك.. لم يأبه والدنا بأحد في كل ما قاله وكتبه وفعله.. لماذا لا تكن مثله؟". صمتت قليلا قبل أن تنهي: "لولا أنني عالقة بذلك الطاروف لما أوقفني شيء عن الكتابة صراحة.. هل نسيت؟ أنت وحدك القادر على ولوج فتحات الطاروف من دون أن تعلق في خيوطه الشفّافة!". أنهت المكالمة لأجدني أطلب من إبراهيم، المنهمك في عمله، مزيدا من الأوراق.

أمسكت بالقلم أواصل الكتابة بالإنكليزية My name is Jose. توقفت عن الكتابة مستذكرا كلمات خوسيه ريزال "ان من لا يحب لغته الأم، هو أسوأ من سمكة نتنة"، وأنا لا أريد أن أكون أسوأ من سمكة نتنة، وإن كنتُ سمكة فاسدة تُفسد الطازج من الأسماك حولها كما تقول ماما غنيمة خشية احتكاكي بأحفادها.

قررت الكتابة بالفلبينية، وإن طابقت في حروفها الحروف الإنكليزية.

التفتُ إلى إبراهيم الذي كان قد استلقى على مرتبته يستعد للنوم:

- إبراهيم!

التفت إليّ بعينين ناعستين. سألته:

- هل تترجم لي نصّا؟

أجاب باسما:

- هذا عملي.

اعتدلت في جلستي. أردفتُ موضحا:
- نصٌّ طويل.
نظر إليّ في ريبة يقول:
- يعتمد ذلك على محتوى النصّ.

شـرحت لـه فكرتي. تـردد في البـدء، ولكنه وافق بعـد أمور عدة
اشترطها لقـاء موافقتـه علـى الترجمة. قلت له: "أنـت حرٌ في ترجمتك
على الطريقة التي تراها مناسبة نظرا لخبرتك هنا، ولكن، إياك أن تترجم
اسـمي بطريقة غير التي نلفظها في الفلبين.. هوزيه". أسـلم رأسـه للنوم
في حيـن لـم يعرف النوم طريقه إلى عينيّ. أمسكتُ بالقلم، وبالفلبينية
كتبت:

"اسـمي Jose، هكـذا يُكتـب. ننطقه في الفلبين، كمـا في الإنكليزية،
هوزيه. وفي العربية يصبح، كمـا في الإسبانية، خوسيه. وفي البرتغالية يُكتب
بالحروف ذاتها ولكنه يُنطق جوزيه. أما هنا، في الكويت، فلا شأن لكل تلك
الأسماء بإسمي حيث هو.. عيسى!".

***

389

إن لفظت الديار أجسادنا.. قلوب الأصدقاء لأرواحنا أوطان

(هوزيه ميندوزا)

أخيرا

عيسى.. إلى الوراء يلتفت

الفصل الأخير

فرغتُ من كتابة الفصل الأول من هذه الرواية في آخر يوم لي في الكويت. سلمته إلى إبراهيم، ورقيًا، في اليوم الذي أقلني فيه بابا غسان، عبر محبوبته، إلى المطار، واتفقنا على أن أرسل له كل فصل ما إن أفرغ من كتابته، عبر البريد الإلكتروني، من الفلبين.

كان المطار حزينا، وإن كان لا يشبه الحزن الذي شاهدته يوم وصولي. ليست الأعلام منكسة وليست كراسي المقاهي مقلوبة على طاولاتها، ولكن، وجه خولة.. وجوه أصدقائي المجانين.. كل الوجوه تشبه غسان.

عند بوابة المغادرة، حاملا جوازي الأزرق، يلتف حولي المجانين من بينهم بابا غسان وإبراهيم سلام. هذا يعانقني، وذاك يصافحني بحرارة، والآخر يدّس في يدي مظروفا من المال. "النداء الأخير.. على المسافرين على الخطوط الجوية الكويتية، رحلة رقم 411، المتجهة إلى مانيلا التوجه إلى البوابة فورًا". فضّ أصدقائي الحلقة يفسحون مجالا لمرور خولة. تقدّمت أختي ببطء. عانقتني بشدّة. طال عناقها كثيرا. نبهها بابا غسان: "هذا يكفي يا خولة.. سوف تقلع الطائرة". أجابته في حين كان وجهها يغوص بين وجهي ورقبتي: "أحسن". تباعد الأصدقاء من حولي. اتسعت الحلقة أكثر لمرور عمتي هند التي فاجأتني بحضورها. انسحب بابا غسان تاركا المكان في حين تراجع الأصدقاء. أمسكت عمتي هند بأختي من كتفيها تشدّها بلطف. ضمّتني خولة بشدّة مصرّة على عدم تركي. عصرتني بين ذراعيها. دسّت عمتي ذراعها بيني وبين أختي تضمها إليها. عانقتها الأخيرة. ربّتت عمتي على ظهرها في حين كانت تبكي لا تزال. نظرت عمتي إليّ بوجه يشبه بقية الوجوه: "سامحنا يا عيسى.. سامحنا". بابتسامة واسعة، ودموع غزيرة هززّت رأسي من

دون أن أنطق. أدرتُ ظهري للجميع متجاوزا بوابة المغادرة، ومن هناك، التفتُ ورائي أنظر عبر الزجاج. الكل يودعني بنظراته إلا خولة التي كانت في عناقها مع عمتي، وبابا غسان الذي اختفى فور وصول عمتي هند.

تركتُ الكويت في أغسطس 2008، أي قبل حوالي ثلاث سنوات من اليوم، تاركا فيها كل شيء ماعدا قنينة زجاجية تحمل تراب أبي، وعلما كويتيا صغيرا كنتُ قد ثبّته إلى مؤخرة دراجتي الهوائية ذات يوم، ونسخة من القرآن باللغة الإنكليزية وسجّادة صلاة لا أدري متى سأستخدمها بانتظام وصَدَفة إينانغ تشولينغ المشروخة الخالية من جسدها.

اليوم هو الخميس، الثامن والعشرون من يوليو 2011، الساعة تشير إلى الثامنة والنصف مساء. بعد نصف ساعة من الآن سوف تنطلق مباراة منتخب الفلبين ومنتخب الكويت ضمن تصفيات كأس العالم 2014 البرازيل.

قبل أيام قليلة وصل لاعبو المنتخب الكويتي يجرون تدريباتهم في ملعب جامعة ماكاتي استعدادا لمبارات اليوم، بعد وصولهم بوقت قصير تعرضت مانيلا لزلزال بلغت قوته 6 درجات بمقياس ريختر. ربطت بين وصول الكويتيين إلى مانيلا ووقوع الزلزال في الوقت ذاته. من يُشكل لعنة للآخر؟ طردتُ الفكرة من رأسي.

مجانين بوراكاي ليسوا بعيدين عن هنا. يجلسون الآن في مدرجات ستاد ريزال ميموريال يساندون منتخبهم. أنا من استقبلهم في مطار نينوي أكينو يوم أمس، ويوم غد سوف أودعهم. لو أنهم يطيلون البقاء.. لتمكنا من زيارة بوراكاي ثانية!

سأسلم هذا الفصل من الرواية إلى إبراهيم سلام ورقيا، كما فعلت في الفصل الأول. سيحمل المجانين أوراقي هذه إليه، ليسلمها بدوره، بعد ترجمتها، إلى خولة، علها بعد مشاهدة الجزء الأخير مكتوبا بخط يدي، وإن بلغة تجهلها، تتشجع على إتمام رواية أبي.

* * *

أجلس الآن في غرفة الجلوس أمام التلفاز في بيتنا في أرض ميندوزا. ورقتي الأخيرة بين يديّ. الجميع من حولنا يتابعون خروج اللاعبين إلى أرض الملعب بحماس، ما عدا أدريان الغارق في غيابه.. أمي وألبيرتو وماما آيدا.. خالي بيدرو وزوجته وأبناؤهما.. وعلى السجادة وسط غرفة الجلوس يحبو ولدي الصغير غير آبهٍ بما يجري حوله.

اقشعر بدني. رعشة تسللت من أعماقي إلى أطرافي ما إن شرع لاعبو المنتخب الكويتي بترديد النشيد الوطني: "وطني الكويت سلمت للمجدِ.. وعلى جبينك طالع السعدِ..". وجدتني أترنم بلحن النشيد في حين كانت الكاميرا تنتقل بين وجوه اللاعبين. فرغ اللاعبون من ترديد نشيدهم، وفرغت أنا من ترديد لحنه، ثم انطلقت أصواتُ مَن حولي ما إن انتقلت الكاميرا إلى لاعبي المنتخب الفلبيني يرددون: "وطني الحبيب.. لؤلؤة الشرق.. توهّج الفؤاد.. مهد الشجاعة..".

شعور لا يمكنني وصفه ذلك الذي ينتابني. أحاول قدر استطاعتي أن أصب تركيزي في هذه الورقة التي بين يديّ من دون جدوى. أنقل نظري بين ولدي وشاشة التلفاز. ولدي الذي توقعت أن يأتي بعينين زرقاوان وبشرة بيضاء جاء بملامح مغايرة.. بسُمرة عربية، وعينين واسعتين تشبهان عينيّ عمته.. خولة.

أرادت ميرلا أن تسميه Juan، كنت قد أوشكت على الموافقة لولا أنني تذكرت أننا ننطقه في الفلبينية كما في الإنكليزية هوان، وفي البرتغالية جوان، وفي العربية يصبح كما الإسبانية خوان. اعتذرت لـ ميرلا أن أطلق على ولدنا كل هذه الأسماء، لأن اسمه، من قبل مولده.. راشد.

انفجر راشد الصغير باكيا مذعورا بسبب الصراخ الذي انطلق فجأة في غرفة الجلوس لركلة سددها اللاعب الفلبيني ستيفان شروك استقرت في مرمى المنتخب الكويتي في الوقت الإضافي نهاية الشوط الأول.. هتافات وصفير في شاشة التلفاز وغرفة الجلوس.. الابتسامات على

الوجوه من حولي.. الجميع يصفق بفرح إلا أنا الذي كنت أشعر بأنني ركلتُ الكرة في مرماي.

بـدأ الشـوط الثانـي من المباراة. راشـد يغط في النـوم بين ذراعيّ ميرلا. أحبط الجميع في الدقيقة الـ 61 عندما سجّل يوسف ناصر هدفا لصالح منتخب الكويت.

ها أنا أسجل هدفا جديدا في مرماي الآخر..

النتيجـة حتـى الآن مُرضيـة بالنسـبة لي. المتبقي مـن زمن المباراة يزيد عن نصف الساعة لست أرغب بمتابعتها. لا أريد أن أفقد توازني. لا أريد أن أخسرني أو أكسبني. بهذه النتيجة أنا.. متعادل.

سأترك ورقتي الأخيرة هذه لأتفرغ لمشاهدة وجه صغيري المطمئن فـي نومـه بيـن ذراعـيّ أمه.. أو في الغـوص في عينيّ أدريـان الغارقتين في.. الفراغ.

يوليو 2011

مانيلا

(*) انتهت المباراة لصالح منتخب الكويت الوطني بهدف ثان سجله اللاعب وليد علي في الدقيقة الـ 84.

تصل إلى إبراهيم محمد سلام.

هاتف رقم: 00965253545

الكويت – الجابرية – قطعة 1 ب – ش 416 –

بناية 32 – الدور الأرضي..

شقة رقم.. **Isa**.